Herausgegeben von Frank Festa

Band 6

In dieser Reihe außerdem lieferbar:

2601 Frank Festa (Hg.)	*Lovecrafts dunkle Idole*
2602 Frank Festa (Hg.)	*Die Saat des Cthulhu*
2603 Frank Festa (Hg.)	*Der Lovecraft-Zirkel*
2604 Robert Bloch	*Cthulhus Rückkehr*
2605 Clark Ashton Smith	*Necropolis*
2606 Graham Masterton	*Die Opferung*

In Vorbereitung:

2607 August Derleth *Die Masken des Cthulhu*

Die Opferung

Graham Masterton

Aus dem Englischen von Ralph Sander

1. Auflage Juni 2001
© dieser Ausgabe 2001 by Festa Verlag, Almersbach
www.Festa-Verlag.de

Originaltitel: *Prey*
© 1992 by Graham Masterton
Veröffentlicht mit Erlaubnis von Graham Masterton
Dieses Werk wurde vermittelt durch die Literarische Agentur
Thomas Schlück GmbH, 30827 Garbsen
Druck und Bindung: Wiener Verlag, A-2325 Himberg
Alle Rechte vorbehalten

ISBN 3-935822-04-9

»Kleiner Junge, aß 'ne Pflaume, Cholera kam, aus der Traum,
Größ'rer Junge, Möwennest: Seil gerissen, Leichenfest,
Kleines Mädchen, Farbenspaß, leckt' am Pinsel, biß ins Gras,
All die Kinder, oh du graus, nunmehr sind sie Jenkins Schmaus.«

        Viktorianischer Kinderreim, 1887

»Das Objekt, das nicht größer als eine ausgewachsene Ratte war und von den Leuten im Dorf ›Brown Jenkin‹ genannt wurde, schien die Folge einer Massenhysterie gewesen zu sein, da 1692 nicht weniger als elf Personen ausgesagt hatten, es gesehen zu haben. Es gab auch Gerüchte jüngeren Datums, die bemerkenswerte und beunruhigende Übereinstimmungen aufwiesen. Zeugen erklärten, es habe langes Haar und die Gestalt einer Ratte gehabt, während das pelzige Gesicht mit seinen spitzen Zähnen etwas bösartig Menschliches aufwies und die Pfoten an winzige menschliche Hände erinnerten. Die Stimme glich einem abscheulichen Kichern, und es konnte in allen Sprachen sprechen. Von allen bizarren Monstrositäten, die Gilman in seinen Träumen sah, erfüllte ihn keine mit größerer Panik und stärkeren Schwindelgefühlen als dieser blasphemische und winzige Hybride. Dessen Bild verfolgte ihn in seinen Visionen tausendmal haßerfüllter als alles andere, was sein Verstand aus den antiken Aufzeichnungen und neuzeitlichen Berichten abgeleitet hatte.«

      H. P. Lovecraft, *The Dreams in the Witch-House*

1. Fortyfoot House

Kurz vor Sonnenaufgang wurde ich von einem verstohlenen, schlurfenden Geräusch aus dem Schlaf gerissen. Ich lag da und lauschte. Schlurf. Dann wieder. Schlurf, Schlurf, Schlurf. Anschließend Stille.

Die dünnen, mit Blumenmustern verzierten Vorhänge vor dem Fenster wurden von einer schwachen Brise bewegt, die auch die Fransen des Lampenschirms zucken ließ wie die Beine eines von der Decke herabhängenden Tausendfüßlers. Ich lauschte, so intensiv ich nur konnte, aber ich vernahm nur die rauschende See und das geschwätzige Flüstern der Eichen.

Wieder ein Schlurfen. Diesmal aber so weit entfernt und so schnell, daß es alles mögliche hätte sein können, vielleicht ein Eichhörnchen auf dem Dachboden oder eine Schwalbe unter dem Dachgiebel.

Ich drehte mich um und vergrub mich tief in die glatte Satinbettwäsche. In fremden Häusern schlafe ich immer schlecht – seit Janie mich verlassen hatte, schlief ich nirgends mehr gut. Nach der gestrigen Fahrt von Brighton, nach dem Übersetzen von Portsmouth hierher und nach einem ganzen Nachmittag, den ich damit verbrachte, Koffer auszupacken, war ich todmüde.

Danny war in der Nacht auch zweimal aufgewacht. Zuerst, weil er Durst hatte, und später, weil er sich fürchtete. Er sagte, er habe irgend etwas auf der anderen Seite seines Schlafzimmers gesehen, etwas Zusammengekauertes und Dunkles, aber es waren nur seine Kleider gewesen, die über die Stuhllehne hingen.

Mir fielen die Augen zu, aber ich konnte nicht einschlafen, so sehr ich auch wollte. Ich hätte alles dafür gegeben, eine Nacht, einen Tag und ja, noch eine Nacht einfach nur durchzuschlafen. Ich döste nur, und einen Moment lang träumte ich, daß ich wieder in Brighton war, daß ich unter einem grauen Himmel durch die Straßen von Preston Park ging, entlang an Terrassen aus roten Ziegelsteinen. Ich träumte, daß ich jemanden aus meiner Parterrewohnung eilen sah, eine große männliche Gestalt mit langen Beinen, die mir ihr spitzes weißes Gesicht zuwandte und mich anstarrte, um dann davonzurennen. ›Der Schneider aus dem Struwwelpeter, der dem Daumenlutscher die Daumen abschneidet‹, schoß es mir durch den Kopf. ›Es gibt ihn wirklich‹.

Ich versuchte, ihm nachzulaufen, aber auf irgendeine Weise hatte er es geschafft, auf die andere Seite des Zauns zu gelangen, der sich um den Park zog. Blaßgraues Gras, Pfaue, die wie mißhandelte Kinder schrien. Ich konnte nichts anderes machen, als auf meiner Seite des

Zauns neben ihm herzulaufen und darauf zu hoffen, daß er immer noch in Sichtweite sein würde, wenn ich endlich ein Tor erreichte.

Mein Atem dröhnte wie Donner in meinen Ohren. Meine Füße klatschten wie die eines Clowns auf dem geteerten Weg. Ich sah aufgeblasene Gesichter, weiße Ballons mit menschlichem Antlitz, die mich angrinsten. Und ich hörte ein kratzendes, schlurfendes Geräusch, so als wäre ein Hund dicht hinter mir, dessen Pfoten auf dem Asphalt ein leises Klicken verursachten. Ich drehte mich um, und mit einem Mal war ich wach. Ich hörte ein wildes, lärmendes Umhereilen, viel lauter als von einem Eichhörnchen oder einem Vogel.

Ich befreite mich aus der Decke und setzte mich auf. Die Nacht war heiß gewesen, und meine Laken waren zerknittert und schweißgetränkt. Ein weiteres schwaches, zögerliches Kratzen war zu hören, dann herrschte wieder Stille.

Ich nahm meine Uhr vom Nachttisch. Es war noch nicht hell, aber das wenige Licht genügte, um zu sehen, daß es 5.05 Uhr war. Jesus!

Ich schleppte mich aus dem Bett und ging hinüber zum Fenster und zog die Vorhänge auf. Der Himmel war so weiß wie Milch, und hinter den Eichen zeigte sich auch die See in einer milchigweißen Färbung. Das Fenster meines Schlafzimmers war nach Süden ausgerichtet. Von hier konnte ich den größten Teil des zur See hin abfallenden Gartens sehen, die vernachlässigten Rosenbeete, die Sonnenuhr, dahinter die Stufen, die hinunterführten zum Fischteich, und den Weg, der danach im Zickzack zwischen den Bäumen bis zum hinteren Gartentor verlief.

Danny hatte bereits herausgefunden, daß es von diesem Gartentor bis zur Küste nur ein kurzer, steil abfallender Spaziergang war, der an einer Reihe hübscher kleiner Cottages mit Blumenkästen voller Geranien auf jeder Fensterbank entlangführte. Am Strand: Steine, eine schaumige Brandung, an Land getriebener Tang, und ein kühler, salziger Wind, der von Frankreich herüberwehte kam. Wir waren am Abend zuvor dort hinabgestiegen, hatten uns dann den Sonnenuntergang angesehen und mit einem Fischer aus dem Dorf gesprochen, der Schollen und Heilbutt fing.

Weiter links vom Garten, am anderen Ufer eines schmalen, überwucherten Bachs, stand eine zerfallene Steinmauer, dick mit Moos überzogen. Von der Mauer fast völlig verdeckt wurden sechzig bis siebzig Grabsteine – Kreuze und weinende Engel – und eine kleine gotische Kapelle, deren Fenster kein Glas mehr aufwiesen und deren Dach vor langer Zeit eingestürzt war.

Laut Mr. und Mrs. Tarrant hatte die Kapelle einst Fortyfoot House und dem Dorf Bonchurch gedient, doch mittlerweile fuhren die Bewohner zum Gottesdienst nach Ventnor, falls sie sich überhaupt irgendwohin in eine Kirche begaben. Fortyfoot House stand leer, seit die Tarrants ihr Fliesengeschäft verkauft hatten und nach Mallorca ausgewandert waren.

Ich fand den Friedhof nicht besonders unheimlich, eher traurig, weil man ihn so hatte verkommen lassen. Hinter der Kapelle erhoben sich die dunklen, einer Zirruswolke ähnlichen Umrisse einer riesigen, uralten Zeder, einer der größten, die ich je gesehen hatte. Etwas an diesem Baum verlieh der Landschaft eine Aura der Erschöpfung und des Bedauerns, daß es nie wieder so sein würde wie früher. Aber irgendwie verlieh er auch eine Aura der Kontinuität.

Um diese Zeit am frühen Morgen war der Garten so farblos wie alles andere auch. Fortyfoot House sah so aus wie auf dem alten Schwarzweißfoto von 1888, das im Flur hing. Das Bild zeigte einen Mann, der mit einem schwarzen Zylinder und einem schwarzen Frack im Garten stand. Mir war, als könnte er jeden Augenblick zurückkehren, genau so, wie er dort zu sehen war, farblos, streng, mit einem Backenbart, und den Blick starr auf mich gerichtet.

Ich konnte mir eigentlich einen Kaffee machen; sinnlos, zu versuchen, noch etwas länger zu schlafen. Die Vögel hatten zu zwitschern begonnen, und die Finsternis zog sich so rasch zurück, daß ich schon die schlaffen Tennisnetze auf der anderen Seite des Rosengartens, das mit Flechten überzogene Gewächshaus und die verwilderten Erdbeerbeete erkennen konnte, die im Westen an Fortyfoot House grenzten.

»Ich hoffe, daß es Ihnen Spaß macht, Mr. Williams, Ordnung im völligen Chaos zu schaffen«, hatte mich Mrs. Tarrant gefragt und durch ihre kleine Sonnenbrille auf ihren Garten geblickt. Ich hatte den Eindruck gewonnen, daß sie Fortyfoot House nicht sehr mochte, auch wenn sie immer und immer wieder erklärt hatte, wie sehr sie es vermisse.

Ich öffnete vorsichtig die Schlafzimmertür, um Danny nicht aufzuwecken, der im Zimmer nebenan schlief, dann schlich ich leise durch den schmalen Flur im Obergeschoß. Egal wo ich hinsah, überall entdeckte ich etwas, das für mich Arbeit bedeutete. Feuchtigkeit hatte auf der blaßgrünen Tapete große Flecken hinterlassen, die Deckenfarbe schälte sich ab, die Fensterbretter waren verrottet. Die Heizkörper waren undicht, die Ventile mit Kalk überzogen. Das gesamte Haus roch verwahrlost.

Ich erreichte die oberste Stufe der steilen, schmalen Treppe und wollte gerade nach unten gehen, als ich das Schlurfen erneut hörte – es war mehr ein *Huschen* als ein Schlurfen. Ich zögerte. Es klang so, als komme das Geräusch vom Dachboden. Nicht vom Dachvorsprung, was ich erwartet hätte, wenn es nistende Vögel gewesen wären. Sondern von der Mitte des Dachbodens, fast so, als habe sich etwas diagonal über den Fußboden bewegt.

Eichhörnchen, dachte ich. Ich hasse Eichhörnchen. Sie sind so zerstörerisch, und sie essen ihre Jungen auf. Vermutlich hatten sie den gesamten Dachboden übernommen und ihn zu einem riesigen, stinkenden Eichhörnchenreich gemacht.

Neben dem Treppenabsatz gab es eine kleine, mit Tapete beklebte Tür, die nicht direkt ins Auge fiel. Mrs. Tarrant hatte mir gesagt, daß dies der einzige Zugang zum Dachboden sei, auf dem sie auch nur wenige Möbelstücke eingelagert hatten.

Ich öffnete die Tür und spähte hinein. Der Speicher war stockfinster, und der Luftzug wehte mir von Trockenfäule geprägte, stickige Luft entgegen. Ich horchte, konnte aber nur den Wind hören, der sich unter den Dachziegeln fing. Das Kratzen war wieder verstummt.

In der Nähe der Tür ertastete ich einen altmodischen braunen Lichtschalter, doch egal wie oft ich ihn betätigte, es passierte nichts. Entweder war die Glühbirne durchgebrannt, oder die Leitungen waren verrostet. Vielleicht hatten auch die Eichhörnchen die Kabel durchgebissen. Am gegenüberliegenden Treppenabsatz sah ich einen großen Spiegel, den ich so ausrichtete, daß er das wenige Sonnenlicht des frühen Morgens reflektierte und wenigstens die ersten Stufen der auf den Dachboden führenden Treppe schwach beleuchtete. Ich fand, daß es eine recht gute Idee war, mich zumindest einmal schnell umsehen, damit ich wußte, mit wem oder was ich es zu tun hatte. Ich hasse Eichhörnchen, aber sie sind mir immer noch lieber als Ratten.

Ich zog den Teppich aus dem Flur herüber, damit er die Tür zum Speicher daran hinderte, hinter mir zuzufallen, dann betrat ich vorsichtig die ersten drei Stufen. Sie waren extrem steil und mit dickem braunen Filz belegt, wie ich ihn seit zwanzig Jahren bestimmt nirgends mehr gesehen hatte. Der Luftzug wehte mir beständig entgegen, aber es war keine frische Luft, eher wie verbrauchter Atem, so, als *atme der Dachboden aus.*

Auf der vierten Stufe hielt ich kurz inne, um wieder zu horchen, gleichzeitig konnten sich meine Augen an den schwachen Lichtschein gewöhnen. Es überraschte mich, daß zwischen den Dachziegeln kein einziger Lichtstrahl hindurchdrang. Offenbar befand sich das Dach noch immer in gutem Zustand. Das bleiche Licht, das der Spiegel reflektierte, war keine große Hilfe, aber ich konnte immerhin einige Umrisse auf dem Dachboden ausmachen. Etwas, das aussah wie ein Sessel. Etwas, das aussah wie ein kleiner Schreibtisch. Im Winkel zwischen Fußboden

Die Opferung

und Dach etwas, bei dem es sich um einen Berg alter Kleidung handeln mochte, das aber ebensogut ein sonderbar geformtes Möbelstück unter einem Laken sein konnte.

Es hing Trockenfäule in der Luft. Das roch ich. Aber es war auch noch ein anderer Geruch da. Ein schwacher, süßlicher Geruch wie der von Gas oder von einem verwesenden Vogel, der sich in einem Kamin verfangen hatte. Ich konnte nicht sagen, was es war, aber zumindest, daß ich diesen Geruch nicht mochte. Ich beschloß, später noch einmal mit einer Taschenlampe hierherzukommen, um der Sache auf den Grund zu gehen.

Gerade wollte ich wieder nach unten gehen, als ich erneut das Scharren hörte. Es kam aus der Ecke, die am weitesten von mir entfernt und wo der Dachboden am dunkelsten war. Hier oben war das Geräusch schwerer, es hatte mehr Substanz – nicht das, was ein Eichhörnchen oder ein Vogel verursachen würde. Es ließ eher an einen großen Kater oder eine sehr große Ratte denken, oder sogar an einen Hund. Allerdings konnte ich mir nicht vorstellen, wie ein Hund auf den Dachboden hätte gelangen sollen.

»Pssssssttt!« zischte ich in die Richtung, um das Tier zu erschrecken.

Das Kratzen brach abrupt ab, jedoch nicht, um sich erschrocken und überhastet zurückzuziehen, sondern eher auf eine Weise, als wolle das Geschöpf abwarten, um herauszufinden, was ich als nächstes machen würde. Ich lauschte intensiv, und einen Augenblick lang glaubte ich, eine rauhes Atmen zu hören, aber das war wohl nur der Wind.

»Pssssssttt!« wiederholte ich, diesmal noch nachdrücklicher.

Es kam keine Reaktion. Ich hatte keine Angst vor der Dunkelheit, und ich hatte auch keine große Angst vor Tieren, nicht einmal vor Ratten. Ich hatte einen Freund, der in London für Islington Council Ratten fing. Einmal hatte er mich kilometerweit durch die Kanalisation geführt und mir schmieriggraue Ratten gezeigt, die durch die Fäkalien der Menschen schwammen. Ich glaube, danach gab es nichts mehr, was mir Angst einjagen konnte.

»Sie haben uns eine Woche lang im Chigwell Reservoir trainieren lassen«, hatte mein Freund gesagt, »damit wir einen menschlichen Körper sofort erkennen können.«

»Ihr braucht eine Woche Training?« hatte ich ihn ungläubig gefragt.

Ich erklomm die letzte Stufe, machte einen großen Schritt, und starrte weiter in die Dunkelheit. Am anderen Ende des Dachbodens konnte ich eine Gestalt ausmachen, aber ganz sicher war ich mir nicht.

Sie war nicht so groß wie ein erwachsener Mann, es *konnte* gar kein Erwachsener sein, dafür war zwischen Dach und Boden kein Platz mehr. Aber auch kein Kind, denn dafür wirkte sie zu klobig. Andererseits existierte auch keine derart große Katze.

Nein, meine Augen spielten mir sicher einen Streich. Es war vermutlich nichts Unheimlicheres als ein alter Pelzmantel, der über einem Stuhl lag. In der Dunkelheit sah ich Formen und sich bewegende Schatten, wo sich nichts befinden oder bewegen konnte. Ich sah, wie durchsichtige Kügelchen vor meinen Augen hin- und herschwirrten, Staub oder Tränen.

Ich tat noch einen Schritt. Mein Fuß stieß gegen die Kante eines harten, rechteckigen Objekts – eine Truhe oder eine Kiste. Ich horchte wieder, während ich leise atmete. Obwohl ich das Gefühl hatte, daß sich etwas auf dem Dachboden befand, das mich beobachtete und darauf wartete, daß ich mich noch weiter vorwagte, kam ich zu dem Entschluß, weit genug gegangen zu sein.

Die Wahrheit war, daß ich sicher war, es sehen zu können. Etwas äußerst Finsteres, Kleines. Es bewegte sich nicht, sondern wartete *angespannt*, daß ich mich bewegte. Es war mir peinlich, so sicher zu sein. Die Logik sagte mir, daß es schlimmstenfalls eine Ratte sei.

Ich hatte keine Angst vor Ratten. Genauer gesagt, ich hatte keine allzu große Angst vor Ratten. Ich hatte einmal versucht, einen Horrorroman über Ratten zu lesen, der nichts weiter bewirkt hatte, als mich friedlich einschlummern zu lassen. Ratten waren nur Tiere, und sie hatten mehr Angst vor uns, als wir vor ihnen.

»Pssssssttt!« zischte ich etwas vorsichtiger und glaubte, daß es sich im gleichen Moment bewegt habe.

»Pssssssttt!«

Keine Reaktion. Sogar der Wind schien den Atem anzuhalten. Die Luft auf dem Dachboden war wie erstarrt. Ich trat einen Schritt zurück, dann noch einen, und suchte mit der Hand nach dem Treppengeländer. So gleichmäßig wie möglich zog ich mich in Richtung des schwachen Lichtscheins zurück, der vom Spiegel reflektiert wurde.

Ich bekam das Geländer zu fassen. Da hörte ich das Ding wieder rumoren. Es bewegte sich, aber nicht fort von mir. Es zog sich nicht in irgendeine dunkle Ecke zurück, so wie es Ratten tun, sondern kam *auf mich zu*. Es bewegte sich sehr langsam und verursachte ein Geräusch, das nach Fell und Klauen klang, aber auch noch nach etwas anderem. Etwas, das mir zum ersten Mal seit dem Tag, da ich in die Kanalisation von Islington hinabgestiegen war, wieder Angst einjagte.

»Pssssssttt! Geh weg! Husch!« rief ich.

Ich kam mir albern vor. Was, wenn da überhaupt nichts war? Ein Berg alter Wäsche, eine Taube, die auf dem Holzboden scharrte. Und überhaupt: Was sollte es sein außer einem Vogel oder einem kleinen Nager? Eine Fledermaus? Vielleicht. Aber Fledermäuse sind ungefährlich, außer sie haben Tollwut. Und Ratten? Die interessieren sich viel mehr für ihr eigenes Überleben, anstatt jemanden anzugreifen – es sei denn, sie sind ausgehungert oder fühlen sich in höchstem Maß bedroht. Ratten sind feige, weiter nichts.

Ich stieß mit dem Rücken gegen das Geländer. So schnell wie möglich wollte ich jetzt den Dachboden verlassen. Als ich die oberste Stufe erreicht hatte, verrutschte der Teppich, der die Tür offengehalten hatte, und die Tür fiel mit einem leisen Klicken ins Schloß. Ich stand in völliger Finsternis da.

Ich tastete mit meinem Fuß nach der nächsten Stufe, aber egal, wie weit ich ihn nach unten bewegte, ich konnte sie nicht erreichen. Die Treppe kam mir so leer wie ein Aufzugschacht vor. Obwohl ich allmählich in Panik geriet, konnte ich mich nicht dazu durchringen, den Schritt in das scheinbare Nichts zu wagen.

»Danny!« brüllte ich. »Danny! Ich bin's, Daddy! Ich bin auf dem Speicher!«

Ich lauschte, hörte aber keine Reaktion. Danny war so müde gewesen wie ich, und normalerweise konnte ihn nichts wecken, weder schwere Gewitter noch Musik noch seine Eltern, wenn sie sich lautstark stritten.

»Danny! Ich bin auf dem Speicher! Die Tür ist zugefallen!«

Wieder keine Reaktion. Ich bewegte mich an der obersten Stufe der Treppe entlang und klammerte mich an das Geländer, das meine einzige Orientierung darstellte. Ich versuchte, meine Augen so sehr anzustrengen, wie es mir nur möglich war, aber es gab nicht das mindeste Licht auf dem Dachboden. Es war schwärzer als unter einem Berg von Bettdecken.

»Danny!« schrie ich, hatte aber nicht die Hoffnung, daß er mich hörte. Warum, zum Teufel, konnte ich die Stufe nicht finden? Ich wußte, das die Treppe steil war, aber nicht *so* steil. Ich tastete mit meinem Fuß so tief es nur ging, aber ich fand keinen Halt.

In diesem Moment hörte ich wieder das Schlurfen.

Es war jetzt wesentlich näher. Derart nah, daß ich instinktiv so weit zurückwich, wie es mir möglich war, ohne das Geländer loslassen zu müssen.

»Danny«, sagte ich mit gedämpfter Stimme. »Danny, hier ist Daddy.«

Schlurf.

Mein Herz schlug ein langen, langsamen Takt. Mein Mund war so trocken wie ein Schwamm. Zum ersten Mal seit den Tagen meiner Kindheit wußte ich nicht, was ich tun sollte. Ich glaube, es war das

Gefühl der völligen Hilflosigkeit, das mir mehr Angst machte als alles andere.

Schlurf.

Dann hörte ich ein hohes, kicherndes Geräusch, als würde jemand in einer fremden Sprache sprechen, die er selbst nicht sehr gut beherrschte. Es war völlig unverständlich. Es konnte ein Mensch gewesen sein, der Thai oder irgend etwas anderes sprach, aber ebensogut das Quieken eines aufgeregten Tiers, das Blut gerochen hatte.

»Pssssssttt!« erwiderte ich. Doch das Kichern hörte nicht auf, sondern wurde eher noch schneller und aufgeregter. Ich hatte das unerträgliche Gefühl, jeden Augenblick sterben zu müssen.

DANNY. Hatte ich das laut gesagt? Ich wußte es nicht. DANNY, HIER IST DADDY.

Dann huschte etwas an mir vorbei, etwas, das sich abscheulich, kalt und borstig anfühlte, so groß wie ein zehnjähriges Kind, aber so schwer wie eines mit Übergewicht. Es kratzte mich mit einer Kralle in den Arm. Ich schrie laut auf, strauchelte und verlor den Halt. Ich stürzte nach hinten, schlug mit der Schulter gegen eine Kiste und hörte das Geschöpf nur Zentimeter von mir entfernt mit einem triumphierenden Zischen vorbeischlurfen.

Hih-hih-hih-hih-hih!

Ich rollte mich zur Seite, stieß mit großer Wucht irgendwo an und fiel die Treppe hinunter. Es war, als würde ich von einem dreißig Meter hohen Gebäude in die Dunkelheit stürzen. Mit meinem Fuß hatte ich die Stufen nicht finden können, aber jetzt fand ich sie – auf schmerzhafte Weise. Bis zum Fuß der Treppe erwischte ich jede einzelne Stufe – mit Kopf, Schulter, Hüfte, Ellbogen. Als ich unten ankam und mit dem Knie gegen die Tür stieß, die sich daraufhin öffnete, fühlte ich mich, als habe mich jemand mit einem Cricketschläger zusammengeprügelt.

Reflektiertes Sonnenlicht blendete mich.

»Oh, Herr!« rief ich aus.

Danny stand auf dem Treppenabsatz in seinem gestreiften Schlafanzug von Marks & Spencer und erwartete mich bereits.

»Daddy!« rief er aufgeregt. »Du bist gefallen!«

Ich lag rücklings auf dem Teppich, meine Füße befanden sich noch auf der Treppe.

»Alles in Ordnung«, beruhigte ich ihn, obwohl ich es eigentlich mehr sagte, um mich selbst zu beruhigen. »Das Licht funktioniert nicht, und ich bin gestolpert.«

»Du hast *geschrien*«, beharrte Danny.

»Ja«, sagte ich und stand auf, um die Tür zum Dachboden zu schließen und zu verriegeln. War da ein Schlurfen zu hören, auch nur ein leichtes Kratzen?

»Warum hast du gerufen?«

Ich sah ihn an, dann zuckte ich mit den Schultern. »Die Tür war zugefallen. Ich konnte nichts sehen.«

»Aber du hattest Angst.«

»Wer sagt, daß ich Angst hatte? Ich hatte keine Angst.«

Danny sah mich ernst an: »Du *hattest* Angst.«

Ich sah die Tür zum Dachboden länger an als nötig. »Nein«, sagte ich schließlich. »Es ist alles in Ordnung. Es war dunkel, weiter nichts. Ich konnte bloß nichts sehen.«

2. Das Kapellenfenster

Wir saßen beim Frühstück in der altmodischen, großen Küche zusammen. Der Boden bestand aus paprikaroten unglasierten Fliesen, die lindgrünen Schränke waren von der Art, wie sie in den dreißiger Jahren hochmodern gewesen war. Das flache weiße Spülbecken sah so aus, als habe man es früher einmal für Autopsien benutzt. Durch das Fenster konnte ich den Rest der Turmspitze erkennen, die zu der zerfallenen Kapelle gehörte. Danny saß am Tisch, vor sich eine Schale Weetabix. Er baumelte mit den Beinen und die Sonnenstrahlen ließen die Haare auf seinem Kopf wie eine strahlende Pusteblume wirken.

Er sah seiner Mutter so sehr ähnlich – große, braune Augen, dünne Arme, dünne Beine. Er sprach auch wie seine Mutter, schlicht und praktisch. Ich hätte von Anfang an wissen sollen, daß ich niemals allzu lange Zeit mit einer schlichten und praktischen Frau zusammenleben konnte. Dafür war ich viel zu sehr Theoretiker – immer bereit, mich mehr auf meine Inspiration zu verlassen statt auf die Vernunft.

Janie und ich waren uns auf dem Brighton Art College begegnet; ich war im letzten, sie im ersten Jahr gewesen. Sie hatte viel gekichert und ihr Gesicht immer hinter ihren Haaren versteckt, aber sie war so atemberaubend schön, daß ich immer irgendeinen Grund fand, um mit ihr zu reden.

Drei Jahre später begegneten wir uns an einem Sommerabend auf einer Party in Hastings wieder. An jenem Abend trug sie ein langes, lilaweißes Kleid aus feiner indischer Baumwolle und um ihren Kopf ein lila Tuch. Ich hatte mich augenblicklich und unwiderruflich in sie verliebt. Ich liebte sie noch immer, aber auf eine dumpfe, resignierte Art. Zahllose Wutausbrüche und viele lautstarke Diskussionen hatten mir gezeigt, daß sie und ich einfach nicht zusammenbleiben konnten.

Ich betrieb in der North Street in Brighton ein Geschäft für Inneneinrichtung. An einem naßkalten Februarmorgen kam sie zu mir in den Laden, um mir zu sagen, daß sie mich verließ. Wenigstens besaß sie den Mut, es mir ins Gesicht zu sagen. Sie wollte mit jemandem namens Raymond nach Durham umziehen und dort für den Stadtrat arbeiten. Ob ich ein paar Monate lang auf Danny aufpassen könne?

»Viel Glück«, hatte ich gesagt. »Ich hoffe, du und Raymond werdet unglaublich glücklich miteinander.«

Die Türglocke hatte geklingelt, dann war sie fort. Draußen hatte ein bärtiger, fürsorglich aussehender Mann in einem regennassen beigen Dufflecoat auf sie gewartet. Der verdammte Raymond.

Ich verlor in der Folge völlig das Interesse an der Inneneinrichtung. Statt dessen unternahm ich mit Danny ausgedehnte Spaziergänge an der Küste entlang und ignorierte das Telefon. Nach drei Monaten mußte ich meine Tapeten und meine Musterbücher verkaufen und mich nach einer Arbeit umsehen – jedoch ohne großen Erfolg, wie sich herausstellen sollte.

Kurz nach Anfang des Sommers traf ich im King's Head in der Duke Street auf Chris Pert. Chris war einer meiner alten Saufkumpane von der Kunsthochschule, bleiches Gesicht, etwas verschlossen und sonderbar, voll auf dem Zen-Trip und ein fanatischer Träger brauner Kordhosen. Wir spendierten uns abwechselnd einige Runden ›Tetley's Bitter‹ und erzählten uns gegenseitig unser Elend. Seine Mutter war gestorben, woran ich nicht viel ändern konnte. Allerdings schlug ich ihm vor, Madame Tzigane auf dem Brighton Pier aufzusuchen, ihr ein paar Münzen in die Hand zu legen und sie zu fragen, ob er mit seiner Mutter auf der anderen Seite reden könne. Chris konnte *mir* dagegen sehr helfen. Er war der Stiefneffe von Mr. und Mrs. Bryan Tarrant, den Teppichfliesen-Millionären und Eigentümern des Fortyfoot House auf der Isle of Wight. Chris erwähnte, daß die Tarrants ohne großen finanziellen Aufwand das Haus renovieren und reparieren und den Garten von Unkraut befreien lassen wollten, um es dann zu verkaufen. »Insgesamt aufpolieren« war die Formulierung, die er benutzte. Das hörte sich genau nach dem ruhigen, zurückgezogenen Job an, den ich suchte. Ich konnte den ganzen Sommer mit Danny verbringen, ohne dabei denken zu müssen.

Gestern am späten Nachmittag waren wir mit der Fähre von Portsmouth auf der Isle of Wight angekommen, dann bis zum südlichsten Zipfel der Insel, nach Bonchurch, gefahren. Bonchurch war ein Küstendörfchen, das aus einem typisch britischen Kinderbuch hätte stammen können: ordentliche Cottages und schattige Wege, säuberlich gepflegte Gärten.

Ich war nie zuvor auf der Isle of Wight gewesen. Wenn man nicht gerade seinen Kindern einen billigen Urlaub am Meer bieten wollte – oder wenn man nicht gerade ein Student der viktorianischen Geschichte war, der einen Blick auf Königin Victorias Haus in Osborne werfen wollte –, dann gab es keinen vernünftigen Grund, auf die Isle of Wight zu reisen. Es handelt sich um eine kleine Insel in der Form eines Diamanten, vor der Südküste Englands gelegen, mit der Autofähre nur zwanzig Minuten von Portsmouth entfernt. Knapp dreißig Kilometer erstrecken sich zwischen der West- und der Ostküste, von nördlichsten bis zum südlichsten Teil der Insel sind es gerade mal zwanzig Kilometer. Es ist ein verirrtes Fragment der Hampshire Downs, das von den Römern Vectis genannt worden war.

Die meisten Städte und Dörfer sind Touristenfallen, mit Cottages und Puppenmuseen, mit Miniaturdampfloks und Flamingoparks. Doch in Richtung Westen gewinnt die Insel mit ihren von Mauern umgebenen Gärten und ihren Zedern allmählich an Höhe und geht in die Sandsteinklippen von Alum Bay und die kirchturmartigen Dachspitzen von Needles über. Von diesen Klippen aus, und damit weit weg von den Menschenmengen, konnte man die wahre Isle of Wight sehen. Eine idyllische Landschaft, die eine seltsame Aura der Zeitlosigkeit ausstrahlte, eine Aura, die heraufbeschwor, daß hier die Römer an Land gegangen waren, daß die Angelsachsen auf den breiten Hügeln Schafe gezüchtet hatten, daß Victoria und Albert durch die gepflegten Gärten spaziert waren, daß in den zwanziger Jahren Busse auf ihren Ballonreifen und mit ihren steil aufragenden Windschutzscheiben durch die von Hecken gesäumten Straßen gefahren waren.

Darum gefiel es mir hier, und weil es gemütlich war. Danny gefiel es ebenfalls, und das war das einzige, was zählte. Vielleicht spürten wir beide, daß wir vor der Realität flohen, die von bankrotten Geschäften und verlorenen Müttern geprägt war, um an einer endlosen goldenen Küste Zuflucht zu suchen, die von Seesternen, Pfützen im Sand und Schaufel und Eimer bestimmt wurde.

Kurz nach unserer Ankunft hatte ich Janie in Durham angerufen und ihr unsere Telefonnummer gegeben und ihr gesagt, daß Danny wohlauf war. »Du hetzt ihn doch nicht gegen mich auf, oder, David?«

»Warum sollte ich das? Er braucht eine Mutter, so wie jeder Junge.«

»Aber du wirst bei ihm nicht den Eindruck erwecken, ich hätte ihn sitzenlassen?«

»Warum sollte ich diesen Eindruck *erwecken*? Um Himmels willen, Janie, das Gefühl hat er sowieso schon.«

Sie hatte schwer geseufzt: »Du hast versprochen, ihn nicht gegen mich aufzuhetzen.«

»Es geht ihm gut«, hatte ich ihr versichert. Ich wollte mich nicht schon wieder streiten, nicht am Telefon und nicht in diesem Moment. »Ich sehe schon zu, daß ich dich so oft erwähne, wie es angebracht ist.«

»Und wie oft ist das?«

»Janie, hör endlich auf, ja? Ich sage dauernd Dinge wie: ›Ich frage mich, was Mom jetzt gerade macht.‹ Oder: ›Ich möchte wetten, daß deine Mom dich gerne in dieser Hose sehen würde.‹ Was soll ich noch tun?«

Langes Schweigen war die erste Reaktion, dann hatte Janie ernsthaft niedergeschlagen gesagt: »Er fehlt mir so sehr.«

Ich hatte das Gesicht verzogen, was sie natürlich nicht hatte sehen können. Keine sarkastische Grimasse, sondern eine von diesen Mienen, die man macht, wenn man sein Bestes gegeben hat und es immer noch nicht genug ist, wenn man den Rest seines Lebens mit den schmerzhaften Konsequenzen verbringen muß. »Ich weiß«, hatte ich gesagt. »Ich mache morgen Fotos, wenn wir am Strand sind. Ich schicke dir ein paar.«

Ohne ein weiteres Wort hatte Janie den Hörer aufgelegt.

»Also, was sollen wir heute unternehmen?« fragte ich Danny.

Er stand auf den moosüberzogenen Steinplatten der Veranda an der Rückseite des Hauses, die Beine extrem weit gespreizt, die Hände in die Hüfte gestemmt und die Unterlippe vorgeschoben. Diese Haltung nahm er ein, wenn er erwachsen aussehen wollte. Er trug ein rot-grün gestreiftes T-Shirt und eine rote Sporthose mit Gummizug.

»Erkundungsrundgang«, schlug er vor.

Ich sah mich um und hielt die Hand vor die Augen, um sie vor der Sonne zu schützen. »Ich schätze, du hast recht. Komm, lass uns einmal ums Haus gehen, damit wir wissen, was zu tun ist.«

»Du hast da einen blauen Fleck«, sagte er und zeigte auf meine linke Wange.

»Ich weiß. Ich bin die Treppe runtergefallen, ich bin mit blauen Flekken übersät.«

»Wir brauchen eine Taschenlampe«, erklärte er.

»Auf jeden Fall. Laß uns die Gegend erkunden, und dann gehen wir los und kaufen die unglaublichste Taschenlampe, die je ein Mensch gesehen hat.«

Danny ging vor mir die Stufen hinunter. Zwischen jedem einzelnen Stein wucherte Gras, das Moos war an manchen Stellen sogar so dick, daß es wie ein tiefer grüner Teppich aussah. Ich erinnerte mich an einen Teppich, der fast genauso ausgesehen hatte. Den hatte man aus einem Haus in Brighton geschleppt, in dem zwei kleine Mädchen bei einem Brand ums Leben gekommen waren.

Danny lief an der Mauer entlang, die die Veranda umgab, und sang ›The Grand Old Duke of York‹.

»Ich habe gestern mit Mom telefoniert, nachdem du ins Bett gegangen warst«, sagte ich.

Danny ruderte weiter mit den Armen und sang: »He had ten thousand men ...«

»Sie sagt, daß sie dich liebhat. Und daß sie dich vermißt. Sie sagt, daß sie dich bald besuchen wird.«

»And he marched them down again.«

»Danny ...«

Er blieb am Ende der Mauer stehen. Über seinem Kopf drehte sich eine Möwe im Wind und schrie wie ein Kleinkind. Es war bereits warm, und der blaue Himmel war mit kleinen Wolken übersät, die wie Wattebäusche aussahen.

»Sie hat gesagt, daß sie dich liebhat und dich vermißt.«

Eine einzelne Träne lief über seine Wange. Ich ging auf ihn zu, um ihn in die Arme zu nehmen, doch er wich einen Schritt zurück. Er wollte nicht in die Arme genommen werden.

»Danny, ich weiß, daß das schwer für dich ist.«

Ich hörte mich an wie ein Figur in einer schlechten australischen Seifenoper. Woher sollte ich wissen, wie schwer es für ihn war? Woher sollte ich wissen, was es für einen Siebenjährigen bedeutet, seine Mutter zu verlieren?

Ich wandte mich hilflos ab und sah hinüber zum Fortyfoot House – zu der Seite des Fortyfoot House, die zum Garten und zur See wies. Da der Garten so abrupt abfiel, wirkten die Mauern unnatürlich hoch. Sie waren mit Ziegelsteinen verkleidet, die so dunkelrot schimmerten, daß sie fast die Farbe von Kastanien hatten. Das riesige mißgestaltete Dach war mit moosbewachsenen, braunen Ziegeln bedeckt. Ursprünglich waren alle Fensterrahmen aus Eiche gewesen, jedenfalls hatte Mrs. Tarrant das gesagt. In den zwanziger Jahren hatte man sie durch glänzende Metallrahmen ersetzt, die dann schwarz gestrichen worden waren. Eine der ersten Entscheidungen, die ich für das Fortyfoot House getroffen hatte, lautete, alle Metallrahmen wieder weiß zu streichen.

Die Schornsteine hatten alle noch ihre ursprüngliche Höhe und waren so entworfen, daß sie Kohlenfeuer heiß und heftig brennen ließen. Auch wenn jetzt fast subtropisches Klima herrschte, konnte ich mir vorstellen, daß die Winter in Bonchurch äußerst unangenehm werden konnten.

Irgendwann einmal mußte die gesamte Rückseite des Hauses mit Kletterpflanzen überzogen gewesen sein, doch waren sie vor langer Zeit verkümmert und abgefallen. Zurückgeblieben waren nur ein paar trockene Ranken, die sich im Mauerwerk verfangen hatten.

Etwas an den Proportionen des Fortyfoot House irritierte mich. Aus irgendeinem Grund schienen die Winkel nicht zu passen. Das Dach wirkte viel zu groß, und es sah so aus, als falle ein Ende viel zu steil ab. Ich ging ein paar Schritte zur Seite, und die Winkel veränderten sich, wollten aber noch immer nicht so richtig zusammenpassen. Fortyfoot House war eines der abnormsten Gebäude, denen ich jemals begegnet war. Ganz egal, aus welcher Richtung man es betrachtete, immer erschien es unangenehm, häßlich und unausgewogen.

Dieses Unangenehme war so allgegenwärtig, daß sich mir fast der Verdacht aufdrängte, der Architekt habe es mit Absicht so entworfen. Von jeder Seite sah es so aus, als bestehe es nur aus einer Fassade, ohne jegliche Tiefe. Mich überkam das Gefühl, daß sich hinter den Wänden, die ich mit meinen eigenen Augen sehen konnte, nichts befand, abgesehen von einem vergessenen, leeren Garten. Es war, als existiere Fortyfoot House nicht wirklich.

Danny wollte nicht an meiner Hand gehen und sprang von der Mauer. Dann trottete er mürrisch vor mir her, vorbei an den blütenlosen Rosensträuchern, und ich folgte. Mir war so schlecht, als hätte ich einen Kater. Wie konnten Janie und ich ihm so ein Elend bereiten? Manchmal hatte ich das Gefühl, es wäre besser gewesen, ihn gar nicht erst zu zeugen. Es war so mies wie die Zucht von Jagdvögeln, nur um sie abzuschießen.

»Ich glaube, auf dem Dachboden ist eine Ratte«, sagte ich zu ihm, während wir auf dem Kiesweg am Strand weitergingen.

Er sagte nichts.

»Wenn wir die Taschenlampe haben, gehen wir nach oben und suchen nach ihr, ja?«

Er blieb stehen, drehte sich um und sah mich finster an. »Ratten können beißen.«

»Ja, sicher. Aber wenn man eine dicke Hose und stabile Handschuhe trägt, kann nicht viel passieren. Außerdem haben sie meistens mehr Angst vor uns als wir vor ihnen. Ich habe mal welche in der Kanalisation gesehen.«

»Ich könnte meine Wasserpistole mitnehmen«, schlug Danny vor.

Ich nahm seine Hand. »Ja, das wäre nicht schlecht«, sagte ich. »Vielleicht kannst du sie mit roter Tinte füllen, so wie in den Comics. Das sieht dann wie Blut aus, wenn du sie triffst. Und wenn wir sie wiedersehen, wissen wir, mit welcher Ratte wir es zu tun haben.«

Danny gefiel diese Idee. Er begleitete mich bis zur Vorderseite des Hauses und begutachtete zusammen mit mir ernsthaft die Rhododendronbüsche. Den Zustand des Dachs kommentierte er mit einigen fachmännischen Lauten. Ich liebte den Jungen.

Er begann, von der Schule zu erzählen und von Button Moon im Fernsehen, und daß er beschlossen habe, bei den Comics auf Beano umzusteigen, weil der jetzt erwachsener war. Er fragte mich, ob es möglich sei, seinen Teddy so hoch zu werfen, daß der in eine Umlaufbahn um die Erde einschwenkte. Wenn er ihn so richtig schnell wirbeln und dann loslassen würde? Er hatte Angst gehabt, es zu versuchen, weil es sein konnte, daß er seinen Teddy für alle Zeit verlieren würde. Seine Mom hatte ihm den Teddy geschenkt, und er wäre am Boden zerstört gewesen, wenn er ihn verloren hätte.

Wir setzten uns auf die weiß lackierte, gußeiserne Gartenbank, um über die Gärten in Richtung See zu blicken. Das Gras und das Unkraut waren kniehoch gewuchert. Der Wind wehte uns warm ins Gesicht und zerzauste unser Haar.

»Manchmal können Leute einfach nicht zusammenleben«, sagte ich ihm. »Sie lieben sich, aber sie können nicht zusammensein.«

»Das ist blöd«, sagte Danny.

»Ja«, stimmte ich ihm zu. »Das ist es.«

Danny sang leise und ließ die Beine baumeln und ich blickte beiläufig und neugierig hinüber zum Fortyfoot House. Sogar von hier aus schienen die Winkel des Dachs ungewöhnlich. Ich konnte das Dachfenster meines Zimmers sehen, das nach Süden hin lag, und die Ziegel zu beiden Seiten. Das Sonderbare daran war aber, daß die westliche Wand entgegen meinen Erwartungen völlig vertikal verlief, bis hinauf zur Dachkante, obwohl die Decke in meinem Zimmer auf dieser Seite auch abfiel.

Mit anderen Worten: Es gab einen abgeteilten Raum, der wie eine auf den Kopf gestellte Pyramide zwischen meiner geneigten Decke und der vertikalen Außenwand des Hauses lag.

Was diesen Gedanken an einen abgeteilten Raum noch verwirrender machte, war die Tatsache, daß ich unter dem weißen Verputz ganz schwach einen rechteckigen Umriß erkennen konnte, wenn ich meine Augen gegen die Sonne abschirmte. So, als habe sich dort einmal ein Fenster befunden, das vor sehr langer Zeit zugemauert worden war. Irgendwann einmal mußte mein Zimmer eine gerade Wand nach Westen hin gehabt haben – und ein Fenster, das den Ausblick auf die hohen Fichten ermöglicht hatte, die sich hinter den Erdbeerbeeten erhoben.

Ich konnte mir keinen vernünftigen Grund vorstellen, warum man dieses Fenster zugemauert und die Decke in meinem Zimmer so geneigt hatte, als würde dort das Dach verlaufen. Vielleicht wegen Trockenfäule oder Feuchtigkeit oder wegen eines Baufehlers, der sich auf die Konstruktion auswirkte. Aber ein Fenster zuzumauern, das schien mir nicht der richtige Weg, um solche Probleme zu lösen.

Ich sah das Dach so lange gedankenverloren an, bis Danny aufhörte zu singen und mich fragte: »Was ist los?«

»Nichts«, antwortete ich.

Er blickte ebenfalls hinauf zum Dach. »Da oben war mal ein Fenster«, erklärte er überzeugt.

»Stimmt. Man hat es zugemauert.«

»Warum?«

»Das habe ich auch gerade überlegt.«

»Vielleicht wollten sie nicht, daß jemand rauskommen konnte.«

»Vielleicht«, stimmte ich ihm zu, dann wunderte ich mich: »Wie kommst du auf ›rauskommen‹?«

»Na ja, das ist zu hoch. Reinkommen kann da keiner«, sagte Danny.

Ich nickte.

Es beeindruckte mich immer wieder aufs neue, wie analytisch Kinder denken. Sie wischen all die Vorwände und Kompromisse beiseite, die Erwachsene bereitwillig akzeptieren, und sie sehen alles klar und unverfälscht, wie in einem Bilderbuch. Und sie besitzen noch etwas. Einen sechsten Sinn, eine Verbundenheit mit der Natur. Sie können zu den Bäumen und Tieren und Fröschen reden und bekommen manchmal sogar eine Antwort.

»Ich frage mich«, sagte Danny, »wer da in dem Zimmer gelebt hat.«

»Wie meinst du das?«

»Ich meine, wen sie da nicht rauslassen wollten.«

»Ach so. Hmm, irgend jemanden.«

Wir gingen zurück zur Veranda; jeder von uns hatte die Hände auf dem Rücken verschränkt, Vater und Sohn einträchtig nebeneinander.

»Kommt Mom uns hier besuchen?«

»Ich weiß nicht. Wohl eher nicht. Jedenfalls nicht in nächster Zeit. Sie hat viel zu tun, oben in Durham, mit Raymond.«

»Du könntest wieder heiraten«, schlug Danny vor.

Ich sah zu ihm hinunter, lächelte und schüttelte dann den Kopf. »Daran habe ich nicht mal gedacht. Noch nicht.«

»Aber du wirst einsam sein.«

»Wie könnte ich einsam sein, ich habe doch dich.«
Danny griff nach meiner Hand.
»Wollen wir uns den Friedhof ansehen?« fragte ich. Alles war mir lieber, als um Fortyfoot House herumzuspazieren, dieses Haus mit seinem beunruhigenden Winkeln und dem außergewöhnlichen Eindruck, daß es sich nicht nur hier, sondern auch noch woanders befand. Es war wie bei einem Stock, den man ins Wasser taucht und der dann geknickt zu sein scheint. Welcher Winkel ist der richtige? Welche Welt ist die richtige?

Wir durchquerten den Garten und näherten uns dem kleinen Bach, der unter den überhängenden Farnen viel schneller floß als ich erwartet hatte. Außerdem war er laut und sehr kalt. Danny und ich balancierten über die Steine, die vom Wasser und Moos rutschig waren, dann kletterten wir den steilen Hügel hinauf, der zur Friedhofsmauer führte. Der Wind trug den intensiven Geruch von wildem Thymian mit sich, der mich an irgend etwas erinnerte, was ich vor sehr langer Zeit einmal gekannt hatte. Ein sonderbares Gefühl, kaum zu bestimmen. Und je mehr ich versuchte, mich zu erinnern, um so mehr entglitt mir das Gefühl.

Danny stieg über die eingestürzte Mauer, während ich um sie herumging und das quietschende Eisentor öffnete.

Auf dem Friedhof wehte der Wind nicht mehr und es war deutlich wärmer. Seite an Seite gingen wir durch das hohe, trockene Gras. Schmetterlinge tanzten um uns herum und die riesige Zeder knarrte und stöhnte monoton. Ich verspürte ein überwältigendes Gefühl von Frieden und Zeitlosigkeit. Wir hätten hier an einem beliebigen Sommertag entlanggehen können – oder an allen Sommertagen gleichzeitig. Hier existierte kein Kalender, die Vergangenheit lag hier direkt neben der Zukunft.

Wir erreichten das ersten Grabmal, einen umgestürzten weißen Stein mit einem blinden Engelsgesicht.

›Gerald Williams, im Alter von sieben Jahren von Gott zu sich berufen, 7. November 1886‹.

Danny strich mit seinen Fingern über die Buchstaben. »Er ist nicht sehr alt geworden, oder?«

»Nein, er war so alt wie du. Aber früher sind Kinder an Krankheiten gestorben, die heute nicht mehr tödlich sind. So wie Mumps oder Scharlach oder Keuchhusten. Die Leute hatten nicht die Medikamente, um sie zu heilen.«

»Armer Gerald Williams«, sagte Danny gerührt.

Ich legte meinen Arm um seine Schulter, und gemeinsam gingen wir zum nächsten Grab. Der Stein war aus Marmor und hatte die Form einer aufgeschlagenen Bibel.

›Hier ruht in Frieden Susanna Gosling. Gestorben am 11. November 1886 im Alter von fünf Jahren.‹

»Noch ein Kind.«

»Vielleicht eine Epidemie«, überlegte ich. »Weißt du, wenn in einer ganzen Stadt oder einem Dorf jeder krank wird.«

Wir gingen weiter zu den nächsten Gräbern. Ein Engel hielt einen Olivenzweig in der Hand. Ein großes keltisches Kreuz. Ein einfaches Rechteck. Wieder lagen dort Kinder begraben. Henry Pierce, zwölf Jahre. Jocasta Warren, sechs Jahre. George Herbert, neun Jahre.

Insgesamt fanden wir auf dem von Unkraut überwucherten Friedhof siebenundsechzig Kindergräber. Keines der Kinder war jünger als vier Jahre oder älter als dreizehn Jahre. Und sie alle waren im November 1886 in einem Zeitraum von zwei Wochen gestorben.

Ich stand neben der halb in sich zusammengefallenen Mauer der Kapelle unter dem leeren gotischen Fenster und sah mich um. »Hier muß irgendetwas wirklich Sonderbares geschehen sein, daß diese Kinder alle fast zur gleichen Zeit gestorben sind.«

Danny nickte ernst. »Eine Epidemie, hast du doch gesagt.«

»Aber es gibt keine Erwachsenen, die in dieser Zeit gestorben sind. Nicht einen einzigen. Wenn alle diese Kinder an einer Krankheit gestorben wären, dann hätte es zumindest auch einen Erwachsenen treffen müssen.«

»Vielleicht ein Feuer«, sagte Danny. »Bei Lawrence hat es auf einer Geburtstagsparty auch mal gebrannt. Seine Mama hat den Kuchen reingebracht und dabei die Vorhänge in Brand gesteckt. Das wären auch alles Kinder gewesen.«

»Das könnte sein. Aber wenn es wirklich ein Feuer oder irgendeine andere Katastrophe *war,* dann hätte es doch wenigstens auf einigen Grabsteinen stehen müssen.«

»Wenn ich vom Bus überfahren werde, möchte ich aber nicht, daß das auf *meinem* Grabstein steht. ›Hier liegt Danny, vom Bus plattgemacht‹.«

»Das ist was anderes.«

»Ist es nicht.«

»Na gut, dann ist es nichts anderes. Komm, wir sehen uns mal die Kapelle von innen an.«

»Ich dachte, das ist eine Kirche.«

»Ist es auch. So eine Art jedenfalls. Eine Kapelle ist eine kleine Kirche.«

Die von Wind und Wetter ausgebleichten Türen zur Kapelle waren aus ihren verrosteten Scharnieren gefallen und hatten sich verkantet.

Ich drückte meine Schulter gegen den rechten Türflügel und konnte ihn mit etwas Mühe soweit bewegen, daß Danny und ich uns hindurchzwängen konnten.

»Paß auf, daß du nicht mit deinem T-Shirt an dem Nagel da hängenbleibst.«

Es gab kein Dach mehr, seine Überreste lagen auf dem Boden verstreut, Hunderte von zerbrochenen Dachziegeln, die von Gras, Huflattich und Disteln überwuchert wurden. Die Mauern waren noch immer gekalkt, wiesen aber schwarze Flecken auf, die von der Feuchtigkeit herrührten. Efeu hatte den größten Teil der westlichen Mauer erobert. Wir gingen weiter, und die Dachziegel zerbrachen unter unseren Füßen. Erst als wir den hohen Sandsteinaltar erreicht hatten, sahen wir uns in Ruhe um. Die Kapelle wirkte nicht mehr besonders heilig, nur verfallen. Vögel waren die einzige Kirchengemeinde, und das Stöhnen der Zeder war der einzige Psalm, der zu hören war.

»Hier ist es unheimlich«, fand Danny.

»Das kommt dir nur so vor, weil alles verlassen ist.«

Wir bahnten uns unseren Weg zurück zum Eingang, als Danny plötzlich sagte: »Sieh mal da. Fußabdrücke.«

»Fußabdrücke? Wovon redest du?«

»Sieh doch, hier.«

Er ging hinüber zur westlichen Mauer und zeigte auf den Boden, dicht unter das überhängende Efeu. Tatsächlich war dort ein Paar nackter Füße aufgemalt worden.«

»Das ist ein Wandgemälde«, erklärte ich ihm. »Vermutlich eine Station auf dem Kreuzweg.«

»Was ist das?«

»Ich werd's dir zeigen.« Ich nahm das Efeu in beide Hände und schob es Stück für Stück zur Seite. Es gab ein Geräusch wie zerreißendes Leinen von sich und klammerte sich so hartnäckig am Mauerwerk fest, als besäße es Finger, mit denen es Halt fand. Schließlich legte ich aber das Wandgemälde schrittweise frei, zuerst ein paar in Weiß gekleidete Beine, dann eine Hand, eine Schärpe und noch eine Hand.

»Da«, sagte ich zu Danny. »Sieht aus wie Jesus.« Doch dann zog ich einen letzten Wust raschelnden Efeus zur Seite und legte das Bild einer Frau mit wallendem rötlichem Haar, einem roten Stirnband und einem außergewöhnlichen, ergreifenden Gesichtsausdruck frei. Ein Großteil der Farbe war vom Wetter und dem austrocknenden Effekt des Efeus ausgeblichen, doch die Frau war noch immer beeindruckend, und das Gemälde war so lebensecht, daß ich fast das Gefühl hatte, die Frau spreche zu uns.

Was mich störte, war nicht die realistische Darstellungsweise der Frau, sondern das, was um ihren Hals lag. Das Gemälde war so blaß geworden, daß ich es zuerst für eine dunkle Pelzstola hielt. Aber als ich genauer hinsah, erkannte ich, daß es sich um eine große Ratte handelte – oder um etwas, das einer Ratte sehr ähnlich sah. Das Tier hatte ein weißes, längliches Gesicht und schrägstehende Augen, aber der Gesichtsausdruck wirkte eher wie der eines Menschen als der eines Tieres. Spöttisch, berechnend und verschlagen.

»Das ist nicht Jesus«, sagte Danny nachdrücklich.

»Nein.«

»Und wer ist es dann?«

»Ich weiß nicht, ich habe keine Ahnung.«

»Was ist das da auf den Schultern? Dieses häßliche Ding?«

»Vermutlich eine Ratte.«

»Das ist häßlich.«

»Du hast recht. Komm, wir verdecken es wieder.«

Ich versuchte, das Efeu wieder vor das Gemälde zu ziehen, aber nachdem ich es einmal von der Wand gezerrt hatte, weigerte es sich, wieder in seine alte Position zurückzukehren. Schließlich mußte ich die Wand freigelegt lassen. Damit blieb die Frau genauso für jedermann sichtbar wie die verschlagen aussehende Ratte. Aus irgendeinem unerklärlichen Grund empfand ich beide als ausgesprochen unangenehm und irritierend, vor allem störte mich die in dem Bild angedeutete, unausgesprochene Symbiose zwischen ihnen – die Implikation, daß die Frau die Ratte ebenso benötigte wie umgekehrt.

»Können wir gehen?« drängte Danny, und ich nickte, auch wenn es mir schwerfiel, meinen Blick von der Frau zu lösen. Danny lief voraus und kletterte auf einen Haufen zerbrochener Dachziegel und Steine, um aus dem leeren gotischen Fenster zu blicken. »Von hier aus kann ich den Strand sehen«, sagte er. »Schau mal, da ist das Gartentor.«

Ich stellte mich neben ihn und stützte meine Ellbogen auf die Fensterbank. Der Ausblick war von hier aus wunderschön – die großen Bäume, die Gärten, der Weg, der langsam zur See hin abfiel. Aus dieser großen Entfernung wirkten die Gärten bemerkenswert gepflegt. Sogar die Erdbeerbeete schienen frei von Unkraut zu sein, mit Früchten, die rot leuchteten. Der Fischteich glitzerte im morgendlichen Schein der Sonne, in seiner Oberfläche spiegelten sich die langsam dahintreibenden Wolken.

»Da hinten ist ein Fischerboot«, rief Danny. Durch die Bäume hindurch konnte ich das rostfarbene, dreieckige Segel ausmachen, während sich das Boot langsam der Küste näherte.

»Irgendwann werden wir auch mal mit einem Boot aufs Meer hinausfahren«, versprach ich ihm. »Solange du mir versprichst, daß du Schwimmen lernst.«

»Ich kann ja Schwimmflügel anziehen«, schlug er vor.

Ich sah hinüber zum Fortyfoot House. Der Verputz schien im Sonnenlicht viel heller zu sein und die Fenster schienen zu strahlen. Merkwürdig war, daß es von hier aus so wirkte, als befänden sich an jedem Fenster Gardinen, obwohl die einzigen Gardinen im gesamten Haus jene waren, die ich in Dannys und in meinem Schlafzimmer aufgehängt hatte.

Ich legte die Stirn in Falten und kniff die Augen zusammen. Irgend etwas stimmte nicht. Von hier aus war Fortyfoot House nicht das heruntergekommene, von Feuchtigkeit gezeichnete Gebäude, das ich renovieren sollte. Von hier aus waren die Gärten nicht zugewuchert, die ich vom Unkraut befreien sollte. Von hier sah das Fortyfoot House fast aus wie neu, die Gärten waren makellos.

Es sah genauso aus wie auf der alten Fotografie des Hauses, die im Erdgeschoß im Flur hing. Fortyfoot House im Jahre 1888.

Als würde mir Eiswasser über den Rücken geschüttet, wandte ich meinen Blick ab und schaute hinüber zu den Cottages unten am Strand. Sie wirkten nicht so stark verändert, allerdings war von den Dachantennen nichts mehr zu entdecken. Ich konnte sie jetzt auch viel besser sehen, weil nicht so viele Bäume und Hecken die Sicht verdeckten.

Ich blickte nach unten auf den Friedhof; das Gras war ordentlich gemäht, Geranien blühten in kreisrunden Beeten. Und es gab keine Grabsteine, nicht einen einzigen konnte ich erkennen.

»Danny«, sagte ich und legte meine Hand auf seine Schulter. »Wir sollten jetzt gehen.«

»Ich möchte nur noch sehen, wie das Fischerboot vor Anker geht.«

»Du kannst auch zum Strand runterlaufen und es dir von dort anschauen.«

Bevor ich hinunterklettern konnte, sah ich im Augenwinkel, daß jemand aus der Küche des Fortyfoot House kam und selbstsicher und ruhig über die sonnenbeschienene Veranda ging. Es war ein Mann in einem schwarzen Frack, er trug einen hohen, schwarzen Hut. Während er ging, hielt er sein Revers fest und blickte nach rechts und links, als würde er etwas inspizieren.

Er erreichte die Mitte des Rasens und blieb stehen, verschränkte die Hände auf dem Rücken und genoß offensichtlich die leichte Brise, die von der See herüberwehte.

Während er da stand, sah ich, daß sich noch etwas anderes bewegte.

In einem der oberen Fenster des Hauses entdeckte ich ein blasses Gesicht. Ich sah noch einmal genauer hin, und einen Moment lang glaubte ich, die Gesichtszüge jener Ratte wiederzuerkennen, die sich um die Schultern der Frau an der Kapellenmauer gelegt hatte.

Dann war es verschwunden, das Fenster war wieder dunkel.

»Hey!« rief ich dem Mann auf dem Rasen zu. Falls er real war, falls ich nicht halluzinierte, dann mußte er mich hören.

»Hey, Sie da!« schrie ich. »Ja, Sie da, auf dem Rasen!«

»Wer ist denn das?« fragte Danny.

»Siehst du ihn auch?«

»Na klar. Er trägt einen lustigen Hut.«

»Sie da!« rief ich erneut und ruderte mit den Armen.

Der Mann wandte sich um und blickte zur Kapelle. Sein Gesicht hatte einen düsteren, mißbilligenden Ausdruck. Er zögerte einen Moment lang, als überlege er, ob er zur Kapelle und damit zu uns kommen solle, doch dann drehte er sich um und ging zügig zurück zum Haus. *Bauz! Da geht die Türe auf, und herein in schnellem Lauf, Springt der Schneider in die Stub', Zu dem Daumen-Lutscher-Bub.*

»Hey«, rief ich ihm nach. »Hey, bleiben Sie stehen!«

Der Mann nahm aber keinerlei Notiz von mir und ging mit weit ausholenden Schritten weiter in Richtung Haus.

»Komm, Danny!« sagte ich. »Wir müssen ihn einholen.«

Wir stiegen von dem Geröllhaufen und zwängten uns durch die Tür. Als wir draußen standen, stellte ich erstaunt fest, daß der Friedhof wieder überwuchert war. Und die Grabsteine standen dort wie zuvor – umgestürzt, vernachlässigt. Aber sie waren da, sie waren real. Wir eilten den Abhang hinab, balancierten wieder über den Bach, dann liefen wir keuchend über den Rasen in Richtung Veranda. Während wir uns dem Haus näherten, sah ich, daß die Küchentür einen Spaltbreit offenstand. Ich wußte ganz sicher, daß ich sie geschlossen hatte, als wir aus dem Haus gegangen waren.

Ich bedeutete Danny, hinter mir zu bleiben, und näherte mich langsam der Küchentür. Ich versuchte dabei so wenig Geräusche wie möglich zu machen. Ich gab der Tür einen Stoß und ließ sie auffliegen, bis sie gegen die Wand schlug, erzitterte und dann in ihrer Position verharrte.

»Wer ist da?« rief ich. »Ich warne Sie, dies ist Privatbesitz!«

Keine Antwort. Ich konnte die Muffigkeit der Küche riechen – verstopfte Abflüsse, Schränke, die zu lange geschlossen gewesen waren, und Domestos. Die Sonne, die durch die Fenster fiel, teilte die Küche in kleine Quadrate auf.

Ich hielt inne und lauschte, dann rief ich: »Ich weiß, daß Sie da sind! Kommen Sie raus!«

Du willst, daß er rauskommt? Dieser finster dreinblickende Mann mit seinem hohen Hut?

»Das ist Privateigentum, ich fordere Sie auf, sofort rauszukommen!«

»Daddy, ist jemand drinnen?« fragte Danny.

»Ich weiß nicht«, antwortete ich. »*Hören* kann ich niemanden. Du vielleicht?«

Danny legte eine Hand an sein Ohr. »Ich höre nur das Meer.«

Ich ging zwei oder drei Schritte in die Küche hinein. Von allen Räumen in einem Haus ist in der Küche immer am meisten los, wenn dort eine Familie lebt. Und wenn diese Familie nicht mehr da ist, dann ist es der stillste Raum. Eine Reihe von Küchenutensilien hingen an Haken, eine Schöpfkelle, ein Kartoffelstampfer, eine Vorlegegabel. Die Griffe waren abgenutzt, was darauf hindeutete, wie stark sie beansprucht worden waren. Jetzt aber waren sie nur noch kalt, sauber und unberührt. Utensilien, mit denen höchstens noch Erinnerungen verbunden waren, nicht mehr das Vergnügen einer gemeinsamen Mahlzeit.

»Wenn da jemand ist, dann sollte er besser herauskommen«, warnte ich den unsichtbaren Jemand. »Ich werde die Polizei rufen und Sie wegen Hausfriedensbruchs festnehmen lassen.«

Wieder folgte Stille, eine ganze Weile, dann hörte ich plötzlich ein rasches, schlurfendes Geräusch aus dem Flur, schließlich öffnete jemand die Vordertür. Ich mußte in jenem Moment verrückt gewesen sein, denn ich rannte ohne zu zögern durch die Küche und riß die Tür zum Flur auf, um gerade noch zu sehen, wie eine dunkle Silhouette durch die Vordertür des Hauses verschwand und die steile Einfahrt hinaufeilte.

Ich lief hinterher, wußte aber, daß ich nicht den Mann mit dem Backenbart und dem großen Zylinder verfolgte. Als ich die Straße erreicht hatte, die hinauf nach Bonchurch führte, sah ich, daß ich einer zierlichen jungen Frau folgte – mit strähnigblondem Haar, einem schwarzen Sweatshirt und Baumwollshorts, mit einem randvollen Wäschebeutel über der Schulter. »Stop«, rief ich außer Atem. »Um Himmels willen, bleib stehen. Ich werde nicht die Polizei rufen.«

Die junge Frau blieb stehen, beugte sich vor, stützte ihre Hände auf die Knie und rang nach Luft. »Tut mir leid«, japste sie. »Ich wußte nicht, daß in diesem Haus jemand lebt.«

Seite an Seite standen wir in dem Schatten der Ulmen, beide versuchten wir, zu Atem zu kommen. Danny kam durch die Vordertür gelaufen und blieb stehen, um uns zu beobachten.

»Tut mir leid«, wiederholte die junge Frau. Sie strich mit einer Hand ihre Haare nach hinten und hob den Kopf. »Ich wußte nicht, daß jemand dort wohnt.«

Ich betrachtete sie von oben bis unten. Sie war vielleicht neunzehn oder zwanzig, kaum älter, ihr Gesicht war oval mit sehr großen Augen, deren Farbe sich irgendwo zwischen Blau und Violett bewegte. Sie trug den billigen Silberschmuck, wie ihn vor allem Studenten tragen: Ohrringe mit Halbedelsteinen. Sie sprach in einem recht gebildeten Englisch, mit einem Hauch Hampshire- oder Mid-Sussex-Akzent. Auf eine unvollendete Weise war sie ausgesprochen hübsch, jedenfalls unvollendet für einen Mann, der selbst 33 Jahre zählte und einen siebenjährigen Sohn hatte und dessen Ehe ein Scherbenhaufen war. Und sie war recht klein, was ich nicht gewöhnt war, nicht größer als 1,60 Meter, während ihr schwarzes Sweatshirt erkennen ließ, wie vollbusig sie war.

»Was suchen Sie hier?« fragte ich sie.

»Ich suche gar nichts. Ein Freund hat mir gesagt, das Haus würde leerstehen.«

»Und?«

»Und ich wollte hier für den Sommer unterkommen. Ich kann mir kein Zimmer leisten. Na ja, ich könnte mir ein Zimmer leisten, aber wenn ich Miete bezahlen müßte, dann würde mein ganzes Geld dafür draufgehen.«

»Aha«, sagte ich und sah mich um. »Sie haben nicht zufällig einen Mann im Haus gesehen?«

»Wie? Was für einen Mann?«

»Ein Mann war im Haus, er trug eine dunkle Jacke und einen hohen schwarzen Hut. Er sah ziemlich altmodisch aus.«

Sie schniefte und schüttelte den Kopf. »Nein, ich habe niemanden gesehen.«

»Tut mir leid, daß ich Sie gejagt habe. Ich hatte einen Mann im Garten gesehen und gedacht, Sie wären er. Ich soll mich um das Haus kümmern und es auf Vordermann bringen.«

»Oh, ich verstehe«, sagte sie.

»Da wartet verdammt viel Arbeit auf mich«, sagte ich ihr.

»Es ist aber ein schönes altes Haus, nicht wahr«, erwiderte sie.

Ich nickte, und dann zuckte ich mit den Schultern. Im Augenblick wußte ich nicht, was ich von Fortyfoot House halten sollte. Nachdem ich dem Ding auf dem Dachboden begegnet war und den schwarzgekleideten Mann im Garten gesehen hatte, war ich gar nicht so sicher, daß ich hierbleiben wollte.

Die junge Frau warf sich den Wäschebeutel über die Schulter. »Also, ich mache mich dann auf den Weg.«

»Wohin wollen Sie gehen?«

»Oh, in Ventnor gibt es ein leerstehendes Wollgeschäft. Da werde ich mein Glück versuchen.«

»Hören Sie ...«, sagte ich, während Danny näherkam. »Wir wollten zum Strand gehen, um was zu trinken. Möchten Sie mitkommen? Ihre Tasche können Sie solange hierlassen.«

»Das wäre toll«, sagte sie. »Wenn Ihre Frau nichts dagegen hat.«

»Ich lebe getrennt. Danny und ich sind jetzt allein.«

Die Frau lächelte Danny freundlich an. »Hallo, Danny, ich bin Elizabeth. Du kannst mich auch Liz nennen, aber nicht Lizzie. Das hasse ich nämlich.«

»Hallo«, sagte Danny argwöhnisch. Manchmal hatte ich das Gefühl, daß Danny, wenn er statt Augen Maschinengewehre gehabt hätte, jede Frau, mit der ich mich unterhielt, in dem Moment niedergemäht hätte, als sie den Mund öffnete. Seine Mom war fort, doch er stellte sich immer noch schützend vor sie.

»Elizabeth kommt auf einen Drink mit uns«, eröffnete ich ihm. »Möchtest du ein Eis?«

Danny nickte.

»Ich habe für den Sommer einen Job im Tropical Bird Park. Ihr könnt mich dort besuchen, ich kann euch sogar umsonst reinlasssen. Und ...« – zu mir gewandt – »... sag Liz zu mir.«

»Einverstanden«, sagte Danny.

»Gib her«, sagte ich und nahm den Wäschesack, und dann gingen wir gemeinsam zurück zum Haus. »Arbeitest du professionell mit Vögeln?« fragte ich sie. »Ornithologin oder so was?«

»Nein, ich studiere Sozialwissenschaften in Essex im dritten Jahr. Ich werde mich nicht mit Vögeln befassen. Ich hasse Vögel, ich kann ihre kleinen Augen nicht ertragen. Ich schmeiße Hamburger auf den Grill.«

Wir gingen ins Haus. Danny lief voraus bis in die Küche.

»Gibt es irgendeinen bestimmten Grund, warum du ausgerechnet zur Isle of Wight gekommen bist?« fragte ich Liz.

»Ich weiß nicht, es ist eine Insel, weiter nichts. Inseln sind immer anders. Sie sind irgendwie in der Zeit steckengeblieben, weißt du, was ich meine?«

»Ja«, antwortete ich. »Das weiß ich.« Aus irgendeinem Grund munterte sie mich auf. »Du kannst deine Tasche hier abstellen, das Café sollte inzwischen geöffnet sein.«

Sie sah sich um. »Hier hätte ich mich gerne einquartiert. Ziemlich luxuriös im Gegensatz zu dem, was ich sonst gewohnt bin.«

Sie folgte Danny auf die Veranda. Ich blieb in der Küche und sah zu, wie die beiden dort im Sonnenschein standen. Danny sagte etwas, Liz nickte, dann begann sie, ihm irgendwas zu erklären. Sie gestikulierte viel, während Danny sie aufmerksam ansah. In dem Moment wußte ich, daß die beiden sich verstehen würden. Liz war jung und aufgeschlossen und Danny brauchte unbedingt eine Frau in seinem Leben. Was ich dagegen brauchte, war ein wenig Ausgeglichenheit.

Von der Stelle aus, an der ich stand, konnte ich das Foto des Fortyfoot House sehen, das im Flur an der Wand hing. Ich zögerte einen Moment, dann ging ich hinüber und studierte es genauer.

Es war eines von vielen Bildern, die man dort aufgehängt hatte. Da war ein Ölgemälde des Kashmir-Gebirges, das ein Offizier der Indischen Armee aus dem Gedächtnis gemalt hatte. Jedenfalls hatte Mrs. Tarrant das erzählt. Es gab einen Stich, der die Regent Street in London zeigte, und ein Foto von ›Master Denis Lithgow‹, dem ersten Jungen, der nach Ägypten flog, bei der Ankunft in Alexandria. Und da war ›Fortyfoot House, 1888‹. Exakt das Haus mit demselben Mann im Garten, in seinem schwarzen Frack und seinem hohen schwarzen Zylinder. Ich betrachtete es sorgfältig. Es gab keinen Zweifel, daß der Garten haargenau so aussah wie durch das glaslose Fenster der Kapelle.

Wenn Danny es nicht auch gesehen hätte, wäre ich überzeugt gewesen, einer Halluzination erlegen zu sein. Müdigkeit, Streß, der plötzliche Ortswechsel. Aber Danny hatte es auch gesehen. Fortyfoot House, wie es vor über einhundert Jahren einmal ausgesehen hatte.

»Daddy, kommst du?« rief Danny.

Ich sah mir das Foto ein letztes Mal an, dann ging ich zurück in die Küche. Im selben Moment hörte ich ein Kratzen, so als laufe etwas hinter den Fußleisten entlang. Ich blieb stehen und lauschte.

»Daddy! Komm schon!« drängte Danny.

»Sekunde noch«, rief ich zurück und horchte wieder.

Es befand sich noch immer im Haus. Irgendwo. Ich könnte es hören und *fühlen*. Es rannte durch Hohlräume, Gänge und *Tunnels*. Ich hatte das schreckliche Gefühl, daß diesem Etwas das Haus gehörte und Danny und ich nichts weiter waren als lästige Eindringlinge.

Und ich hatte das schreckliche Gefühl, daß es sich nicht um eine Ratte handelte, sondern um etwas viel, viel Furchterregenderes.

3. Das Strandcafé

Wir spazierten durch den Garten, zwischen den Bäumen hindurch, über eine behelfsmäßige Brücke, die den Bach überspannte, und durch

Die Opferung 33

das hintere Gartentor hinaus. Von dort erreichten wir den Trampelpfad, der hinter den zur See gelegenen Cottages verlief. Die Türen des Cottages standen offen, so daß man sehen konnte, daß sie alle mit dunklen Eichenmöbeln eingerichtet waren, die mit glänzenden Messingbeschlägen verziert waren. Auf den Tischen lagen sorgfältig gebügelte Decken. Ein rotgetigerter Kater hatte sich müde gegen einige Geranientöpfe gelehnt und blinzelte in die Sonne.

In der letzten steilen Kurve führte der Weg hinab zur Küste, und Danny stürmte nach unten, und seine Sandalen verursachten auf dem heißen Teer ein klatschendes Geräusch. Der Strand eignete sich kaum zum Schwimmen, da er mit Steinen und mit grünlich-braunem Seetang übersät war. Aber wenn sich die Flut zurückzog, konnte sich Danny mit den zahlreichen zurückbleibenden Pfützen beschäftigen und Heerscharen kleiner grünen Taschenkrebse fangen.

Wir spazierten bis zum Strandcafé und suchten uns einen Platz in einem kleinen, von einer Mauer umgebenen Garten unter einer rot und weiß gestreiften Markise.

Eine mütterliche Frau mit einer weißen Schürze brachte uns zwei Bier und ein Eis für Danny.

»In dieser Saison ist es schrecklich ruhig gewesen«, sagte sie. »Schön, mal ein paar neue Gesichter zu sehen.«

»Ich schätze, daß die Pauschalreisenden in diesem Jahr nach Korfu geflogen sind«, sagte ich. »Machen Sie sich keine Sorgen, nächstes Jahr sind die alle wieder her. Warten Sie nur ab, bis sie gemerkt haben, wie schlimm es da ist. Souvlaki und Fritten, und soviel Tequila, wie man trinken kann.«

»Wie lange werden Sie bleiben?«

»Den ganzen Sommer«, erwiderte ich. »Ich repariere das Fortyfoot House.«

»Tatsächlich? Fortyfoot House? Die Tarrants wollen doch nicht wieder da einziehen, oder?«

»Oh, nein, sie wollen es verkaufen.«

»Na ja, es wird ja auch Zeit, daß da mal *irgend jemand* einzieht. Solange *ich* das nicht bin.«

»Ach?«

Sie schüttelte den Kopf. Sie erinnerte mich an die Oma der Waltons aus der Fernsehserie. »Ich würde ja nach Einbruch der Dunkelheit nicht mal den Garten betreten.«

Liz lachte. »Sie glauben doch nicht an Geister, oder?«

»Nein«, entgegnete die Frau. »Aber es gibt da Lichter und Geräusche, und so etwas mag ich nicht.«

»Lichter und Geräusche? Welcher Art?« wollte ich wissen. Liz lachte noch immer.

»Ach, Sie wollen mich doch jetzt bloß auf den Arm nehmen, was?« gab die Frau zurück.

»Nein, überhaupt nicht«, sagte ich. »Entschuldigen Sie meine Begleiterin. Sie kommt von der Essex University und ist eine von den skeptischen Intellektuellen.«

»Und Sie?« fragte mich die Frau.

Ich war es nicht gewohnt, so direkt gefragt zu werden. »Ich bin ... ich weiß nicht, ich mache Gelegenheitsarbeiten. Hier ein Verputz, da ein Anstrich. Das ist alles.«

»Und Sie haben eine Nacht im Fortyfoot House verbracht?«

»J-a-a«, antwortete ich gedehnt und neugierig.

»Und Sie haben keine Geräusche gehört?«

»Kommt drauf an, was Sie meinen. In jedem alten Haus gibt es Geräusche.«

Die Frau schüttelte den Kopf. »Kein altes Haus ... kein altes Haus auf der ganzen Welt ... überhaupt *kein* altes Haus macht solche Geräusche wie Fortyfoot House.«

»Also«, räumte ich ein, »es *gab* Geräusche. Vor allem auf dem Dachboden. Aber die stammten von Schwalben oder von Eichhörnchen.«

»Hörten Sie ein Kratzen, wie von einer Ratte? Oder Geräusche, für die Sie keine Erklärung hatten?« Die Frau starrte mich durch ihre Brillengläser an. Ihre Augen sahen aus, als würden sie in einem Goldfischglas umherschwimmen. Es war offensichtlich, daß sie mich auf eine zurückhaltende Weise zu provozieren versuchte.

»Nein, es waren eigentlich keine unheimlichen Geräusch. Ich glaube, wir reden aneinander vorbei.«

»Oh«, sagte die Frau. »Haben Sie denn die Lichter gesehen?«

»Keine Lichter. Ich habe nur Geräusche gehört.«

»Wie haben sich die angehört?« bohrte sie weiter.

»Geräusche von Tieren. Keine Ahnung. Ratten oder Eichhörnchen oder so.«

Sie betrachtete mich eindringlich. »Sie haben niemanden schreien gehört?«

Ich war fast schon entsetzt: »Natürlich nicht!«

»Hört auf, ich zittere ja schon«, sagte Liz mit gespieltem Entsetzen.

»Und Sie sagen, daß Sie auch keine Lichter gesehen haben?« fragte die Frau, während sie Liz völlig ignorierte.

Ich schüttelte den Kopf.

»Na gut. Vielleicht kommt das erst noch.«

Sie sammelte Gläser ein und war im Begriff, in die Küche zurückzukehren, doch ich rief ihr nach: »Augenblick noch.«

»Ja?« fragte sie, als sie sich mir wieder zuwandte.

»Erzählen Sie mir was über die Schreie.«

Sie hielt kurz inne, dann schüttelte sie den Kopf. »War nur so eine Idee«, sagte sie dann.

»Erzählen Sie«, beharrte ich. Aber wieder schüttelte sie den Kopf, und ich wußte, daß ich aus ihr nichts herausbekommen würde.

»Das war etwas sonderbar, findest du nicht?« meinte Liz, die ihren Bierkrug mit ihren blassen Fingern fest umschlossen hielt.

»Wenn du mich fragst, will sie damit die Touristen unterhalten«, sagte ich. »Eine gute Geistergeschichte gefällt schließlich jedem.«

»Aber du *hast* doch etwas gehört.«

Ich nickte. »Ja. Ich habe sogar etwas gesehen. Vielleicht ein Eichhörnchen oder eine Ratte. Ich werde nachher mal im Telefonbuch den Kammerjäger heraussuchen, vielleicht kann man mir ja jemanden nach Hause schicken.«

Im gleißenden Licht des Morgens erschien mir das Ding, das auf dem Dachboden an mir vorbeigehuscht war, nicht mehr so furchterregend. Immerhin war es da oben stockfinster gewesen. Ich hätte einen Mantel oder einen Vorhangstoff berühren können, das hätte sich mindestens genauso unangenehm angefühlt. Wenn man in Panik gerät, dann kann es sein, daß man sich alle möglichen entsetzlichen Dinge einbildet.

Ich verstand allerdings noch immer nicht, was es mit dem Blick durch das Fenster der Kapelle auf Fortyfoot House auf sich hatte. Allerdings begann ich zu vermuten, daß es sich um irgendeine Art von Illusion handlte, verursacht durch Übermüdung und Streß. Liz hatte den Garten betreten, und ich hatte aus irgendeinem Grund angenommen, es handele sich um den Mann auf dem Foto. Mein Verstand hatte mir einen Streich gespielt.

Ich ging ins Café, um zu bezahlen. Die alte Frau saß an einem der Tische und sortierte 5- und 10-Pence-Münzen. Ich stand da und wartete ab, bis sie fertig war. An der Wand hing ein handgeschriebenes Schild mit der Aufschrift ›Fish'n' Chips‹.

»Haben Sie wirklich Lichter gesehen?« fragte ich schließlich.

Sie blickte auf zu mir. Ein gekrümmtes Abbild der Küste spiegelte sich in ihrem linken Brillenglas. »Ja, das habe ich«, antwortete sie. »Lichter. Und Geräusche habe ich gehört. Ich möchte nachts nicht mal in die Nähe dieses Hauses kommen.«

»Na ja, Mrs. ...?« begann ich.

»Kemble«, sagte sie. »Aber Sie können mich Doris nennen, wenn Sie wollen. Das macht jeder. Eigentlich heiße ich Dorothy, aber alle nennen mich Doris.«

»Okay, Doris. Ich heiße David.«

»Freut mich, Sie kennenzulernen«, erwiderte sie, während sie die Münzen zu Ein-Pfund-Stapeln auftürmte.

»Erzählen Sie mir etwas über Fortyfoot House«, bat ich sie.

Sie schürzte die Lippen. »Wenn Sie dort wohnen, ist es besser, daß Sie nichts wissen.«

»Es ist doch nicht gefährlich, oder?«

»Kommt drauf an, was Sie als ›gefährlich‹ bezeichnen.«

»Doris ... ich habe Geräusche auf dem Speicher gehört. Ich habe irgendein Ding gesehen. Ich glaube, es war eine Ratte. Ich hoffe, es war eine Ratte. Aber da ist noch etwas.«

Sie entnahm meinem Tonfall, daß ich es völlig ernst meinte, und sah mich an.

»Heute morgen habe ich im Garten einen Mann gesehen.«

»Oh, ja? Was für einen Mann? Nicht zufällig Mr. Brough? Er kommt manchmal vorbei, um das Unkraut aus dem Fischteich zu entfernen.«

»Wie sieht er aus?«

»Oh ... er ist so um die fünfundsechzig oder siebzig. Normalerweise trägt er einen weiten Strohhut und Khakishorts.«

»Nein, er war es nicht. Der Mann war viel jünger, er war in schwarz gekleidet. Und er trug einen hohen, schwarzen Hut. Das Merkwürdige daran ist, daß es im Fortyfoot House ein altes Foto gibt, auf dem ein Mann zu sehen ist, der fast genau so aussieht wie der Mann von heute morgen.«

»Der junge Mr. Billings«, sagte die Frau bestimmt.

»Sie kennen ihn?« fragte ich überrascht.

»Ja und nein. Ich weiß von ihm. Aber ich kenne ihn nicht in der Weise, daß ich mich mit ihm unterhalten könnte. Das kann man auch nur schlecht, wenn jemand schon tot war, bevor man selbst auf die Welt kommt. Aber das war auf jeden Fall der junge Mr. Billings.«

In diesem Moment betrat Liz das Café. Mit dem Licht im Rücken sah sie noch zierlicher und strahlender aus als zuvor.

»Danny sagt, er würde gerne was trinken.«

»Wir gehen jetzt gleich zurück zum Haus. Da kann er ein Glas Orangensaft bekommen.«

»Du guckst, als hättest du was verloren«, sagte Liz.

»Vermutlich meinen Verstand. Doris glaubt, daß der Mann, den ich heute morgen im Garten gesehen habe, jemand mit Namen Billings war, der starb, bevor sie geboren wurde.«

Die Opferung

»Was?« sagte Liz spöttisch, dann an Doris gewandt: »Ich dachte, Sie glauben nicht an Geister.«

»Es war nicht Mr. Brough«, gab Doris zurück.

»Mr. Brough ist der Mann, der den Teich saubermacht«, erläuterte ich.

»Es war der junge Mr. Billings«, wiederholte Doris. Sie stand auf, nahm ein Tablett mit Salz- und Pfefferstreuern und verteilte sie mit viel Lärm auf den Tischen. »Es gab einen alten Mr. Billings und einen jungen Mr. Billings. Der, den Sie gesehen haben, war der junge Mr. Billings.«

»Aber wer sind die beiden?« wollte ich wissen. »Oder besser gesagt: Wer *waren* die beiden?«

Doris stellte die letzten Streuer ab und begann, mit einem Plastikkorb voller Besteck noch mehr Lärm zu verursachen. »Der alte Mr. Billings gründete Fortyfoot House, und als er jung starb, übernahm es der junge Mr. Billings. Das hat mir meine Mutter immer erzählt. Meine Mutter hat im Haus saubergemacht. Das war natürlich lange, nachdem auch der junge Mr. Billings gestorben war. Aber zu der Zeit gab es noch viele Leute, die wußten, was sich zugetragen hatte. Vor nicht allzu langer Zeit stand in der Zeitung ein Artikel über Fortyfoot House. Der alte Mr. Billings und der junge Mr. Billings. Es war aber der junge Mr. Billings, der den ganzen Ärger ausgelöst hatte.«

»Welchen Ärger?« fragte ich.

Danny kam herein und sagte: »Daddy ... ich möchte zum Strand runtergehen.«

»Iß erst dein Eis auf. Und zieh dir die Strümpfe aus. Ich weiß gar nicht, warum du überhaupt Strümpfe trägst.«

»Mom sagt, daß ich sie tragen soll, damit meine Füße nicht riechen. Wenn ich nur Sandalen trage, riechen meine Füße.«

»Also gut.« Ich seufzte. »Aber zieh sie aus, bevor du zum Strand runtergehst, klar?«

Doris stand bei uns. Während sie sprach, fingerte sie an ihrem Ehering. Fast so, als sei er ein Rosenkranz und als sage sie ihre Gebete auf. Der Wind wehte warm und roch nach Seetang. Die Sonne wurde in den kleinen Tümpeln reflektiert, so wie Stücke eines zerschlagenen Spiegels.

»Der alte Mr. Billings hat – glaube ich – mit Zucker ein Vermögen verdient. Er war ein Freund von Dr. Barnardo, damals, als Dr. Barnardo noch im London Hospital arbeitete. Als Dr. Barnardo seine ersten Heime für obdachlose Jungs eröffnete, hielt der alte Mr. Billings das für eine so gute Idee, daß er Fortyfoot House baute. Es war ein Waisenhaus, damit arme Kinder aus dem Londoner East End herkommen und am Meer leben konnten.«

»Jetzt, wo Sie es erwähnen, glaube ich, daß ich davon mal gehört habe«, sagte ich zu ihr. »Hieß es zu Beginn nicht Billings Home?«

Doris nickte. »Das ist richtig. Und es hatte auch einen guten Ruf. Sogar Königin Victoria besuchte es. Aber nach zwei oder drei Jahren starb der alte Mr. Billings, oder er wurde ermordet. Das weiß niemand so genau. Es heißt, daß ihm irgend etwas ganz Entsetzliches zustieß. Der junge Mr. Billings übernahm das Waisenhaus, aber es war nicht mehr so wie zuvor. Bestimmte Leute gingen dort ein und aus. Einen Kerl gab es, der angeblich das Fortyfoot House besucht hatte, der hatte ein Gesicht, das wie mit braunem Fell überzogen war und dessen Anblick niemand aushalten konnte. Jedenfalls sagte das meine Mutter immer. Als ich noch klein war, hat sie mich mit ihren Geschichten fast zu Tode erschreckt.«

Sie machte eine kurze Pause. »Und dann – ich weiß nicht, in welchem Jahr – starben alle Waisenkinder innerhalb von zwei oder drei Wochen. Niemand fand je heraus, was mit ihnen geschehen war. Angeblich soll es eine Nacht gegeben haben, als in dem Haus alle möglichen Geräusche zu hören und seltsame Lichter zu sehen waren. Die Menschen schrien in Sprachen, die niemand verstehen konnte. Am nächsten Morgen wurde der junge Mr. Billings wahnsinnig angetroffen. Es heißt, daß er vollkommen verrückt war. Einfach völlig durchgedreht. Er erzählte, er habe eine andere Welt besucht und Dinge gesehen, die schrecklicher waren als alles, was je ein Mensch gesehen hatte. Und es wurde immer schlimmer, er wurde immer verrückter. Nach drei Jahren wurde er in Newport eingewiesen, aber er erhängte sich in seiner Zelle. Das war zwar sein Ende, aber seitdem hat sich jeder, der in Fortyfoot House gelebt hat, über die Geräusche und die Lichter beklagt. Ich habe sie mit meinen eigenen Augen gesehen. Und ich weiß, warum die Tarrants ausgezogen sind.«

Ich warf Liz einen langen, nüchternen Blick zu. Mit jedem weiteren Wort hörte sich die Geschichte immer stärker nach Seemannsgarn an. Gut für die Touristen. Geeignet für einen späten Sommerabend, wenn die Sonne lange Schatten wirft. Ich fühlte mich dagegen in meiner Ansicht bestärkt, daß – sofern überhaupt etwas mit Fortyfoot House nicht stimmte – es seine starke Ausstrahlung war, das intensive Gefühl einer Verbindung zur Vergangenheit. Es hatte nichts mit Geistern oder Lichtern zu tun. Oder mit ›Dingen, die schrecklicher sind als alles, was je ein Mensch zuvor gesehen hat‹.

Ich gab Doris einen Fünfer und sagte, sie solle das Wechselgeld behalten.

Als wir das Strandcafé verließen, kam sie hinter uns her zum vorde-

ren Ausgang, und sagte: »Halten Sie die Augen offen und passen Sie auf sich auf. Wenn Sie ein helles Licht sehen, dann sollten Sie um Ihr Leben rennen. Jedenfalls würde ich das an Ihrer Stelle tun.«
»Danke für den Tip«, sagte ich und ergriff Liz' Hand.

Wir stiegen den steilen Pfad zurück zum Gartentor hinauf. Es war mittlerweile heiß geworden, und die Luft roch intensiv nach frischem Teer und Nesseln. Wir gingen unter den Bäumen hindurch über die Brücke zurück in den Garten. In der sengenden Hitze sah das Haus noch seltsamer aus als zuvor. So, als sei es nichts weiter als ein hell beleuchtetes Gemälde.

Liz blieb stehen. »Nimmst du Untermieter auf?« fragte sie.

»Ich weiß nicht. Ich weiß nicht mal, ob ich das darf.«

»Nein, nein, ich habe nicht meinetwegen gefragt. Ich habe bloß jemanden aus einem der oberen Fenster herausschauen sehen.«

Ich blieb stehen und hielt meine Hand über die Augen, um sie gegen die Sonne abzuschirmen. Soweit ich das sehen konnte, waren alle Fenster schwarz und leer. »Welches Fenster war es?« fragte ich sie.

»Das da, gleich unter dem Dach.«

»Und wie hat dieser Jemand ausgesehen?«

»Ich weiß nicht, irgendwie blaß.«

»Blaß?«

»Na ja, weiß, richtig weiß. Vielleicht hat sich was gespiegelt.«

Sie sah sich um. »Vielleicht eine Möwe.«

Wir gingen weiter und erreichten schließlich das Haus. Liz streckte mir ihre Hand entgegen. »Na, denn. Danke für das Bier und das übernatürliche Erlebnis. Ich mache mich jetzt besser auf den Weg, bevor mir jemand im Wollgeschäft zuvorkommt.«

Ich wischte mir mit dem Handrücken den Schweiß von der Stirn. »Ich schätze, du kannst auch hier unterkommen.«

Sie schüttelte den Kopf. »Du hast schon deine eigenen Probleme, da kannst du nicht noch meine gebrauchen.«

»Ich weiß nicht, ich könnte ein wenig Gesellschaft brauchen.«

Liz zuckte mit den Schultern. »Ich bin eigentlich nicht auf der Suche nach einer Beziehung. Jedenfalls nicht im Augenblick.«

»Natürlich. Ich auch nicht. Es wäre völlig ohne Verpflichtungen. Nur du und ich und Danny und der junge Mr. Billings.«

»Bitte nicht!« sagte sie scheinbar entsetzt, um mich dann anzulächeln. »Also gut, das wäre wirklich schön. Ohne Verpflichtungen. Ich kann übrigens kochen. Wenn du die Zutaten bezahlst, kann ich gerne was kochen. Du mußt mein Chili probieren.«

»Das wäre mal was anderes. Seit Janie mich verlassen hat, haben wir beide uns von indischem Service-Fraß ernährt.«

Danny kam aus dem Haus gestürmt und wirbelte einen Schneebesen durch die Luft. Entweder stellte dieser ein Motorboot mit zwei Schrauben oder ein doppelläufiges Gewehr dar.

»Danny«, sagte ich. »Was würdest du sagen, wenn Liz bei uns wohnt? Würde dir das was ausmachen.«

Danny blieb stehen, dachte kurz darüber nach und antwortete: »Einverstanden.«

Dann lief er weiter.

Ich nahm Liz am Ellbogen und brachte sie zurück ins Haus. »Jetzt werden wir dir erst mal ein Zimmer suchen.«

Wir gingen nach oben. Es gab insgesamt sieben leerstehende Schlafzimmer, aber nur drei von ihnen verfügten über ein Bett, und nur in zwei Betten lag eine Matratze. Liz lief sich auf eine der Matratzen fallen und beschloß, das Zimmer zu nehmen, das meinem gegenüberlag. Es gab keine weiteren Möbelstücke dort, wenn man von dem billigen Nachttisch und einem schmuddelig aussehenden Sessel absah. Aber es schien ihr nichts auszumachen. Ich schätzte, daß dies hier immer noch besser war als das leerstehende Wollgeschäft.

»Wir können den Raum herrichten. Anstreichen, ein paar Gardinen aufhängen«, sagte ich. »Siehst du, von hier hast du einen schönen Blick auf den Bereich vor dem Haus und auf die Einfahrt.«

Sie warf ihren Turnbeutel auf das Bett. »Das ist großartig. Ich könnte ein paar Poster aufhängen.«

Gemeinsam kehrten wir in den Korridor zurück. »Weißt du, du hättest das nicht tun müssen«, sagte sie über die Schulter zu mir. »Und wenn ich dir auf die Nerven gehe, dann sei so gut und leide nicht stumm. Sag einfach ›Raus‹ oder ›Lebwohl‹ oder sogar ›Zieh Leine‹. Das macht mir nichts aus.«

Sie redete weiter und stieg vor mir die Treppe hinunter. Als ich auf der Höhe der kleinen Tür zum Dachboden war, hatte ich das Gefühl, ein Kratzen zu hören, so als habe sich ein schweres Tier von der anderen Seite gegen die Tür gepreßt, um schnell und leise nach oben zu eilen, als es gehört hatte, daß wir näherkamen. Nach oben in die völlige Finsternis, wo es wartete und lauschte.

An der obersten Stufe zögerte ich kurz. Das Geräusch hatte bei mir einen kalten Schauder und das Gefühl irrationaler aber entsetzlicher Abscheu ausgelöst. Es erinnerte mich an die Ratten, die ich in der Kanalisation von Islington gesehen hatte. Aber viel größer und – wenn das überhaupt möglich war – viel schmutziger.

Liz blieb stehen und blickte mich an. »Stimmt was nicht?« fragte sie. »Du machst einen grimmigen Eindruck.«

»Ich glaube, ich brauche noch was zu trinken«, sagte ich und folgte ihr nach unten in die Küche.

4. Der Rattenfänger

Vor dem Mittagessen gingen Liz und Danny einkaufen, um Brot, Schinken und Tomaten zu besorgen. Nachdem sie sich auf den Weg gemacht hatten, saß ich eine Weile im riesigen, leeren Salon im Sonnenschein, in dem Staubpartikel umhertanzten und rief die Kreisverwaltung der Isle of Wight an.

»Ich habe hier eine Ratte. Vielleicht auch ein Eichhörnchen. Aber es klingt eher nach einer Ratte.«

»Tja, das tut mir leid. Schädlinge fallen nicht mehr in unsere Zuständigkeit. Sie wissen schon, wegen der Einsparungen. Sie müssen sich einen privaten Schädlingsbekämpfer suchen.«

»Können Sie mir jemanden empfehlen?«

»In Bonchurch? Sie könnten es bei Harry Martin versuchen. Er lebt in Shanklin Old Village, das ist nicht allzu weit entfernt.«

»Sie haben nicht zufällig seine Telefonnummer?«

»Nein ... um ehrlich zu sein, glaube ich nicht, daß er überhaupt ein Telefon besitzt.«

Liz bereitete ein Picknick aus Sandwiches mit Cheddarkäse und Schinken zu, das wir auf dem Rasen unter einem heißen, diesigen Himmel zu uns nahmen. Liz redete am meisten von uns allen. Sie war offen und direkt, und sie war wirklich witzig. Sie wollte in einer Öffentlichen Verwaltung arbeiten. Sie war keine Marxistin-Leninistin, andererseits war sie aber auch keine zweite Margaret Thatcher. Sie war überzeugt, daß sie etwas bewirken könne. »Daran glaube ich ganz fest«, sagte sie voller Begeisterung. Sie glaubte wirklich daran. In diesem Alter meint jeder, daß er etwas bewirken kann.

»Ich möchte einfach nur ein Genie sein, weiter nichts«, sagte Liz. »Ein berühmtes Genie. Ich möchte im Fernsehen auftreten und mit einem breiten deutschen Akzent reden, während ich über den Zustand der Gesellschaft spreche.«

»Und *wie* ist dieser Zustand?«

Sie legte sich auf den alten braunen Vorhang, den ich ersatzweise als Picknickdecke aus dem Haus geholt hatte, und trank den kalten Frascati direkt aus der Flasche. »Der Zustand der Gesellschaft ist der, daß die

Männer die Frauen wie Göttinnen verehren, bis sie sie in ihre Klauen bekommen haben. Dann nutzen sie sie aus, mißbrauchen sie, schlagen sie und schmähen sie. Und je mehr die Frauen ausgenutzt, mißbraucht, geschlagen und geschmäht werden, um so mehr gefällt es ihnen.«

»Gefällt es dir?« fragte ich sie.

»Nein, beim besten Willen nicht. Andererseits hat mich ja auch noch niemand in seine Klauen bekommen.«

»Nicht alle Männer sind ungehobelt und schlagen ihre Frauen.«

»Die, die es wert sind, leider schon. Das ist die schreckliche Ironie dabei.«

Ich setzte mich auf und sah zu Danny, der am Fischteich spielte. »Paß auf, Danny, das Wasser ist tiefer als es aussieht.«

»Du betest ihn wirklich an, nicht wahr?« fragte Liz, während sie ein Auge zukniff, um die Sonne abzuwehren.

»Natürlich.«

»Und seine Mutter liebst du nicht?«

»Auf gewisse Weise immer noch. Aber was bringt's? Sie lebt jetzt in Durham. Mit einem bärtigen Kerl namens Raymond.«

Liz nickte. »Ich weiß, was du meinst. Ich kannte auch mal einen Kerl, der Raymond hieß. Er war völlig nutzlos. In der Schule gab er sein Essensgeld an die Bedürftigen, und dann ging er rum und schnorrte den anderen Leuten deren Sandwiches ab. Er hielt sich für einen Heiligen.«

»Vielleicht *war* er das ja auch.«

Liz lachte. »Ein schöner Heiliger. Nachdem er von der Schule abgegangen war, wurde er auf dem Dach eines Lagerhauses in South Croydon erwischt, als er Fernseher stehlen wollte.«

Ich aß mein Sandwich zu Ende, nahm die Flasche Wein und trank einen großen, kalten Schluck. »Ich muß heute nachmittag nach Shanklin Village fahren, um mit einem Rattenfänger zu reden. Oder mit einem ›Schädlingsbekämpfer‹, wie man heute so schön sagt.«

»Darf ich mitkommen?«

»Mir wäre es lieber, wenn du auf Danny aufpassen könntest. Oder würde dir das was ausmachen?«

Liz schüttelte lächelnd den Kopf. »Liebend gerne. Er ist süß. Er hat mich gefragt, ob ich dich liebe. Ich glaube, wir werden sehr gut miteinander auskommen.«

»Hast du jüngere Geschwister?«

Das Lächeln wich aus ihrem Gesicht, während sie ihr Haar zurückstrich. »Ich hatte einen jüngeren Brüder. Marty hieß er. Aber es brach ein Feuer aus. Ein alter Ofen stürzte um, und er verbrannte. Er war gerade vier Jahre alte. Meine Eltern sind darüber fast verrückt geworden.«

Die Opferung

»Das tut mir leid«, sagte ich so sanft ich konnte.
Sie verzog den Mund. »Es ist nicht mehr zu ändern.«
»Was hältst du von der Geschichte, die uns Doris aufgetischt hat?« wechselte ich das Thema.
»Über den alten und den jungen Mr. Billings? Das fand ich toll. Aber solche Geschichten hört man immer über alte Häuser. Bei uns in der Straße gab es auch so ein Haus ... ›The Laurels‹ hieß es. Die alte Frau, die dort gelebt hatte, war an Krebs gestorben, und wir Kinder glaubten alle, daß man ihr Gesicht immer noch sehen könne. An eines der oberen Fenster gepreßt, ganz blaß, mit weißen Haaren, während sie schrie, daß wir Kinder aus ihrem Garten verschwinden sollten. So, wie sie es immer gemacht hatte, als sie noch am Leben gewesen war. Bloß daß man sie hinter dem Fenster nicht hören konnte. Wir haben uns vor Angst verrückt gemacht.«
»Heute morgen habe ich jemanden gesehen. Ich sah durch das Fenster der Kapelle hierher, und da stand jemand auf der Wiese, exakt hier.«
Liz schloß die Augen. »Komm schon, David. Das kann doch jeder gewesen sein.«
Es war schön zu hören, wie jemand meinen Namen aussprach. Das ist der einzige Luxus, der einem wirklich fehlt, wenn man allein ist.
Danny nannte mich immer ›Daddy‹, und ›Daddy‹ war ja auch in Ordnung. Aber nichts war so gut wie Liz, wenn sie ›David‹ zu mir sagte.
»Ich mache mich jetzt besser auf den Weg«, sagte ich zu ihr. »Und danke für die Sandwiches.«
Sie ließ sich wieder auf den alten braunen Vorhang sinken und sah mich mit zugekniffenen Augen an. »War mir ein Vergnügen, Monsieur. Was möchtest du zum Abendessen?«
»Wie wär's mit dem Chili, von dem du gesprochen hast?«
»Gerne. Kannst du eine Dose Kidney-Bohnen holen? Und Kümmel und Chilipulver?«
»Sonst noch was? Etwas Fleisch wäre doch auch nicht verkehrt, oder?«
Sie lachte. Wenn ich heute zurückblicke, dann glaube ich, daß es dieses Lachen gewesen ist, das mich dazu bewegte, meine Liebe zu Janie aufzugeben. Es gab auch noch andere Frauen auf der Welt. Vielleicht nicht unbedingt Liz, sondern andere Frauen, die lachen konnten und die liebenswürdig waren. Und die sich vielleicht auch um Danny kümmern wollten.
»Gehacktes«, sagte sie. »Nicht zu fett.«
Ich ging durch den Garten zum Haus zurück und bemerkte dabei eine fahle Gestalt in einem der Fenster im Obergeschoß. Eine fahle Gestalt, die mich beobachtete.

Ich weigerte mich, den Kopf zu heben und diese Gestalt anzusehen. Was Fortyfoot House nötig hatte, war eine gehörige Portion Skepsis – ein Verneinen durch geistig gesunde und sensible Menschen, daß Männer in Frack und hohem Zylinder umherlaufen, wenn sie seit hundert Jahren tot sind, ein Verneinen, daß haarige, kichernde Dinge sich auf dem Speicher tummeln oder daß fahle Gesichter durch die Fenster starren.

Was mich anging, war Fortyfoot House nichts weiter als ein Wirrwarr aus Vorwürfen und Erinnerungen und Halluzinationen. Vielleicht war es nicht der geeignetste Platz für mich, wenn man meine Trennung von Janie und meine recht instabile Verfassung berücksichtigte. Aber da gab es nichts Böse oder Verfluchtes. Ich glaubte nicht an das »Böse«, nicht um seiner selbst willen. Und ich glaubte auch nicht an Gespenster. Ich hatte gesehen, wie mein Vater in seinem Sarg zu den Klängen von *The Old Rugged Cross* hinter den roten Vorhängen des Worthing-Krematoriums verschwunden war. Und obwohl ich zu Gott gebetet hatte, er möge ihn auferstehen lassen, hatte ich ihn seitdem nirgends entdecken können. Ich war ihm nicht in der Bibliothek von Brighton begegnet und ich hatte ihn nicht mit seinem Bullterrier am Strand entdeckt, wo er immer spazierengegangen war. *Quod erat demonstrandum,* dachte ich. Jedenfalls traf das auf mich zu.

Während ich aber im Schein der Sonne, die geradewegs aus *12 Uhr mittags* hätte stammen können, die Stufen des Veranda hinaufging, sah ich kurz nach oben. Das blasse Ding war noch immer da. Spiegelte sich dort etwas? War es ein Vorhang?

Ich betrat das Haus und nahm meine Brieftasche und die Schlüssel. Dabei kam ich mir vor wie ein Eindringling, fast schon wie ein Einbrecher. Meine Schritte klangen unnatürlich laut und zaghaft. *Fortyfoot House gehörte einem anderen, aber nicht mir oder Danny. Es gehörte nicht mal den Tarrants.*

Ich sah mich um, während ich den Staub und die Feuchtigkeit und den Geruch von Schimmelpilzen im Keller einatmete.

»Hallo?« rief ich. Dann noch einmal, aber lauter: »Hallo?«

Keine Antwort. Ich sprach ein kurzes Gebet, das mir in der Sonntagsschule von Miß Harpole beigebracht worden war, der Lehrerin mit ihrem Dutt wie Olivia Öl und ihrer blinden Brille.

»*Jesus, schütz mich vor den Klauen*
Der Dinge aus der Tiefe Grauen.
Jesus, schütz, wenn ich nicht wach
mich vor der Hölle Drach'.«

Das Gebet ging noch weiter, aber ich konnte und wollte mich nicht

Die Opferung

mehr daran erinnern. Um ehrlich zu sein, hatte es mir damals eine Höllenangst verursacht. Die normalen Alpträume waren für einen Fünfjährigen schon schlimm genug, ohne daß ihm eine Miß Harpole noch erzählen mußte, die Schatten unter seinem Bett wollten ihn in Stücke reißen.

Ich verließ das Haus, ohne die Vordertür hinter mir zuzuziehen. Ich war sicher, daß ich ein schrilles Kratzen hörte, das von einem der Fenster im Obergeschoß kam, doch ich ging unbeirrt weiter zum Wagen und weigerte mich, einen Blick zurückzuwerfen.

Ich startete den Motor. Mein verschossener bronzefarbener Audi war elf Jahre alt und wieherte wie ein Pferd, bis er ansprang. Bevor ich die Handbremse löste, faßte ich genug Mut, um zum Haus zu sehen. Aber außer dunklen Fenstern und einem sonderbar winkligen Dach war da nichts. Ich wartete noch einen Moment länger, dann lenkte ich den Audi hinauf zur Straße.

Ich schaltete das Radio ein, während ich durch die engen, schattigen Straßen fuhr, die nach Shanklin Village führten. Cat Stevens sang ›I'm being followed by a Moonshadow‹, und ich stimmte ein: »Moonshadow ... moonshadow!«

Die Sonne blitzte grell zwischten den Blättern hindurch.

Der Rattenfänger lebte in einem kleinen, blendendweißen Cottage am Rande von Shanklin Old Village. Im Garten blühten überall rote und gelbe Chrysanthemen und leuchtende Geranien, und er war vollgestellt mit braunlackierten Beton-Eichhörnchen mit Bernsteinaugen, mit Beton-Gartenzwergen, Beton-Katzen, einer Miniaturwindmühle, einem Miniaturwunschbrunnen, einem Schloß und einem Beton-Spaniel.

Seine Frau saß auf der Veranda in einem Liegestuhl und strickte an etwas Braunem, Konturlosem. Eine korpulente Frau mit rosafarbenen Plastiklockenwicklern und in einem Baumwollkleid, das über und über mit Ankern bedruckt war. Auf den Fliesen neben ihrem Stuhl standen eine leere Teetasse und ein Tablett mit Biskuits. Ich stand am Gartentor und sah in den Garten, der so klein war, daß ich mich fast hätte vorbeugen und ihr das Strickzeug aus der Hand nehmen können. Sie schaute auf und sagte: »Ja?«, als habe sie mich nicht kommen sehen.

»Ich suche Harry Martin.«

»Ach ja? Und wer sucht ihn?«

»Der Landrat sagt, daß er noch immer Ratten fängt.«

»Ach ja? Er ist im Ruhestand.«

»Ist er zu Hause?«

»Er macht sein Nickerchen.«

»Bitte?«

»Seinen Mittagsschlaf. Er ist siebenundsechzig, er braucht das.«
»Oh, sicher. Soll ich später wiederkommen?«
Im selben Moment wurde ich vom Erscheinen eines weißhaarigen Mannes in der Tür unterbrochen. Er stopfte gerade ein Hemd in seine braune Hose. Sein Nase war so verdreht, als sei sie in dem Moment gegen eine Glasscheibe gedrückt worden, in dem der Wind gewechselt hatte. Harry Martin, in voller Lebensgröße.
»Ich habe mitgekriegt, daß Sie nach mir gefragt haben«, sagte er. »Mein Schlafzimmerfenster ist gleich hier oben, da konnte ich Sie gar nicht überhören.«
»Tut mir leid. Ich wollte Sie nicht stören.«
Er öffnete das Gartentor. »Macht doch nichts. Kommen Sie rein.«
Mrs. Martin machte Platz, während Harry Martin mich ins Wohnzimmer schob. Das Zimmer war chronisch zu klein. Velourstapete, Sessel, über die Schondecken gelegt worden waren, ein Sideboard voller Blechnippes und Porzellanballerinas. Ein riesiger Fernseher füllte eine Wand aus, und auf dem Tisch aus den sechziger Jahren, auf dem er stand, stapelten sich Monate alte Ausgaben der *TV Times*.
»Setzen Sie sich«, sagte er, und ich befolgte seine Aufforderung.
»Ich habe Probleme mit Ratten«, erklärte ich. »Besser gesagt, mit *einer* Ratte. Einer ziemlich großen.«
»Hmm«, sagte er. »Ich schätze, die Gemeindeverwaltung hat Sie direkt an mich verwiesen.«
»Das stimmt.«
»Einen Vollzeitjob wollen sie mir nicht geben, das können sie sich nicht leisten. Das hat alles mit dieser Kopfsteuer zu tun. Ich habe ihnen gesagt, daß ich keine Ratten mehr fange, aber sie schicken die Leute trotzdem zu mir. Ich mache jetzt in Gartenarbeit, das ist sicherer.«
»Ich würde Sie ja auch bezahlen«, sagte ich.
»12,50 Pfund. Außerdem Materialkosten, wenn ich zum Beispiel ein defektes Abflußrohr ersetzen oder ein Loch schließen muß.«
»Klingt akzeptabel.«
Harry Martin nahm eine Tabakdose vom Tisch neben seinem Sessel, öffnete sie und begann, sich eine Zigarette zu drehen, ohne hinzusehen.
»Und wo steckt Ihre Ratte?«
»Auf dem Dachboden.«
»Ja, aber *wo*? Auf *welchem* Dachboden?«
»Oh, entschuldigen Sie. Im Fortyfoot House.«
Harry Martin hatte ein Streichholz angerissen, um seine selbstgedrehte Zigarette anzuzünden, doch als er ›Fortyfoot House‹ hörte, hielt

Die Opferung

er in seiner Bewegung inne und starrte mich an, während das Streichholz weiterbrannte. Die Zigarette hing unangezündet im Mund.

Erst als ich »Achtung!« rief, bemerkte er es, blies das Streichholz aus und öffnete die kleine Schachtel, um ein neues herauszuholen.

»Ich bin den Sommer über in Fortyfoot House«, erklärte ich. »Mr. und Mrs. Tarrant wollen es verkaufen, und ich erledige einige Reparaturen.«

»Ich verstehe ... und ich hatte davon gehört, daß sie es verkaufen wollten. Wenn Sie meine Meinung hören wollen ... es wäre besser, das ganze verdammte Ding einfach abzureißen.«

»Ich möchte nicht behaupten, daß ich da anderer Meinung bin. Aber ich soll es leerräumen und renovieren, und als erstes möchte ich diese Ratte loswerden.«

Harry Martin zündete die Zigarette an und blies den dicken, aromatischen Rauch in die Luft. »Aber Sie haben sie gesehen, diese Ratte?«

Ich schüttelte den Kopf. »Nur ungenau. Sie sah ziemlich groß aus.«

»Sie *ist* ziemlich groß«, versicherte er mir.

»Sie wissen davon?«

»Natürlich. Jeder in der Gegend um Bonchurch und Old Shanklin Village weiß davon. Neulinge natürlich ausgenommen.«

Ich war erstaunt. »Jeder *weiß* davon?«

»Jeder weiß davon, aber niemand redet darüber, das ist alles.«

»Und warum nicht?«

»Wenn man darüber redet, dann muß man auch darüber nachdenken. Und das will keiner.«

»Wie lange ist sie schon da?« fragte ich beunruhigt.

»Die Ratte war schon da, als *ich* ein kleiner Junge war«, antwortete Harry Martin schulterzuckend. »Ich bin jetzt siebenundsechzig. Sind Sie gut im Kopfrechnen?«

Ich begann zu vermuten, daß Harry Martin mich auf den Arm nehmen wollte. Bei diesen alten Kerlen muß man auf der Hut sein. Sie lieben es, andere aufzuziehen. Ihre Geschichten werden mit jedem neuen Dreh schräger und schräger, und ehe man sich versieht, grinsen sie einen schelmisch an, bis man erkennt, daß man ihnen auf den Leim gegangen ist.

»Ratten leben normalerweise nicht so lange, oder? Ich bin mal mit einem Freund durch die Londoner Kanalisation gegangen, und er sagte, daß sie meistens nur drei oder vier Jahre alt werden, wenn überhaupt.«

»Fortyfoot House hat nichts mit der Londoner Kanalisation zu tun, stimmt's?« erwiderte Harry Martin. »Und das hier ist keine normale Ratte. Es gibt sogar einige Leute, die glauben, daß es sich überhaupt nicht um eine Ratte handelt.«

Irgendwie ließ die Normalität des mit Möbeln vollgestellten Salons diese Worte ausgesprochen beunruhigend wirken. Die Sonne schien auf die Oberseite des Fernsehers und beleuchtete ein Schiffssteuerrad mit einem imitierten Aquarium in der Mitte. Bienen flogen durch die geöffneten Fenster ein und aus. ›Keine Ratte?‹ wunderte ich mich. Wie meinte er das? *Möglicherweise* nahm er mich auf den Arm. Aber sein von tiefen Falten durchzogenes Gesicht machte einen völlig ernsten Eindruck. Und wenn es ein Witz sein sollte, dann entging mir die Pointe.

»Was ist es dann?«

Harry Martin schüttelte den Kopf. »Keine Ahnung. Ich habe mir auch noch nie die Mühe gemacht, es herauszufinden.«

»Haben die Tarrants Sie nie gebeten, die ... das Ding fortzuschaffen?«

»Die Tarrants waren dafür gar nicht lange genug dort. Sie haben es spottbillig gekauft, weil es so lange Zeit leergestanden hatte. Sie hatten große Pläne. Ein Swimmingpool, Anbauten, was Sie wollen. Dann erlebten sie einige schlechte Nächte, danach blieben sie nicht mehr so oft da. Und dann gab es eine richtig üble Nacht, und seitdem sind sie nie wieder dort geblieben.«

»Was meinen Sie mit einer ›richtig üblen Nacht‹?«

Harry Martin blies Zigarettenrauch in die Luft, während sein Gesichtsausdruck nichts davon verriet, was er dachte. »Lichter und Lärm. Grelles Licht. Und Geräusche, die man nicht beschreiben kann. Und Stimmen, die viel lauter waren als normale Stimmen.«

Ich lehnte mich zurück. »Jemand hat mir davon erzählt. Eine Frau namens Doris, unten im Strandcafé.«

»Oh, ja, die arme alte Doris. Sie war eine Belcher, müssen Sie wissen, bevor sie in die Randalls einheiratete.«

»Ich fürchte, daß mir das überhaupt nichts sagt.«

»Das würde es, wenn Sie in Bonchurch geboren wären. Die Belchers waren ein lustiges Völkchen. Mr. Belcher, also der Vater von Doris, war der örtliche Schuldirektor. Und George Belcher – ihr Bruder – machte viel Geld mit irgendeinem patentierten Lack für Boote. Aber er war immer etwas sonderbar. Er sagte, er habe die Ratte am hellichten Tag gesehen, aber natürlich wollte ihm niemand glauben.«

»Lebt er noch?«

»George? Nein, der nicht. Tabletten und Whisky besiegelten sein Schicksal. Tabletten und Whisky.«

Mrs. Martin kam von der Veranda herein und fragte, ob wir eine Tasse Tee haben wollten. Harry Martin sagte ja, ohne mich zu fragen, woraufhin uns Mrs. Martin ein Tablett mit Biskuits und zwei Tassen gesüßten Tee brachte.

»Und was soll ich mit dieser Ratte machen?« fragte ich Harry Martin.

»Immer vorausgesetzt, es *ist* eine Ratte. Oder auch, wenn es keine ist.« Harry Martin blies nachdenklich Rauch in die Luft. »Ich schätze, ich könnte mich dazu überreden lassen, mal einen Blick drauf zu werfen.«

Sofort kam Mrs. Martin aus der Küche und herrschte ihn an: »Du jagst keine Ratten mehr, du bist jetzt Gärtner. Ich bin es leid, daß der Landrat dich immer bittet, Ratten zu jagen.«

Harry Martin warf mir über den Rand seiner Teetasse einen bedeutungsvollen Blick von Mann zu Mann zu. »Schätze, du hast recht«, erwiderte er.

»Natürlich habe ich recht«, erklärte seine Frau. »Du bist siebenundsechzig. Ich will nicht, daß du auf irgendwelche Dachböden krabbelst und nach Ratten suchst. Damit das ein für allemal klar ist!«

»Ja, ich schätze, du hast recht«, wiederholte Harry Martin und bedachte mich mit einem noch bedeutungsvolleren Blick.

Ich trank meinen Tee aus. Am Tassenboden war eine dicke Schicht Zucker zu sehen, die sich nicht aufgelöst hatte. »Dann mache ich mich wohl besser wieder auf den Weg«, sagte ich. »Vielleicht finde ich in Portsmouth jemanden, der mir helfen kann.«

»Sie können es bei Rentokil in Ryde versuchen«, schlug Mrs. Martin vor.

»Ja, danke. Und danke für den Kuchen.«

»Selbstgemacht«, verkündete sie und schob mich mehr oder weniger nach draußen. Harry Martin blieb, wo er war, hob aber eine Hand und sagte: »Bis dann.«

Im Garten faßte mich Mrs. Martin unerwartet am Ärmel.

»Hören Sie. Ich möchte nicht, daß Harry hinter dem Ding herjagt. Mehr sage ich dazu nicht.«

»Okay, okay, ich habe verstanden«, beschwichtigte ich sie.

»Das Ding will einfach nur alleingelassen werden, sonst nichts«, sagte sie. Die Hitze hatte ihr Make-up zum Zerlaufen gebracht, was ihrem Gesicht das glänzende Aussehen einer Plastikpuppe verlieh. Ihre Pupillen waren extrem klein.

»Ich muß das Ding irgendwie loswerden«, sagte ich. »Ich soll Reparaturen ausführen, renovieren und das Haus für die Tarrants fertigstellen, damit sie es verkaufen können.«

Ihr Griff wurde noch fester. »Sie können ein Hause heute reparieren, aber nicht gestern.«

»Ich verstehe nicht.«

»Wenn Sie erst mal lange genug da leben, werden Sie es verstehen. Das Haus ist nicht immer im Hier und Jetzt. Das Haus war, und es wird sein. Sie hätten es nie bauen sollen, aber nachdem es gebaut worden war, konnte niemand mehr etwas daran ändern. Und Sie können daran auch nichts ändern. Und Harry kann daran ebensowenig ändern. Er hat irgendein persönliches Interesse an dieser Sache, aber fragen Sie mich nicht, was es ist. Und fragen Sie ihn nicht, ob er sich das Ding mal ansieht. Und wenn er das trotzdem will, dann hindern Sie ihn daran.«

»Also gut, ich verspreche Ihnen, daß ich ihn nicht noch mal fragen werde.«

Aus dem Wohnzimmer rief Harry: »Wie wäre es mit noch einem Tee, Vera?«

»Reg dich bloß nicht auf!« rief Mrs. Martin zurück und wandte sich wieder mir zu. »Schwören Sie, daß Sie sonst der Schlag trifft?«

»Ich schwöre. Ich würde nur gerne wissen, was das für ein Ding ist.«

»Eine Ratte, schätze ich.«

»Eine über sechzig Jahre alte Ratte?«

»Eine Laune der Natur. Es gibt auch Hunde mit drei Beinen, zweihundert Jahre alte Schildkröten.«

»Wissen Sie, was es ist?« fragte ich sie ohne Umschweife.

Ihre Augen zuckten. Sie ließ mich los und wischte sich ihre Hände an ihrer geblümte Schürze ab.

»Sie wissen, was es ist, richtig?« bohrte ich nach.

»Nicht wirklich. Ich weiß seinen Namen.«

»Es hat einen *Namen*?«

Sie sah mich an, als sei es ihr ein wenig peinlich, darüber zu reden. »Ich wußte davon schon, als ich noch ein kleines Mädchen war. Meine Mutter hat mir Gutenachtgeschichten darüber erzählt, um mir Angst einzujagen. Sie sagte immer, wenn ich etwas stehlen oder Unsinn erzählen würde, dann würde es in der Nacht zu mir kommen und mich an einen Ort verschleppen, an dem mich nicht mal die Zeit finden würde. Was es mit mir machen würde, wäre so entsetzlich, daß niemand etwas davon wissen wolle.«

»Hat Sie ihnen gesagt, wie es heißt?«

»Jeder kannte seinen Namen. Sogar meine Oma. Es war eins von diesen Dingen, die einfach jeder weiß. Und darum hat auch niemand von uns jemals in der Nähe von Fortyfoot House gespielt. Sie können jeden in Bonchurch fragen, auch die Jüngeren.«

»Und wie heißt es?«

Sie sah mich durchdringend an: »Ich möchte den Namen lieber nicht aussprechen.«

»Sie sind doch bestimmt nicht *so* abergläubisch?« zog ich sie auf.

»Oh, ich bin überhaupt nicht abergläubisch. Ich spaziere unter zwan-

Die Opferung 51

zig Leitern durch, wenn Sie das wollen. Ich verschütte Salz gleich kiloweise, und ich zerschlage den lieben langen Tag über Spiegel – und es kümmert mich überhaupt nicht. Aber ich möchte nicht den Namen dieses Dings aussprechen.«

In dem Moment trat aber Harry Martin auf die Veranda und zündete sich eine weitere selbstgedrehte Zigarette an.

»Das Ding heißt Brown Jenkin«, sagte er.

Mrs. Martin starrte mich an, in ihrem Blick war schiere Verzweiflung zu sehen. Sie schüttelte ganz minimal den Kopf, als versuche sie sich einzureden, nicht zuzuhören und nicht das zu wiederholen, was ihr Mann gerade gesagt hatte.

»Brown Jenkin, jawohl«, wiederholte Harry Martin. Fast schien es, als gefalle es ihm, etwas so Verbotenes laut auszusprechen.

Mrs. Martin legte die Hand vor den Mund. Im gleichen Moment schob sich eine Wolke vor die Sonne und ließ den Garten grau in grau erscheinen.

5. Die Nacht der Lichter

Am Abend kochte Liz ihr vielgerühmtes Chili. Danny schmeckte es nicht besonders, es war für seinen Geschmack zuviel Pfeffer drin, und die Kidney-Bohnen fand er »eklig«. Er sortierte sie alle auf eine Seite des Tellers, als wären es kleine Steine.

Für mich dagegen war es eine der besten Mahlzeiten seit Monaten, nicht zuletzt, weil ich sie nicht selbst zubereiten mußte. Wir aßen im Wohnzimmer, die Teller balancierten wir auf dem Schoß, während wir uns im Fernsehen *Die Brücke am Kwai* ansahen.

»Was hat der Rattenmann gesagt?« fragte Liz. Um ihren Kopf hatte sie einen roten Schal gebunden, und sie trug ein weites Baumwollkleid, das irgendwie wie ein Kaftan wirkte. Ihre nackten Zehen mit den lackierten Nägeln lugten unter dem ausgefransten Saum hervor.

»Er tat ein wenig geheimnisvoll, wenn ich ehrlich sein soll. Er sagte, er *kenne* diese spezielle Ratte. Genaugenommen kenne sie jeder im Dorf. Er sagt, daß sie schon so lange hier lebt, daß sich einfach jeder an sie erinnern kann.«

»Ratten leben doch nicht so lange, oder?«

»Nicht daß ich wüßte«, erwiderte ich schulterzuckend. »Jedenfalls hat er gesagt, daß er im Ruhestand ist und nicht interessiert sei.« Mehr wollte ich nicht sagen, um Danny nicht zu beunruhigen. Er mußte nichts hören von grellen Lichtern und schrecklichen Stimmen und von Dingen, die einen dorthin verschleppen, wo einen nicht einmal die Zeit finden kann.

Liz kam zu mir und nahm mir den Teller aus der Hand. »Wie wäre es mit noch etwas Wein?« schlug sie vor.

»Gerne.« Wir gingen in die Küche, während Danny Alec Guinness beobachtete, der den Japanern trotzte.

Liz kratzte die Reste von den Tellern in den Mülleimer, während ich zwei Gläser Piat D'Or einschenkte.

»Das war ein tolles Abendessen, danke.«

»Danny hat es nicht so geschmeckt, würde ich sagen.«

»Danny ist ein unerschütterlicher Fan von Heinz Spaghetti.«

»Das mit der Ratte ist seltsam. Was wirst du jetzt machen?«

»Ich habe Rentokil in Ryde angerufen; sie schicken morgen nachmittag jemanden her. Aber es war sehr sonderbar. Die Frau des Rattenfängers hat mir erzählt, die Ratte sei in Bonchurch so bekannt, daß sie sogar einen Namen hat. Sie hatte eindeutig sehr große Angst davor. Ich konnte sie nicht dazu bringen, mir diesen Namen zu sagen. Ihr Mann hat ihn mir dann schließlich gesagt.«

Liz spülte die Teller, ich trocknete ab und stellte sie fort.

»Und?«

»Und was?«

»Wie die Ratte heißt, meine ich.«

»Ach so, Brown irgendwas. Brown Johnson oder so.«

Liz legte die Stirn in Falten. »Komisch, ich bin sicher, daß ich so einen Namen schon mal irgendwo gehört habe.«

»Also, ich kenne eine ganze Menge Leute, die Johnson heißen. Und auch einige Leute, die Brown heißen.«

Wir setzten uns wieder hin und leerten unsere Gläser, während wir zusahen, wie William Holden die Brücke über den Kwai in die Luft jagte. Danny war so müde, daß ich ihn ins Bett tragen und ausziehen mußte. Ich sah ihm zu, wie er sich die Zähne putzte. Dabei fiel mein Blick auf mein Spiegelbild im Badezimmerfenster. Ich sah dünner und ausgemergelter aus, als ich gedacht hatte.

Liz schaltete das Licht in Dannys Zimmer aus, und gemeinsam gingen wir wieder nach unten. Ich öffnete eine weitere Flasche Piat D'Or, und wir machten es uns auf dem durchgesessenen braunen Sofa gemütlich, während meine zerkratzte LP mit Smetanas *Ma Vlast* lief. Die Musik beschrieb genau meine Verfassung: aufgewühlt, gefühlvoll, ein wenig aufgeblasen und fremd.

Liz erzählte, daß sie in Burgess Hill zur Welt gekommen sei, einer kleinen, häßlichen Stadt in Mid-Sussex. Ihr Vater leitete ein Bauunternehmen, ihre Mutter hatte einen kleinen Glas- und Porzellanwarenladen. Vor sechs Jahren hatte sich ihre Mutter in einen eleganten Reisekaufmann mit einem kleinen gestutzten Schnäuzer verliebt, dessen ganzer Stolz ein neuer Ford Granada war. Ihre Eltern ließen sich daraufhin scheiden. Liz hatte gerade erst verarbeitet, daß sie aus einer zerstörten Familie kam. »Viele andere Studenten reden von ›Daddy‹ und ›Mom‹ und sagen ›meine Familie‹. Ich habe zwei Jahre benötigt, um den Mut zu finden, anderen zu sagen, daß sich meine Eltern getrennt haben. Es tut weh. Ich kann dir gar nicht sagen, wie sehr. Das schlimmste damals war, wie entsetzlich sie sich beschimpft haben.«

»Hast du einen Freund?« fragte ich.

»Ich hatte einen. Aber er war zu korrekt für mich. Ihm war es peinlich, wenn ich auf einer Mauer balancierte oder auf der Straße tanzte. Ich habe auch dem Sex abgeschworen. Ich habe beschlossen, keusch und heilig zu sein. Die Heilige Elizabeth, die Unberührte.«

»Warum hast du dem Sex abgeschworen?« fragte ich lächelnd.

»Ich weiß nicht, ich glaube, es lag an Robert. Meinem Freund. Bei ihm kam es mir so kompliziert und so mechanisch vor. Ich hatte immer das Gefühl, daß er versuchte, einen Wagen zu warten.«

Ich lachte. »Keusch bist du wahrscheinlich besser dran.«

»Dir fehlt es, verheiratet zu sein, nicht wahr?«

»Ja und nein. Mir fehlt die Gesellschaft, es fehlt mir, mit jemandem reden zu können.«

»Und die Wagenwartung?«

Ich hob mein Weinglas. Durch das gewölbte Glas konnte ich Liz' verzerrtes Gesicht sehen. »Ja, die fehlt mir auch.«

Es war eine Nacht mit hoher Luftfeuchtigkeit, es ging kaum ein Wind. Hinter den Bäumen klang die See wie eine geisterhafte Frau, die langsam in einem Taftkleid durch einen marmornen Korridor lief. Ich stand am Fenster, als *Ma Vlast* endete und eine Eule ihren Schrei in die Nacht schickte. Ich überlegte, ob diese siebzig Kinder auf dem Friedhof sie auch hören konnten. Weit entfernt zuckten Blitze. Es war eine Nacht voller Elektrizität, voller Hochspannung.

»Ich gehe schlafen, wenn du nichts dagegen hast«, sagte Liz.

Ich nickte. »Was soll ich dagegen haben? Fühl dich hier wie zu Hause. Du kannst schlafen gehen und aufstehen, wann immer du willst. Wann fängst du in diesem Vogelpark an?«

»Übermorgen.«

Sie kam zu mir und legte ihre Hand auf meine Schulter. »Danke, David. Das wird schön werden.«

Ich küßte sie auf die Stirn. »Das glaube ich auch.«

Ich saß allein und ohne Wein da, während ich mir die andere Seite der Platte anhörte. *Preludes* von Liszt. Aber allein dazusitzen, war nicht das gleiche. Ich ging in die Küche und stieß auf den Rest eines Notizblockes mit dem Werbeaufdruck vom Schlachter E. Gibson in der High Street in Ventnor. Dann begann ich, Janie einen Brief zu schreiben. Ich schrieb ihr, daß es Danny und mir gut gehe, und daß Liz den Sommer bei uns verbringen werde. Ich zögerte einen Moment lang, dann strich ich den letzten Teil durch. Schließlich zerknüllte ich den ganzen Brief und warf ihn in den Kohleneimer. Es ergab keinen Sinn, alle Brücken hinter mir niederzureißen, wenn es nicht wirklich notwendig war. Immerhin wußte ich nicht, ob Janie und Raymond möglicherweise gar nicht mehr waren als nur gute Freunde.

Du Träumer, dachte ich.

Ich saß noch immer in der Küche vor dem leeren Notizblock, als die Uhr im Flur Mitternacht schlug. Ich mußte am nächsten Morgen früh raus, also ging ich von Tür zu Tür, um zu sehen, ob alles verschlossen war; dann schaltete ich das Licht aus. Im Wohnzimmer klapperte ein Fenster. Es war nicht sehr heftig, weil sich die Luft draußen kaum bewegte, aber es war recht laut und unangenehm regelmäßig. Als ich es schließen wollte, sah ich, wie die Blitze über den Horizont zuckten. Die Luft roch nach Ozon.

Von der Decke hörte ich ein leises Kratzen, als würde sich unter den Dielenbrettern im Schlafzimmer etwas schnell und mit Leichtigkeit bewegen, etwas, das Krallen hatte.

Ich möchte den Namen dieses Dings nicht aussprechen.

Ich lauschte, aber das Geräusch war nicht mehr zu hören. Ich schloß und verriegelte das Fenster, sah aber nicht in den Garten. Ich wußte zwar, daß er nicht dort sein würde, ich wußte, daß er nicht mal dort sein *konnte* – trotzdem wollte ich ihn nicht sehen, den Mann mit dem schwarzen Zylinder, draußen auf der Wiese. Er existierte nicht. Er war nichts weiter als eine optische Täuschung, der Schatten einer vorüberfliegenden Möwe, ein vom Wind mitgerissenes Stück schwarzes Papier.

Ich tastete mich zurück in den Flur, wo durch das Oberlicht über der Eingangstür ein fahler Lichtschein hereinfiel. Ohne das Licht anzuschalten, ging ich auf quietschenden Sohlen bis zum Ende des Flurs gleich neben der Kellertür, wo das Foto hing – Fortyfoot House anno 1888.

Der Mann stand noch immer dort, sein Gesicht ein klein wenig verschwommen, seinen Blick durch mehr als hundert Jahre hindurch auf mich gerichtet. An dem Tag, an dem er im Garten gestanden hatte, um sich fotografieren zu lassen, hatte Queen Victoria nur wenige Kilometer entfernt in Osborne residiert und Oscar Wilde hatte soeben *The Happy Prince* veröffentlicht.

Eigentlich war es völlig irrational von mir, daß ich nachsah, ob er noch auf dem Bild sei. Aber ich konnte das Gefühl nicht loswerden, daß es ihm irgendwie gelungen war, aus dem Bild zu entkommen, um sich im Fortyfoot House zu verstecken; in seinem schwarzen Anzug, mit bleichem Gesicht und zweidimensional.

Schließlich wandte ich mich von dem Foto ab, doch im gleichen Moment war ich sicher, daß sich das Bild geringfügig verändert hatte. Ich sah wieder hin. Er schien an der gleichen Stelle zu stehen wie zuvor, sein Gesichtsausdruck war unverändert. Aber hatte sein Fuß nicht gerade eben noch ein Stück näher an dem Rosenbeet gestanden?

Zuviel Piat D'Or, sagte ich mir. Zuviel Streß, zu viele Sorgen. Ich fing schon an, Gespenster zu sehen. Es war nicht möglich, daß sich etwas in einem hundert Jahre alten Bild bewegte oder veränderte. Der junge Mr. Billings konnte einfach nicht durch die Flure oder durch den Garten von Fortyfoot House spazieren.

Ich ging die Treppe nach oben, das knochenbleiche Licht in meinem Rücken. Ich erreichte den Treppenabsatz und blieb einen Moment an der Tür zum Dachboden stehen. Sie war fest verschlossen und es war weder ein Schlurfen noch ein Kratzen zu hören. Brown Johnson (oder wie die Leute in Bonchurch ihn nannten) war entweder nicht da, oder er schlief. Es gab keinen Grund, Angst zu haben.

Wer hat schon Angst vor einer großen braunen Ratte?

Ich sah nach Danny, der fest schlief. Sein Haar klebte in Strähnen auf seiner Stirn. Ich gab ihm einen Kuß, woraufhin er sich umherwälzte und »Mom« sagte.

Mom, du armer kleiner Kerl. Mom ist auf und davon, zusammen mit Raymond. Mom will nichts mehr von dir wissen.

Die Tür zu Liz' Zimmer war geschlossen. Einen Sekundenbruchteil lang war ich versucht, sie zu öffnen und ihr eine gute Nacht zu wünschen, aber dann entschied ich mich dagegen. Vielleicht würde sie es falsch auffassen. Ich fand sie hübsch und sexy, und ich liebte ihre nackten Zehen und diesen Geruch einer Neunzehnjährigen, aber ich wollte sie nicht anmachen, wenn sie es nicht wollte. Dafür genoß ich ihre Gesellschaft viel zu sehr, von ihrem Chili ganz zu schweigen. Der Gedanke, den Sommer ohne sie zu verbringen, hatte mit einem Mal etwas Tristes.

Ich zog mich aus, wusch mich, putzte mir die Zähne und legte mich erschöpft schlafen. Im gleichen Moment wünschte ich mir, daß ich das Bett zuvor mit mehr Sorgfalt gemacht hätte. Das Laken war voller Falten, in denen sich überall Toastkrümel fanden. Ich versuchte, eine erträgliche Position zu finden, aber schließlich mußte ich wieder aufstehen und das Bett neu beziehen.

Ich war noch immer damit beschäftigt, das Bettlaken unter die Matratze zu stecken, als es an meiner Tür klopfte.

»David? Ich bin's, Liz.«

»Augenblick«, sagte ich und legte mich wieder hin, um sie nicht sehen zu lassen, daß ich nackt war. »Okay, du kannst reinkommen.«

Sie betrat mein Zimmer und schloß schnell die Tür hinter sich, als fürchte sie sich vor etwas, das hinter ihr her war. Ihr Haar hatte sie noch immer mit dem roten Seidenschal zusammengebunden, sonst trug sie ein knappes T-Shirt und einen winzigen weißen Spitzenslip. Sie setzte sich auf den Bettrand, aber ihr Gesicht hatte einen ängstlichen Ausdruck, keinen verführerischen.

»Irgend etwas rennt auf dem Dachboden hin und her, ich höre es. Das muß diese Ratte sein.«

»Heute nacht habe ich noch nichts gehört«, log ich.

»Ich bin sicher, daß es eine Ratte ist«, beteuerte sie. »Sie rennt direkt über meinem Zimmer von einer Seite zur anderen.«

»Ich kann nichts dagegen machen, jedenfalls nicht im Moment. Der Kerl von Rentokil kommt morgen her.«

»Na gut. Ich wollte dich nicht stören, aber ich kann Ratten nicht ausstehen. Die lösen bei mir Gänsehaut aus.«

»Mir geht's nicht anders. Sag mir Bescheid, wenn du wieder was hörst. Ich könnte nach oben gehen und versuchen, sie mit einem Schürhaken zu erschlagen.«

Tolle Aussicht, dachte ich bei mir. *Vor allem nach dem Fiasko von heute morgen. Was mich angeht, werde ich mich soweit von Brown Johnson fernhalten, wie es nur geht.*

Liz zögerte, dann sagte sie: »Hör mal ... ich weiß, daß sich das bestimmt wie ein Vorwand anhört, aber Ratten machen mir entsetzliche Angst. Meinst du, ich könnte heute nacht bei dir schlafen? Ich lege auch ein Kissen zwischen uns.«

»Na, klar.« Es machte mir nichts aus. Eigentlich gefiel mir der Vorschlag sogar ausgesprochen gut. Ich hatte seit Monaten nicht mehr mit einer Frau in einem Bett gelegen. Dabei ging es mir nicht mal so sehr um die ›Wagenwartung‹, sondern ums Reden. Es ist erstaunlich, wie schnell man es leid wird, alleine zu lachen, zu lesen, Musik zu hören und zu essen. Aber allein zu schlafen ist am allerschlimmsten. Man könnte genausogut im Sarg liegen, in die Dunkelheit grinsen, mit seinem Schwanz spielen und auf Gott warten.

Die Opferung

»Das geht schon klar«, sagte ich. »Wenn du solche Angst hast.«
»Ich verspreche dir auch, daß ich morgen früh aus dem Zimmer verschwinde, bevor Danny aufwacht.«
Sie schloß die Tür, hob das Laken und legte sich neben mir ins Bett. Ich rutschte zur Seite, bis zwischen uns gut zwanzig Zentimeter Abstand waren. Zwar legte ich beide Arm eng an meinen Körper, aber es fiel mir sehr schwer, die Nähe, die Wärme, das Parfum und die nervös machende Anwesenheit einer hübschen jungen Frau zu ignorieren.
»Wann hast du es gehört?« fragte ich.
»Als du die Treppe heraufkamst. Sie rannte quer über den Dachboden. Es klang unglaublich groß und schwer, aber nachts scheinen Geräusche lauter als sonst, oder?«
Ich sah zur Decke. »Ich glaube, sie *ist* auch groß und schwer.«
»Hör auf, ich kriege Angst.«
Seite an Seite lagen wir da und lauschten. Wir hörten, wie die Uhr unten im Flur halb eins schlug und draußen eine nächtliche Brise aufkam, die dann durchs Haus strich und die verschlossenen Türen in ihren Scharnieren rappeln ließ.
»Wir sollten das Licht ausmachen und versuchen, ein wenig zu schlafen«, schlug ich nach einer Weile vor.
Dann lagen wir in der Finsternis da. In Bonchurch gab es keine Straßenlaternen, im Garten war keine Lampe und der Mond schien auch nicht, so daß die Dunkelheit nahezu vollkommen war. Es war so, als habe man einem einen schwarzen Samtbeutel über den Kopf gestülpt. Ich war mir auf eine unerträgliche Weise Liz' Busen bewußt, der gegen meine rechte Schulter drückte. Auch wenn sie ein T-Shirt trug, konnte ich spüren, wie sanft und schwer ihr Busen war. Jetzt, da sie keines ihrer weiten Baumwollkleider trug, die ihre Figur mehr oder weniger verborgen hatte, konnte ich nicht darüber hinwegsehen, daß sie für ihre Körpergröße und Statur äußerst große Brüste hatte. So verführerisch ihr Gesicht auch gewesen war, so waren Janies Brüste im Vergleich Mückenstiche gewesen, was nachvollziehbar machte, warum mir Liz' Brüste so sehr auffielen.
»Ich glaube, daß uns das Schicksal immer eine zweite Chance gibt«, sagte Liz. »Manchmal sind wir blind oder zu beschäftigt, um es wahrzunehmen, das ist alles. Findest du nicht auch, daß es eine Tragödie ist, wenn zwei Menschen, die zusammen wirklich glücklich sein könnten, auf der Straße aneinander vorbeigehen – nur Zentimeter voneinander entfernt –, und es niemals wissen? Oder wenn zwei Menschen über Tausende von Kilometern immer näher aufeinander zukommen, und dann verpaßt einer von ihnen seinen Zug, weil er seine Zeitung hat fal-

lenlassen und zurückgegangen war, um sie aufzuheben. Dadurch begegnen sie sich niemals.«

»So was muß ja ständig passieren, das ist das Wahrscheinlichkeitsgesetz.«

»Wie sind wir beide zum Beispiel zusammengekommen?« fragte Liz. »Du hättest anderswo einen Job für den Sommer bekommen können. Du hättest dein Geschäft weiterführen können, du hättest mit Janie zusammenbleiben können. Und es war nur ein Zufall, daß mir jemand diese Adresse hier gegeben hat.«

»Schicksal«, sagte ich und lächelte, auch wenn sie es nicht sehen konnte. »Und die eine Sache, die uns immer vorantreibt ... dieser seltene und glorreiche Augenblick, wenn sich das Leben als doch nicht so mies erweist.«

Sie streckte ihre Hand nach mir aus und ihre Fingerspitzen berührten in der Dunkelheit meine Wange. Sie betastete meine Augen und Nase und Lippen, als sei sie blind. »Ich liebe es, Menschen im Dunkeln zu berühren. Sie fühlen sich ganz anders an, die Proportionen ändern sich, je nachdem, wie man jemandem anfaßt. Vielleicht verändern sie sich ja *wirklich*, wer kann das schon sagen? Du könntest dich durchaus in irgendein entstelltes Monster verwandeln. Man muß das Licht schon sehr schnell anmachen, um das finstere Gesicht eines Menschen erblicken zu können – also das Gegenteil von dem freundlichen Gesicht, das sie aufsetzen, um alle glauben zu lassen, daß sie ganz gewöhnlich und normal sind.«

»Denkst du, daß ich mich in ein Monster verwandle?«

»Vielleicht. Aber vielleicht verwandle ich mich ja auch in ein Monster. Was würdest du dann machen?«

»Wie ein Wahnsinniger wegrennen und hinter mir eine Durchfallspur herziehen.«

Sie küßte mich. »Sei nicht eklig.«

Ich erwiderte ihren Kuß. »Ich werde solange nicht eklig sein, wie du dich nicht in ein Monster verwandelst. Und das betrifft *jede* Art von Monster.«

Sie küßte mich abermals, doch ich sagte: »Wir sollten jetzt besser schlafen. Du hast versprochen, die Heilige Elizabeth, die Unberührte, zu sein, und ich wollte der Heilige David, der Göttliche, sein.«

»Kommt drauf an, *worin* du göttlich bist.«

Wir schafften es, eine einigermaßen bequeme Schlafposition einzunehmen, schlossen die Augen und taten fast eine dreiviertel Stunde so, als würden wir schlafen. Ich lauschte dem Knarren des Hauses, dem Wind, der durch die Eiche wehte und dem leisen Rauschen der See. Ich

Die Opferung

lauschte dem Luftzug, der sich um das Haus bewegte, *gegen die Fenster klopfte und an den Schlössern rappelte*. Ich lauschte Liz' gleichmäßigen Atem, der zu jemandem gehörte, der schlafen wollte, aber nicht konnte, und der fast im Begriff war, nach unten zu gehen und eine Tasse Tee aufzugießen.

»Liz?« fragte ich schließlich. »Schläfst du?«

Sie zog das Laken vom Gesicht. »Mein Verstand kommt nicht zur Ruhe.«

»Woran denkst du? An etwas Bestimmtes?«

»Oh ... eigentlich nicht. Arbeit, das College. Ich habe überlegt, ob ich genug Geld zusammenkommen kann, um mir ein Auto zu kaufen. Ich bin es leid, immer andere zu fragen, ob ich mitfahren kann.«

Es folgte eine lange Stille, dann sagte ich: »Ich kann auch nicht schlafen.«

»Vielleicht bist du es nicht mehr gewöhnt, mit jemandem im Bett zu liegen.«

»Könnte sein.«

Schließlich sagte sie: »Du *darfst* mich küssen, weißt du? Wir werden nicht von einem bösen Gott dafür bestraft.«

»Ich weiß nicht. Ich möchte nichts anfangen, was ich nicht zu Ende führen kann.«

»Wer redet davon, irgendwas anzufangen? Und wer redet davon, irgendwas zu Ende zu führen?«

Ich legte meinen Arm um ihre Schulter. »Weißt du, was Danny mich neulich gefragt hat? ›Hat Gott sich selbst geschaffen?‹«

»Und was hast du geantwortet?«

»Ich habe gesagt, er solle nicht albern sein. Dann wurde mir klar, daß ich die Antwort gar nicht weiß. Ich habe die ganze Nacht lang darüber nachgedacht.«

»Gott war vor allem anderen da. Gott war schon immer.«

»Was ist denn das für eine Antwort? Das ist eine faule Ausrede.«

Liz stützte sich auf einen Ellbogen und küßte mich auf meine Wange, dann auf den Mund. Ihre Zunge wanderte zwischen meinen Zähnen umher. Ich versuchte, den Kuß nicht zu erwidern, doch sie schmeckte so, wie ein Mädchen schmecken sollte ... ein wenig süß, ein wenig salzig, Speichel und Parfum und Wein, und da war ihre schwere warme, unter einem T-Shirt verborgene Brust, die sich gegen meinen nackten Arm drückte. Unsere Lippen waren in einen stummen, leidenschaftlichen Ringkampf verwickelt. Ich drückte ihre Brüste durch den Stoff, sie waren enorm, vor allem im Vergleich zu denen von Janie. Sie waren wie ein Wirklichkeit gewordener *Penthouse*-Traum. Mein Schwanz richtete sich schnell und unwiderruflich auf, und ich konnte nichts dagegen tun. Liz nahm ihn in ihre rechte Hand und umschloß ihn kraftvoll, so wie ein Mädchen, das darin einige Übung hat. Sie schob ihre Hand langsam auf und nieder, auf und nieder, bis er fast unerträglich angeschwollen war und vor Gleitflüssigkeit völlig naß war.

Ich ließ in der gleichen Zeit meine Hände unter ihr T-Shirt gleiten und umfaßte ihre Brüste; mit Zeigefinger und Daumen massierte ich ihre Brustwarzen, bis sie sich steif aufrichteten. Während sie mich küßte und meinen Penis massierte, sang sie mit einer ganz hohen Stimme ein seltsames Lied, das einem Angst einjagen konnte. Liz drehte sich kurz um und zog ihren Slip aus.

»Kondom«, sagte ich mit erstickter Stimme.

»Ich nehme die Pille.«

»Egal ... wir sollten trotzdem eines benutzen!«

»Ich habe kein AIDS, weißt du?«

Bevor ich noch ein Wort sagen konnte, hatte sie sich rittlings auf mich gesetzt. Meinen Schwanz, den sie noch immer fest umschlossen hatte, dirigierte sie zwischen ihre Schenkel. Sie neckte mich einen Moment lang, indem sie ihn über ihre Schamlippen gleiten ließ, ohne mich eindringen zu lassen. Im nächsten Moment preßte sie ihren Unterleib dagegen, und ich drang so tief ein, wie es nur möglich war. Ich schloß die Augen. Nach Monaten der Abstinenz, nach Monaten, in denen ich mir immer wieder eingeredet hatte, daß ich das hier nicht brauchte, war es ein Segen. Ich weiß nicht, ob ich laut aufstöhnte, auf jeden Fall beugte sich Liz vor, küßte mich und sagte: »Ssscht, es ist wundervoll.«

Sie bewegte sich mit einer Geschmeidigkeit auf und nieder, die mich nach und nach immer stärker erregte, aber nicht zu stark. So kam es mir vor, als seien mehrere Stunden vergangen, ehe ich dieses unwiderstehliche Verkrampfen zwischen meinen Beinen verspürte, das mir verriet, daß ich es nicht mehr lange würde aushalten können. Liz begann zu keuchen, ihr T-Shirt klebte auf ihren schweißnassen Brüsten. Ich legte meine Hände fest um ihre Pobacken und preßte sie noch stärker auf mich.

In genau dem Augenblick hörten wir auf den Dachboden ein lautes Poltern. Direkt über uns. So, als habe jemand einen Sessel umgeworfen.

Liz saß wie erstarrt auf mir, meinen Schwanz immer noch tief zwischen ihren Schenkeln vergraben. »Was war das?« flüsterte sie. »Das war doch keine Ratte?«

»Ich habe doch gesagt, daß sie groß ist.«

»Groß?« In ihrer Stimme schwang Angst mit. »Sie muß ja *riesig* sein!«

Die Opferung

Wir warteten und lauschten, und in dem Moment, als wir im Begriff waren, uns weiter zu lieben, folgte ein weiteres Geräusch: ein entsetzliches Schlurfen, danach ein lautes Gepolter, als sei eine Sammlung Spazierstöcke umgefallen.

Liz erhob sich. Ich spürte den kalten Luftzug zwischen meinen nassen Schenkeln. »Das ist keine Ratte«, sagte sie. »Da oben ist jemand.«

»Ach, komm schon«, protestierte ich. »Warum sollte jemand auf dem Dachboden einen solchen Lärm machen? Es ist eine Ratte. Das klingt nur so schlimm, weil wir uns genau darunter befinden.«

»Vielleicht wohnt da oben jemand, von dem du nichts weißt. Ich habe mal einen Film über einen Mann gesehen, der immer nachts nach unten kam, wenn die Familie schlief, und dann durchs Haus lief.«

»Warum sollte jemand auf einem stockfinsteren Speicher wohnen wollen?«

»Keine Ahnung. Vielleicht hat sich jemand eingenistet, bevor du hergekommen bist. Jetzt versteckt er sich auf dem Dachboden und wartet, bis du wieder gehst.«

Ich schaltete die Nachttischlampe an. »Leute, die sich verstecken, machen für gewöhnlich nicht einen derartigen Lärm.«

»Vielleicht will er dir Angst einjagen«, überlegte Liz.

»Ich bin oben gewesen«, erklärte ich. »Ich habe etwas gesehen, das wie eine Ratte aussah. Es hat eindeutig nicht wie ein Mensch ausgesehen.«

»Also ich finde, daß es nach einem Menschen klingt.«

Wir warteten wieder. Ich war frustriert und beunruhigt zugleich. Ich verspürte den Wunsch, einen Schürhaken oder einen Cricketschläger zu nehmen und diesen verdammten Brown Johnson totzuschlagen. Ich fragte mich bloß, ob ich das auch wirklich konnte, wenn wir uns von Angesicht zu Angesicht gegenüberstanden. Was, wenn es keine Ratte war? Wenn es ein Hausbesetzer, ein Landstreicher oder sogar ein Psychopath war, der sich vor dem Licht oder vielleicht vor dem Gesetz versteckte? Was, wenn es nichts in dieser Art war, sondern etwas völlig anderes? Etwas so Entsetzliches, daß niemand es beschreiben konnte?

Was immer es war, es mußte verschwinden. Ich war mir bloß nicht sicher, ob ich in der Lage war, dieses Etwas aus dem Haus zu jagen. Wenn die Menschen in Bonchurch seit so vielen Jahren davon wußten, warum hatte sich nicht früher jemand darum gekümmert? Warum hatten die Tarrants nicht versucht, das Ding loszuwerden?

Fünf Minuten lang war nichts mehr zu hören, und schließlich nahm ich Liz an der Hand und sagte: »Komm wieder ins Bett. Wir sollten versuchen, ein wenig zu schlafen.«

»Ich gehe besser wieder in mein Zimmer«, sagte sie. »Wir wollen doch nicht, daß Danny mich hier antrifft.«

»Ich glaube nicht, daß es Danny stören würde.«

»Nein, aber es würde mich stören. Ich bin weder seine Mutter noch deine Geliebte. Wir sind einfach nur beim Vögeln gestört worden.«

Ich wußte nicht, was ich darauf sagen sollte. Ich hatte gehofft, daß wir da weitermachen würden, wo wir aufgehört hatten. Oder daß wir vielleicht einen Teil wiederholen würden. Aber offenbar war Liz nicht in der Stimmung dazu. Ich hatte mindestens fünf freche Antworten auf der Zunge, aber ich biß mir auf die Lippen. Vielleicht war sie ja morgen abend wieder in der richtigen Stimmung.

Sie kletterte aus dem Bett und zog ihr T-Shirt nach unten, aber ich konnte einen kurzen Blick auf ihre glänzenden, dunkelroten Schamlippen werfen. Es war eines von diesen Bildern, die nur einen Sekundenbruchteil währen, die man aber sein Leben lang nicht vergißt.

»Höschen«, sagte ich und hielt ihren Slip hoch.

»Danke«, erwiderte sie lächelnd. »Schlaf gut.«

Sie hauchte mir einen Kuß zu, dann ging sie aus dem Schlafzimmer und schloß leise die Tür hinter sich. Ich blieb, wo ich war, auf einen Ellbogen gestützt, und hatte das Gefühl, daß ich die Frauen niemals verstehen würde. Mein Freund Chris Pert hatte mal gesagt, Frauen seien das einzige unlösbare Problem, das einen sexuell stimulieren konnte.

Ich wollte gerade das Licht ausmachen, als sie wieder ins Zimmer zurückkehrte.

»Was ist los?« fragte ich. Sie sah zutiefst beunruhigt aus, ihre Augen waren weit aufgerissen.

»Vom Dachboden kommt Licht, ein sehr grelles Licht.«

»Da oben gibt es kein Licht. Die Leitungen sind marode.«

»Komm mit und sieh es dir an.«

Ich erhob mich aus dem Bett und griff nach meinen Boxershorts, die so gestreift waren wie Zahnpasta.

»Ich wollte gerade die Tür zumachen, als ich etwas flackern sah. Es sieht so aus, als stimme mit der Elektrik etwas nicht.«

Ich trat in den Korridor, und Liz folgte mir. Es war völlig finster. »Ich kann nichts entdecken«, sagte ich zu ihr. »Wahrscheinlich hat sich nur was gespiegelt, als du die Tür zu deinem Schlafzimmer geöffnet hast. Auf dem Treppenabsatz befindet sich ein Spiegel.«

»Da hat sich nichts gespiegelt«, beteuerte Liz. »Es war *blau*, wie Elektrizität.«

Ich tastete mich an der Wand entlang bis zum Treppenabsatz. Es war so dunkel, daß es einfacher für mich war, die Augen zu schließen und

Die Opferung

mich wie ein Blinder vorzutasten. Liz war weiter dicht hinter mir, ihre Hand lag auf meiner Schulter. »Es war nur ein paar Sekunden lang zu sehen. Aber es schien so grell.«

Wir hatten fast den Absatz erreicht, als wir einen schrillen Schrei hörten, wie von einem Kind, das sich in größter Gefahr befand. Meine Nackenhaare richteten sich auf und ich sagte: »Scheiße, was zum Teufel ist das?« Liz griff verängstigt nach meiner Hand, und ich hielt sie genauso fest.

Das Schreien wurde schriller, während es sich uns näherte, und war so durchdringend wie das Gellen der Pfeife eines herannahenden Zuges. Dann verhallte es allmählich.

Im nächsten Augenblick hörten wir beide ein Geräusch, das an ein tiefes, dröhnendes Grollen erinnerte. Allerdings hörte es sich nicht wie irgendein mir vertrautes Geräusch von einem Tier an, das ich jemals gehört hatte, weder im Zoo noch in einer Tiersendung. Vielmehr klang es wie eine zu langsam abgespielte Aufnahme einer menschlichen Stimme. Tief und verzerrt – und so laut, daß die Fenster vibrierten.

Dann flackerte das Licht und drang durch die Spalten rings um die Tür zum Speicher. Ein grelles, blaues Licht, das für einen Augenblick den gesamten Korridor und den Treppenabsatz erhellte. Ich sah Liz' bleiches, entsetztes Gesicht. An der Wand des Flurs entdeckte ich ein Bild des gekreuzigten Jesus.

»Allmächtiger«, flüsterte Liz. »Was ist das?«

Ich nahm eine wenig überzeugende heldenhafte Haltung an und strich ihr über die Hand. »Es gibt eine vernünftige Erklärung dafür«, sagte ich, während mir schauderte. Noch immer trieben die Lichtformen vor meinen Augen umher. »Ein Kurzschluß oder etwas ähnliches. Vielleicht auch Statik. Das Meer ist nicht weit entfernt, es könnte ein Elmsfeuer sein.«

»Was?«

»Du weißt schon, Elmsfeuer. Manchmal sieht man es an den Schiffsmasten, oder an den Spitzen von Tragflächen. Die Seeleute nannten es Elmsfeuer. Nach dem Schutzheiligen der Seeleute im Mittelmeerraum, St. Erasmus.«

Ich hielt inne und sah sie an. Ganz offensichtlich fragte sie sich, woher ich das alles wußte. »Ich hab davon im *Eagle Annual Comic* gelesen, als ich zwölf war.«

»Oh.« Sie war zu jung, um sich an den *Eagle* zu erinnern, wie ich ihn noch kannte. »Und die Schreie?«

»Frag mich nicht. Vielleicht war es Luft in den Wasserleitungen. Vielleicht hat sich eine Taube in den Speicher verirrt, und die Ratte hat sich auf sie gestürzt.«

»Tauben schreien nicht. Jedenfalls nicht so.«
»Ich weiß. Aber vielleicht war sie eine Ausnahme.«
Wir warteten in der Dunkelheit. Ich hatte mich noch nie so beunruhigt und wehrlos gefühlt. Liz drückte meine Hand, ich drückte ihre, aber ich wußte nicht, was ich machen sollte. Nicht eine Sekunde lang glaubte ich daran, daß sich auf dem Speicher irgend etwas abspielen könnte, das nicht irdischen Ursprungs war. Es hatte einen Kurzschluß gegeben, die riesige Ratte schrie und tobte. Noch immer glaubte ich nicht, daß dort oben irgend etwas Übernatürliches vorgehen könnte. Ich fand es so schon unheimlich genug, ohne mir auch noch Gedanken darüber zu machen, daß sich die Geschehnisse jeder natürlichen oder vernünftigen Erklärung entziehen könnten.
»Vielleicht solltest du mal nachsehen«, schlug Liz vor.
»Vielleicht sollte *ich* mal nachsehen?«
»Du bist der Mann.«
»Das liebe ich«, gab ich zurück, während ich noch immer zitterte. »Du bist wie all die anderen Frauen auch, die ich kenne. Du willst nur dann gleichberechtigt sein, wenn es dir gefällt.«
Trotzdem wußte ich, daß ich auf den Speicher gehen mußte, um mich dem zu stellen, das oben wütete. Ich konnte angesichts dieser Lichter, der Schreie und des Gepolters nicht einfach zurück ins Bett gehen. Nicht etwa, weil ich nicht hätte schlafen können, sondern weil diese riesige Ratte meine gesamte Arbeit für diesen Sommer gefährdete. Und auch meine Männlichkeit, meine Glaubwürdigkeit als Mann. Liz sollte nicht glauben, daß ich mich fürchtete. Gerade *sie* sollte das nicht glauben.
Wieder flackerte das Licht, wenn auch nicht so hell. Es hatte mehr eine orangene Färbung, und Sekunden später war ich sicher, daß ich Brandgeruch wahrnahm.
»Glaubst du, der Dachboden steht in *Flammen*?« fragte Liz.
»Keine Ahnung. Aber ich schätze, ich muß wirklich nachsehen.«
Ich blickte mich nach einer geeigneten Waffe um. Im Schlafzimmer neben uns gab es, von viel in dieser Situation unbrauchbarem Gerümpel abgesehen, einen zerbrochenen Küchenstuhl. »Warte«, sagte ich zu Liz, ging in das Zimmer, und riß an der Rückenlehne, bis sie lärmend nachgab und ich eines der hinteren Stuhlbeine lösen konnte.
»So«, sagte ich und fuchtelte wie ein Höhlenmensch mit seinem Knüppel. »Ein falsches Wort, und dann setzt es was mit dem Stuhlbein.«
Ich näherte mich der Tür zum Dachboden. Das Flackern war erloschen, aber ich konnte noch immer das unregelmäßige elektrische Zischen und Krachen hören. Ich nahm auch noch den prägnanten säuer-

Die Opferung

lichen Geruch wahr, der von etwas Brennendem stammen mochte, vielleicht aber auch eine ganz andere Ursache hatte. Für etwas Brennendes war der Geruch sogar etwas zu süßlich. Es war schwer, den Geruch einzuordnen. Aus irgendeinem Grund mußte ich an den Mief eines antiken Schreibtischs denken, der einem entgegenschlägt, wenn man die Schubladen öffnet.

»Klingt so, als sei Ruhe eingekehrt«, sagte Liz.
»Das beruhigt mich nicht im geringsten.«
»Nun komm schon«, trieb Liz mich an. »So schlimm kann es ja nicht sein, wenn jeder im Dorf davon weiß.«
»Meinst du?« sagte ich zweifelnd. »Es könnte auch schlimmer sein. Warum sollte jeder davon wissen, wenn es nicht etwas ganz Schreckliches ist?«

Liz sah mich an, ihr Gesicht verfinsterte sich, während ich sie fragend anblickte, ohne eine Antwort zu bekommen. Es gibt nichts schlimmeres, als wenn die Frau, die man mag, etwas von einem verlangt, was man haßt. Schließlich aber schob ich den kleinen Metallriegel zur Seite und öffnete die Tür. Wieder der Geruch von etwas Eingeschlossenem, von ausgeatmeter Luft. Ich konnte den Brandgeruch noch wahrnehmen, aber er war schwächer geworden. Außerdem war kein Rauch zu sehen. Ganz im Gegenteil sogar, denn die Luft war so *eisigkalt* wie in einem Kühlschrank.

Liz schauderte. »*Sieht* nicht so aus, als würde es brennen.«
Ich umklammerte mit meiner linken Hand fest das Stuhlbein. »Finde ich auch.«
»Brauchst du eine Taschenlampe?«
»Ich hab keine. Na ja, eigentlich habe ich schon eine, aber die Batterien waren den ganzen Winter über drin und sind jetzt grün und verkrustet. Ich wollte heute eine neue kaufen ...«

Ich schaltete das Licht auf dem Treppenabsatz an. So wie zuvor der Spiegel schaffte das Licht es nur, die ersten Stufen zu beleuchten. Dahinter wurde der braune, abgenutzte Filz von der Finsternis geschluckt.

»Na los«, spornte Liz mich an.
»Okay, okay, ich überlege, was ich mache, wenn ich es finde.«
»Mit dem Stuhlbein draufschlagen, was sonst?«
»Und wenn es mich anspringt?«
»Dann halt das Stuhlbein höher.«

Einen Augenblick lang dachte ich nach, dann sagte ich: »Ja, du hast recht.« Immerhin ging es um eine Ratte. Eine große, viel zu große Ratte, eine Schädlingsversion von General Woundsworth aus *Watership Down*.

Und was das Geschrei anging ... in der Nacht klingt jedes Geräusch zehnmal so schlimm.

Ich zog den Kopf ein und stieg die ersten drei Stufen hinauf, die drei, die ich erkennen konnte. Schließlich erreichte ich den Punkt, an dem ich weit genug oben war, um durch die Stangen des Geländers auf den Speicher zu blicken. Ich erkannte ein paar Formen, die ich schon zuvor gesehen hatte. Bei einigen handelte es sich erkennbar um Möbelstücke, über die zum Schutz gegen Staub ein Laken gelegt worden war. Andere waren Wäscheberge. Es war zu dunkel, um sonst noch viel zu erkennen. Ich drehte mich zu Liz um und flüsterte: »Hier ist nichts, es muß eine Taube gewesen sein.«

»Warte doch einen Augenblick«, ermutigte Liz mich.

Ich schnupperte und sah mich um. Der Brandgeruch war völlig verschwunden. Allmählich gewöhnten sich meine Augen an die Dunkelheit und ließen mich eine Garderobe und einen Spiegel erkennen.

Gerade wollte ich nach unten gehen, als ein durchdringendes, elektrisches Knallen zu hören war. Und für den Bruchteil einer Sekunde war der Speicher in blendendes blaues Licht getaucht.

»David!« rief Liz. »David, alles in Ordnung?«

Zunächst konnte ich nicht antworten. Ich war nicht sicher, was ich gerade gesehen hatte. In diesem kurzen grellen Aufflackern hatte es wie ein *Kind* ausgesehen, ein kleines Mädchen, das ein langes, weißes Nachthemd trug – das vom Licht erfaßt wurde, während es über den Dachboden ging. Das ovale weiße Gesicht war mir zugewandt, und nach dem Blick in den Augen zu urteilen, hatte es mich ebenfalls gesehen.

»David?« wiederholte Liz.

»Ich ... ich bin nicht sicher, ich glaube, ich habe etwas gesehen ...«

»David, komm nach unten.«

»Nein, ich bin sicher. Das ist keine Ratte. Es ist ein kleines Mädchen.«

»Ein kleines Mädchen? Was soll das denn mitten in der Nacht auf dem Speicher suchen?«

Ich strengte meine Augen an, das Licht hatte mich so sehr geblendet, daß ich nicht einmal mehr die Garderobe oder den Spiegel erkennen konnte.

»Wer ist da?« rief ich, während ich versuchte, nicht wütend, sondern vertrauenswürdig zu klingen. »Ist da jemand?« Alles blieb ruhig.

»Du klingst so, als würdest du eine Séance abhalten«, scherzte Liz nervös.

Ich starrte und ich lauschte, aber es waren nur noch die typischen nächtlichen Geräusche zu hören. »Könnte sein«, erwiderte ich.

»Komm nach unten«, beharrte sie.

Ich wartete noch fast drei Minuten. Ich rief wieder und wieder, aber es gab weder weitere Lichtblitze, noch Schreie, und auch keine Anzeichen für ein kleines Mädchen. Gerade wollte ich mich zurückziehen, als ich ein schwaches, verstohlenes Scharren in einer Ecke des Dachbodens hörte, doch das hätte von allem herrühren können. Langsam stieg ich nach unten, während ich versuchte, nicht zu zeigen, welche Angst ich hatte. Dann schloß ich die Tür hinter mir.

»Und? Was glaubst du, ist es?« fragte Liz.

Ich schüttelte den Kopf. Keine Ahnung. ›Ich habe mir auch noch nie die Mühe gemacht, es herauszufinden‹, hatte Harry Martin gesagt. Vielleicht ist es nur irgendeine elektrische Störung. Wir sind nahe am Meer, vielleicht war es ein Blitz. Ich werde sehen, ob ich im Dorf einen Blitzableiter auftreiben kann.«

»Möchtest du eine Tasse Tee?« fragte Liz. »Du zitterst ja.«

»Würdest du an meiner Stelle auch«, erwiderte ich. »Ein Tee ist eine gute Idee.«

»Glaubst du wirklich, daß du ein kleines Mädchen gesehen hast?«

»Es *sah* zumindest so aus wie ein kleines Mädchen. Andererseits könnte es auch ein Stuhl mit einer hohen Rückenlehne sein, über den man ein Laken geworfen hat. Ich glaube, meine Nerven konnten den Unterschied nicht feststellen.«

Aber ich hatte das Gesicht des Mädchens gesehen, ein bestürztes Gesicht, von Zweifeln gezeichnet und durch Vernachlässigung seiner gesunden Farbe beraubt.

Wir gingen gemeinsam nach unten in die Küche. Am Himmel zeigte sich gerade die erste schwache Andeutung eines Sonnenaufgangs. Ich setzte mich an den Küchentisch, während Liz den Wasserkessel auf die Kochplatte stellte.

»Vielleicht sind da oben *wirklich* Kinder«, sagte Liz. »Vielleicht haben sie sich da oben einquartiert.«

»Oh, ja, und ich bin vielleicht Dschingis Khan. Und wie sollen sie raus- und reinkommen, ohne daß wir das merken? Und *falls* es sich wirklich um Kinder handelt, dann würden sie nicht einen solchen Lärm machen. Sie würden doch nicht wollen, daß sie entdeckt werden, oder?«

»Würde es dir etwas ausmachen?« fragte Liz, warf einen Teebeutel in meinen Becher und drückte ihn mit dem Finger ins Wasser. »Autsch, das ist heiß!«

»Würde mir *was* etwas ausmachen?«

»Würde es dir etwas ausmachen, wenn es richtige Kinder *wären*? Vielleicht sind sie aus der Gegend und verstecken sich vor ihren Eltern.«

Ich nahm meinen Becher, mußte aber ein oder zwei Minuten lang pusten, bevor der Tee soweit abgekühlt war, daß ich einen Schluck nehmen konnte. »Ich bin nicht sicher«, gab ich zurück. »Mir ist es egal, solange sie kein Chaos veranstalten. Und solange sie mich nachts durchschlafen lassen.«

Liz nahm mir gegenüber Platz. Sie trank ihren Tee so dunkel, daß er fast wie Kaffee aussah.

»Ich weiß«, sagte sie. »Warum stellen wir ihnen nicht eine Falle?«

»Eine Falle? Was denn für eine Falle? Wenn es wirklich Kinder sind, können wir ihnen doch nichts antun.«

»Natürlich nicht. Wir müssen nur den Boden mit Papier auslegen und darauf Ruß oder Talkumpuder streuen. Wenn sie durchlaufen, hinterlassen sie einen Fußabdruck. Das haben wir in der Schule gemacht, um festzustellen, ob sich jemand in unser Zimmer geschlichen hatte.«

»Es wäre den Versuch wert.«

Während wir dasaßen und unseren Tee tranken, hatte ich das Gefühl, daß Fortyfoot House ausgiebig erzitterte. Und irgendwo am äußersten Rand meiner Wahrnehmung glaubte ich, ein Kind schreien zu hören. Sobald ich aber darauf achtete, war kein Geräusch mehr da. Nur diese sonderbare Leere, die man wahrnehmen kann, wenn ein gerade noch vorbeirasender Zug bereits außer Hörweite gelangt ist.

Träume, dachte ich. *Einbildung.* Als ich aber zum Spülbecken ging, um meinen Becher auszuwaschen, bemerkte ich im Garten einen Schatten, der eigentlich kein Schatten war, sondern ein Mann mit einem großen schwarzen Hut, der zwischen den Eichen Schutz suchte – so wie ein Mann, der um sein Leben rennt, ein Mann, der zu entsetzt ist, als daß er sich umdrehen könnte, um einen Blick auf den unvorstellbaren Jäger zu werfen, der hinter ihm her ist.

6. Kopfjäger

An der Küchentür war ein forsches Klopfen wie von einem Postboten zu hören. Ich blickte vom *Daily Telegraph* auf, während Danny seine Augen von seiner Schale Honey Nut Loops abwandte. Der Löffel warf einen geschwungenen Lichtreflex auf seine Wange.

Es war Harry Martin, der Rattenfänger. Sein Gesicht war hochrot, er war außer Atem. In seiner Hand hielt er einen Schlapphut. Er trug einen dicken Tweedanzug mit Fischgrätenmuster und hatte einen großen Lederranzen über die Schulter geworfen, in den die Initialen HJM eingebrannt waren.

»Mr. Martin, kommen Sie doch herein.« Er war mir nicht nur will-

Die Opferung

kommen, nach der vergangenen Nacht war ich sogar ausgesprochen froh, ihn zu sehen. »Der Tee ist noch heiß. Oder möchten Sie eine Limonade? Ihr Anzug sieht ja ziemlich dick aus. Ist Ihnen nicht zu warm?«

Er legte seinen Ranzen ab, zog sich einen Küchenstuhl heran und nahm Platz. »Das ist meine Rattenfängerkleidung«, verkündete er. Er zupfte mit Zeigefinger und Daumen am Ärmel. »Gesehen? Es gibt nicht viele Ratten, die sich da durchbeißen können. Das ist nicht so wie diese modernen Nylon-Overalls. Hier, fühl mal.« Danny strich widerstrebend über den Stoff. »Und? Was sagst du dazu?«

»Er ist haarig«, sagte Danny.

»Richtig. Er ist haarig. Wie eine Ratte. Ein Rattenanzug, um eine Ratte zu fangen.«

Ich goß ihm eine Tasse Kaffee ein. »Zucker?« fragte ich.

»Drei Stückchen.«

Er rührte so lange um, bis das Klimpern des Löffels mir so auf die Nerven ging, daß ich ihn fast bitten wollte, endlich damit aufzuhören.

Plötzlich legte er den Löffel fort und sah mich durchdringend an. Ein Auge hatte er zugekniffen, das andere war weit aufgerissen. »Sie hatten letzte Nacht Probleme?«

Ich nickte.

»Ich habe am Himmel das Licht gesehen. Hören konnte ich nichts, weil der Wind in die falsche Richtung wehte. Aber ich dachte mir, daß Sie Probleme haben.«

»Es waren ein paar Geräusche zu hören«, sagte ich und warf Danny einen Blick zu. »Geräusche und auch Licht ... Danny, bist du lieb und frühstückst im Wohnzimmer weiter?«

»Ich sehe gerade Play School.«

Ich schaltete den Fernseher aus. »Du *hast* Play School gesehen. Jetzt *nicht* mehr. Und jetzt geh bitte mit deinem Frühstück ins Wohnzimmer, ja?«

»Aber, aber, keinen Streit«, sagte Harry Martin. »Wir können unseren Tee auch im Garten trinken, wir müssen dem jungen Mann doch nicht das Fernsehen vermiesen.«

»Wenn er noch länger fernsieht, bekommt er irgendwann eckige Augen«, entgegnete ich. Trotzdem folgte ich Harry aus der Küche auf die Veranda. Wir setzten uns auf die Mauer, von der aus wir auf den abfallenden Garten und die Sonnenuhr blicken konnten. Die frühe Morgensonne schien rötlich durch Harrys haarige Ohren. Die See klang sonderbar beruhigend.

»Was für Geräusche?« fragte Harry.

»Lärmen, Gepolter und Schreie. Schreie von Kindern. Und ein sehr tiefes Geräusch, daß sich anhörte, als rede jemand sehr langsam. Sie wissen schon, wie bei einem Tonband, das zu langsam läuft. Außerdem habe ich ein kleines Mädchen in einem langen Nachthemd gesehen, jedenfalls habe ich das *geglaubt*. Aber ich schätze, es war wohl nur eine optische Täuschung.«

Ich zögerte. »Zumindest *hoffe* ich, daß es eine optische Täuschung war.«

Harry holte seine Tabakdose hervor und rollte sich eine Zigarette. »Haben Sie heute morgen Radio gehört.«

»Nein.«

»Ich höre morgens immer Radio. Leistet mir Gesellschaft, wenn Vera noch schläft.«

»Und?«

»Es kam eine Meldung, daß ein neun Jahre altes Mädchen aus Ryde in der vergangenen Nacht verschwunden ist. Das war mit ein Grund, warum ich zu Ihnen gekommen bin.«

»Ich glaube, ich verstehe nicht ganz.«

Harry zündete die Zigarette an und zog die Nase hoch. »Im Radio haben sie gesagt, daß das Mädchen in sein Zimmer eingeschlossen wurde, weil es zu lange draußen geblieben war. Das Fenster war ebenfalls verriegelt, aber irgendwie ist es ausgebüxt. Im Bett, in dem es geschlafen hatte, war eine Vertiefung, mehr nicht. Und es hatte in der Nacht nur sein Schlafhemd an.«

»Ich kann noch immer nicht folgen.«

»Das ist früher auch schon passiert«, erklärte Harry geduldig. »Wenn im Fortyfoot House Licht zu sehen ist und Geräusche zu hören sind, dann verschwindet jedesmal ein Kind.«

»Sie sehen da doch keine Verbindung, oder? Ich meine, es verschwinden immer wieder Kinder.«

»Aber nicht so wie *diese* Kinder verschwinden. Sie sind einfach weg, niemand sieht oder hört je wieder etwas von ihnen. Und eine Leiche wird auch nie gefunden.«

Er sah mich gelassen an. »Glauben Sie mir. Jedesmal, wenn es im Fortyfoot House Licht und Geräusche gibt, höre ich Radio und lese die Zeitung. Und jedesmal verschwinden Kinder. Ein Kind, manchmal auch zwei. Und sie verschwinden für immer ... als hätten sie nie existiert.«

»Haben Sie das der Polizei erzählt?«

»Der Polizei? Ich weiß schon gar nicht mehr, wie oft ich das der Polizei erzählt habe. Aber ich werde nur ausgelacht. Man hält mich nur für einen verrückten alten Rattenfänger. Fünfunddreißig Jahre Krieg-

Die Opferung führung gegen die Ratten haben meine grauen Zellen angegriffen, das sagen sie. Jedesmal rufe ich sie an und sage es ihnen, und jedesmal werde ich ausgelacht. Dumm wie Schifferscheiße, diese modernen Bullen.«

Ich drehte mich um und blickte hinauf zum Dach. »Und wer holt sich diese Kinder? Etwa Brown Johnson?«

»Brown *Jenkin*«, korrigierte er mich. »So heißt es. Brown Jenkin. Ja, es holt sie sich. Diese Geschichte wird seit Jahren in Bonchurch erzählt, um den Kinder Angst einzujagen. Iß deine Möhren auf, sonst kommt Brown Jenkin und holt dich. Sie haben gehört, was meine Doris gesagt hat.«

»Ja. Irgend etwas darüber, irgendwohin gebracht zu werden, wo einen nicht einmal die Zeit finden kann.«

»Genau«, sagte Harry. »In die Zukunft. Oder in die Vergangenheit. Wer weiß das schon? Es heißt, daß es Orte gibt, an denen ist alles so wie hier, nur anders. Als wäre die Queen eine Schwarze und niemand hätte jemals das Fliegen entdeckt.«

»Alternative Wirklichkeiten«, sagte ich. »Darüber habe ich einen langen Artikel im *Telegraph* gelesen.«

»Halte ich alles für Unsinn«, erwiderte Harry. »Aber diese Kinder verschwinden, und niemand findet jemals etwas von ihnen wieder. Keinen Schuh, keinen Fußabdruck, keinen Fingernagel.«

Liz betrat die Veranda. Sie trug khakifarbene Shorts und ein weißes T-Shirt, durch das ihre Brustwarzen schimmerten. »Noch etwas Tee?« fragte sie und schirmte mit der Hand ihre Augen gegen die Sonne ab.

Harry schüttelte den Kopf. Liz kam herüber und setzte sich zu uns auf die Mauer. »Sie sind doch nicht gekommen, um unsere Ratte zu fangen, oder?« fragte sie. Sie hatte ihre Haare gewaschen und roch nach Laura Ashley-Parfum.

»Ich weiß nicht, ob ich sie heute schon fangen werde, aber ich will mal einen Blick riskieren«, erklärte Harry. »Ich habe schon immer das Verlangen gehabt, Brown Jenkin zu fangen. So wie Captain Ahab das Verlangen verspürte, diesen Moby Dick zu fangen.«

»Ich habe Ihrer Frau versprechen müssen, daß ich Sie das nicht machen lasse«, sagte ich ihm.

»Natürlich. Aber Sie wissen, wie Frauen sind. Sie wissen nicht, was Pflichtgefühl heißt.«

»Was für ein Pflichtgefühl?« fragte Liz.

»Er ist ein Rattenfänger«, ließ ich sie wissen. »Wenn er Brown Jenkin fängt, dann ist das der krönende Abschluß seiner Karriere. Man wird sich immer an ihn erinnern. Jedenfalls in Bonchurch.«

»Darum geht's nicht«, widersprach Harry. »Ich will keinen Ruhm.«

»Oh«, sagte ich perplex.

Harry zündete die Zigarette wieder an. »Die Art Pflichtgefühl, die ich meine, ist eine Verpflichtung gegenüber der Familie, gegenüber meinem Bruder.«

Wir warteten, während sich Harry räusperte. »Mein jüngerer Bruder William verschwand, als er acht Jahre alt war. Wir haben im selben Zimmer geschlafen, William und ich. Er ist nur für ein Glas Wasser in die Küche gegangen. Das war eine von diesen Nächten, in denen im Fortyfoot House Lichter und Geräusche waren. Ich habe das Licht gesehen, wie es die Wolken beschien. Und ich konnte die Geräusche hören, wie ein unterirdisches *Grollen*. William war aufgestanden, weil er Durst hatte. Das letzte Mal, daß ich ihn sah, war, als er die Schlafzimmertür öffnete. Ich sehe ihn noch ganz deutlich vor mir, in seinem Schlafanzug, sein rotbraunes Haar, sein dünner Hals. Aber ich kann mich nicht mehr an sein Gesicht erinnern.«

»Und Sie haben ihn nie wiedergesehen?« fragte ich.

»Nie. Aber die Küchentür war von innen verschlossen, ebenso die Haustür. Nur das Oberlicht in der Vorratskammer war offen, doch da hätte sich nicht einmal eine Katze durchzwängen können.«

»Wie lange ist das her?«

Es folgte eine lange Pause, dann schluckte Harry und antwortete: »Bald sind es sechsundfünfzig Jahre.«

»Und Sie glauben, daß er von Brown Jenkin geholt wurde?«

»Ich habe gehört, wie meine Mutter das dem Vikar sagte. Sie war sich dessen sicher. Sie wollte das Fortyfoot House Stein für Stein abtragen, um unseren William wiederzufinden. Aber mein Vater sagte, sie sei verrückt. Brown Jenkin sei nicht mehr als eine Ratte. Oder vielleicht nicht mal mehr als eine *Geschichte* über eine Ratte. Der Herr gibt, der Herr nimmt, Ratten nicht. Aber ich wußte, daß das nicht stimmte.«

»Und woher?« fragte Liz mitfühlend. Es war nicht zu übersehen, daß das Verschwinden seines Bruders Harry Martin noch immer aufregte, auch wenn es über ein halbes Jahrhundert zurücklag.

»Am nächsten Tag entdeckte ich zwei Fußabdrücke im Blumenbeet, direkt auf der anderen Seite der Mauer zur Küche. Abdrücke wie von Rattenpfoten, nur größer, drei- oder viermal größer. Einer von ihnen befand sich mitten in den Stiefmütterchen, der andere war nur ein halber Abdruck, direkt an der Mauer, so als käme er direkt *aus* der Küchenwand. So, als wäre ein Tier durch die Mauer marschiert, ohne sich überhaupt an ihr zu stören.«

»Haben Sie Ihrem Vater die Abdrücke gezeigt?«

»Das wollte ich, aber er war den ganzen Tag über mit der Polizei

Die Opferung

unterwegs, um bei den Klippen nach William zu suchen. In der Nacht regnete es dann und am nächsten Morgen waren die Abdrücke nicht mehr zu sehen. Ich hatte keinen Beweis in der Hand, und darum sagte ich mir, daß ich vergessen mußte, was geschehen war. Ich mußte Brown Jenkin vergessen, wenn ich nicht verrückt werden wollte, so wie es beinahe meiner Mutter ergangen wäre.«

Ich trank meinen Tee aus. »Sind Sie hergekommen, um nach ihm zu suchen?«

»Falls Sie nichts dagegen haben.«

»Natürlich nicht.« Ich wußte nicht, ob ich glauben sollte, daß Brown Jenkin in der Nacht Kinder raubt. Aber ich glaubte, daß da oben im Speicher des Fortyfoot House irgend etwas sehr Unangenehmes und Beunruhigendes war. Je eher wir es loswurden, desto besser.

»Also gut«, sagte Harry und stand auf. »Dann werde ich mich mal vorstellen.«

»Das Licht auf dem Dachboden ist leider kaputt, und ich habe keine Taschenlampe. Ich wollte gestern eine kaufen, hab's dann aber vergessen.«

»Kein Problem. Ich habe eine in meiner Tasche, zusammen mit dem übrigen Handwerkszeug.«

Er ging zurück ins Haus, nahm seine Ledertasche und öffnete die Verschlüsse. »Ich habe alles Notwendige dabei«, sagte er. »Fallen, Draht, vergiftete Köder. Sogar einen verdammt großen Hammer. Die beste Methode, um eine Ratte zu töten..«

Mit Unbehagen sagte ich: »Ihre Frau hat gesagt, ich solle Sie nicht bitten, nach Brown Jenkin zu suchen. Ich glaube, ich sollte Ihnen das auch nicht gestatten.«

Harry zog eine lange verchromte Taschenlampe hervor. »Sie haben mich nicht gebeten, mein Freund. Und was das Gestatten angeht ... Sie sind nicht der Hausherr, Sie sind der Handwerker, mehr nicht. Und was ich tun will, das tue ich auch. Damit sind Sie aus dem Schneider.«

Ich warf Liz einen Blick zu, doch sie reagierte nur mit einem Achselzucken.

»Sie *müssen* das wirklich nicht machen«, sagte ich. »Im Lauf des Tages kommt jemand von Rentokil.«

Harry legte eine Hand fest auf meine Schulter und sah mich lange an. »Rentokil, mein Freund, ist was für Ameisen und Küchenschaben und Trockenfäule. Das hier ist Arbeit für einen Rattenfänger.« Er tippte sich an seine Stirn. »Gegen eine Kreatur wie Brown Jenkin muß man Psychologie einsetzen. Man muß ihr immer einen Schritt voraus sein.«

»Wenn Sie das sagen.«

In diesem Moment kam Danny mit seiner leeren Schüssel herein. »Was machen Sie mit der Ratte, wenn Sie sie gefangen haben?« fragte er Harry. »Stecken Sie sie in einen Käfig und halten Sie sie dann als Haustier?«

»Diese Ratte nicht«, sagte Harry.

»Ich wollte mit meiner Wasserpistole auf sie schießen, aber Daddy hat vergessen, eine Taschenlampe zu kaufen.«

Harry bedachte mich mit einem Lächeln. Danny begab sich nach draußen, um zu spielen, während ich Harry voraus nach oben ging. Als seine ledernen alten Hände nach dem Geländer griffen, sah ich, daß an der rechten Hand die Spitzen von Zeige- und Mittelfinger fehlten. Dafür hatte eine Ratte sicherlich einen Schlag mit dem Hammer bekommen.

»Warum sind Sie hergekommen?«

»Ihr Junge«, knurrte er.

»Danny?«

»Genau. Nachdem Sie gestern bei mir gewesen sind, bin ich nach Bonchurch spaziert, um mir das Haus noch einmal anzusehen. Um meine Erinnerung aufzufrischen. Seit zwei oder drei Jahren war ich nicht mehr hier. Vielleicht sogar noch länger. Ich bin am Gartentor stehengeblieben und habe Ihren Sohn am Teich spielen sehen. Er hatte mir den Rücken zugewandt, und für eine Sekunde ...« Er machte eine Pause und schluckte heftig, während sein Adamsapfel auf- und ab tanzte. »Für eine Sekunde glaubte ich, er sei mein Bruder William.«

Er mußte weiter nichts erklären. Ich öffnete die Tür zum Dachboden, er schaltete seine Taschenlampe ein. »Nach Ihnen«, sagte ich. »Aber passen Sie bloß auf.«

Harry bemerkte den Luftzug, der uns aus der Dunkelheit entgegenschlug. »Ich kann keine Ratte *riechen*«, sagte er.

»Wie riechen denn Ratten üblicherweise?«

»Oh, das lernt man mit der Zeit. Sie riechen nach Pisse und Sägemehl und irgend etwas anderem, irgend etwas für Ratten typischem, wie eine Mischung aus Tod und Babys.«

»Benutzen Sie nicht Ihren Hammer?« fragte ich.

»Nicht jetzt. Jetzt will ich mich nur umsehen. Ich möchte abschätzen, worauf ich mich einstellen muß.«

»Eine verdammt große Ratte, so groß wie ein Cockerspaniel, glauben Sie mir«, warnte ich ihn.

Schwerfällig stieg er die Stufen hinauf und erkundete mit dem Strahl seiner Taschenlampe die Dunkelheit. Ich folgte dicht hinter ihm, auch wenn ich alles darum gegeben hätte, wieder nach unten und raus in den Sonnenschein gehen zu können. Was, wenn das Mädchen noch hier oben war? Wenn es real gewesen war, wenn man es entführt, mißbraucht und ermordet hatte? Wie sollte ich *das* irgend jemandem erklären?

Was, wenn die Geschichten stimmten? Wenn Brown Jenkin eine Bestie *war* und Kinder verschleppen konnte? Mein einziger Schutz war ein schnaufender 67jähriger Rattenfänger mit einer Taschenlampe.

Feigling, schimpfte ich mich tonlos aus. Aber dann dachte ich, daß es stimmte. Ich schämte mich nicht dafür, Angst zu haben.

Harry hatte die oberste Stufe erreicht und lehnte sich gegen das Geländer, um sich umzusehen, während der Strahl seiner Taschenlampe jeden Winkel erhellte. Ich entdeckte ein ungesund aussehendes Schaukelpferd, dessen gelbes Glasauge leuchtete, die Mähne war im Lauf der Zeit vom beständigen Zerren durch Kinderhände ausgedünnt worden. Ich sah kleine Tische, auf denen sich alte Bücher stapelten. Von weit weg hörte ich Danny im Garten lachen, während Liz hinter ihm herjagte.

»Letzte Nacht war hier oben die Hölle los«, sagte ich zu Harry. »Lichtblitze, Geräusche ... und das kleine Mädchen. Oder was ich für ein kleines Mädchen *gehalten* habe.«

Harry griff hinter sich und umfaßte meine Hand. »Sie müssen sich nicht entschuldigen, mein Freund. Sie wissen, was real ist und was nicht. So wie *ich* weiß, was meinen Bruder verschleppt hat. Einige Dinge weiß man einfach, ganz egal, was andere sagen. Vielleicht kann ich keine Ratten riechen, aber ich kann Brown Jenkin riechen.«

»Was wollen Sie unternehmen?« fragte ich ihn.

»Ich werde mich gründlich umsehen«, antwortete er. »Selbst die klügste Ratte hinterläßt Spuren.«

»Passen Sie bloß auf sich auf, ja?«

Ich wartete auf der Treppe, während Harry über den Dachboden schlurfte, Laken anhob und Möbelstücke zur Seite schob. »Kein Rattendreck«, sagte er nach einer Weile. »Normalerweise findet man ihre Hinterlassenschaften.«

»Vielleicht ist es ja gar keine Ratte«, gab ich zu bedenken.

»Alle Schädlinge hinterlassen ihren Dreck«, erwiderte Harry. »So wie die Menschen immer Müll hinterlassen.«

Mit einem Mal dachte ich an die Verpackung des Schokoriegels, die ich gestern während der Fahrt aus dem Fenster geworfen hatte, und fühlte mich schuldig.

Harry stöberte weiter umher. Sehen konnte ich ihn nicht, er befand sich in der entferntesten Ecke des Dachbodens, über meinem Schlafzimmer. Hin und wieder sah ich den Lichtkegel seiner Taschenlampe, mehr aber auch nicht.

»Augenblick mal«, sagte Harry. »Hier ist ein Dachfenster, aber ich sehe keinen Himmel.«

Ich ging bis zur obersten Stufe, um ihn sehen zu können. Er stand an der Stelle, unter der mein Schlafzimmer lag, und hatte seine Lampe auf ein kleines, zweigeteiltes Dachfenster in der abfallenden Decke gerichtet.

»Keine Ahnung, was das ist«, sagte ich. »Wenn man das Haus von außen betrachtet, dann sieht es so aus, als wäre ein Teil des Dachbodens abgetrennt worden.«

Harry dachte über meine Worte nach. »Das heißt, dahinter befindet sich etwas?«

»Offensichtlich ja. Zwischen dem alten und dem neuen Dach.«

»Groß genug, daß sich etwas darin verstecken könnte?«

»Ja, aber keine Ratte. Wie sollte ein Ratte ein Dachfenster öffnen und schließen?«

Harry richtete die Taschenlampe auf sein Gesicht. Es sah gespenstisch aus, wie eine Totenmaske, die mitten in der Dunkelheit schwebte. »Das ist die Frage. Und ich habe noch eine Frage: Wie konnte sich eine Ratte mit meinem Bruder aus dem Staub machen?«

Ich schüttelte den Kopf. Ich wollte, daß er Brown Jenkin so schnell wie möglich fand. Obwohl ein ständiger Luftzug herrschte, hatte der Speicher etwas unglaublich Erdrückendes an sich. Es war eher so, als würde man sich drei Etagen unter der Erde befinden, nicht über ihr.

Harry stocherte umher und bewegte weitere Möbelstücke. »Sieht so aus, als müßten wir noch mal von vorne anfangen«, sagte er zu mir. »Keine Ratte zu sehen, auch kein Eichhörnchen. Nichts.«

»Ich weiß, daß ich etwas gesehen habe«, beteuerte ich. »Es war struppig und dunkel und ist an mir vorübergehuscht.«

Es folgte eine lange Pause, dann sagte Harry: »Ich glaube Ihnen. Ich kenne einige Leute, die Ihnen nicht glauben würden.«

Über eine Minute lang stand er einfach da und starrte in die Dunkelheit, dann richtete er seine Taschenlampe wieder auf das Dachfenster. »Ich schätze, ich muß da mal einen Blick hineinwerfen. Vielleicht bringt uns das weiter.«

»Ich bezweifle, daß es aufgeht«, sagte ich. Trotzdem zog er eine der Holzkisten zu sich, auf die er klettern konnte, um den altmodischen Riegel am Dachfenster zu erreichen. Zwei- oder dreimal mußte er mit dem Handballen gegen das Dachfenster schlagen, dann sprang es tatsächlich auf. Er öffnete es, soweit es ging, und befestigte es dann an einer rostigen Stange.

»Hier riecht es anders«, meinte er, während er seinen Kopf durch das

Dachfenster steckte und mit der Taschenlampe den Raum dahinter beleuchtete. Auch wenn Harry mir die meiste Sicht nahm, konnte ich genug erkennen, um den Eindruck zu gewinnen, daß jemand ohne große Erfahrung im Mauern in aller Eile das Dach zugemauert hatte.

»Die alten Dachziegel sind noch hier«, rief Harry mir zu. »Mir fällt ums Verrecken keine Erklärung ein, warum jemand dieses Stück abgetrennt hat. Scheint einfach keinen Sinn zu ergeben.«

»Ein Schlafzimmerfenster ist ebenfalls zugemauert worden.«

»Ach, verdammt«, sagte Harry. »Ich schätze, wir müssen noch mal ganz von vorne anfangen.«

Er wollte gerade von der Kiste heruntersteigen, als er plötzlich seine Taschenlampe fallenließ. Sie schlug auf dem Boden auf, ging aber nicht aus. Statt dessen traf ihr Strahl auf die verstaubte Oberfläche eines Spiegels, der das Licht reflektierte und eine Ecke des Dachbodens unheimlich erhellte.

Ich wollte gerade zu ihm gehen und die Taschenlampe aufheben, als er ein ungewöhnliches Geräusch machte, als zerreiße man ein Stück Stoff. Ich sah nach oben und entdeckte zu meinem Entsetzen, daß sich seine Haare verfangen hatten und er erfolglos versuchte, sich zu befreien. Er drehte sich und trat mit einem Bein um sich, woraufhin die Kiste, auf der er stand, ins Wanken geriet und geräuschvoll umkippte.

»*Harry!*« schrie ich und versuchte, seine Beine zu fassen und ihn zu stützen.

Mit aufgerissenem Mund starrte er mich an, aber es schien, als könne er nichts sagen.

»Harry? Was ist los?« fragte ich ihn. Ich bekam sein linkes Bein zu fassen, während er wie verrückt mit dem rechten zappelte. »Versuchen Sie, sich nicht zu bewegen!«

Harrys Kopf wurde hin- und hergerissen, seine Stirn schlug mit großer Wucht gegen den Rahmen. Ich sah Platzwunden und Blut. Dann hörte ich wieder das Geräusch von reißendem Stoff, und im gleichen Moment spannte sich Harrys Gesicht an, seine Augen wurden zu schmalen Schlitzen, seine Nasenlöcher weiteten sich, seine Oberlippe klappte auf groteske Weise nach oben.

»Harry!« schrie ich außer mir.

Seine Gesichtshaut wurde immer weiter nach oben gezogen, bis er mich schließlich mit einem verzerrten Ausdruck und einem monströsen, hämischen Grinsen anstarrte.

Wieder war das durchdringende Krachen und Reißen zu hören, und plötzlich verstand ich, woher es kam. *Harrys Haut wurde nach und nach von seinem Schädel gerissen. Das Krachen stammte vom Fettgewebe und von Knorpel, die von den Knochen gezerrt wurden. Und das Reißen stammte von den Haarwurzeln.*

Ich bekam sein anderes Bein zu fassen und konnte ihn stabilisieren. Langsam zog ich ihn nach unten, um ihn von dem zu befreien, was ihn im Griff hatte. Er schrie aber so gellend, daß ich nicht anders konnte, als ihn loszulassen. Die Haut wurde ihm vom Kopf gerissen, so wie von einem rohen Hühnchen, und ich konnte nichts dagegen machen.

»*Liz!*« schrie ich. »*Liz!*« Aber sie war draußen im Garten und konnte mich unmöglich hören. In Panik stellte ich die Kiste wieder auf, auf der Harry gestanden hatte, und nahm sein ganzes Gewicht in meine Arme. Er zappelte so heftig, daß ich nicht sehen konnte, was hinter dem Dachfenster vor sich ging. Ich konnte nicht erkennen, was ihn festhielt und wie seine Haut von seinem Schädel gerissen wurde. Dann aber machte er eine heftige Bewegung nach vorne. Klebriges und heißes Blut regnete auf mich herab, doch in dem roten Dickicht seiner Haare sah ich drei geschwungene schwarze Krallen, die wie Klingen glänzten. Sie hatten sich durch seine Kopfhaut gebohrt und dann seinen Skalp immer und immer wieder gedreht, so daß seine Haut von seinem Gesicht gezogen wurde.

»Harry, halten Sie durch«, flehte ich ihn an.

Er starrte mich mit blutunterlaufenen Augen an. Seine Haut war am Kinn aufgerissen, und plötzlich rutschte seine Zunge hinter der losgelösten Haut nach unten und glitt durch die blutige Öffnung unter seine Unterlippe. Es sah so aus, als hätte er auf einmal zwei Münder. Dann schob sich sein ganzes Gesicht mit einem zähen Geräusch nach oben, so wie ein blutiger Handschuh, der abgestreift wird. Ich blickte auf einen haut- und fleischlosen Schädel, Augen ohne Lider, Zähne, die aus dem blutigrohen Kiefer herausragten, um ein letztes Lächeln zu zeigen. Der lebende Tod mit dem gespenstischen Lächeln unerträglicher Qualen, einem wissenden Lächeln, daß der Kampf bald vorüber sein würde.

Ich schwankte, verlor auf der Kiste meinen Halt und mußte nach unten springen. Harry hing noch immer an dem Dachfenster, er ruderte mit Armen und Beinen, doch auf eine nachlässige, ergebene Weise. Wie ein Schwimmer, der zu müde ist, um sich über Wasser zu halten. Ich hatte das Gefühl, daß er einfach nur versuchte, das Blut aus seinem verwüsteten Kopf zu pumpen, um endlich zu verbluten, ohne zuviel Schmerzen zu erleiden.

»Liz«, flüsterte ich.

Dann wirbelte Harry herum und sackte zu Boden. Zitternd lag er in seinem Rattenfängeranzug auf der Seite, während ich einen Blick nach oben zum Dachfenster warf. Das Glas war blutüberströmt, und überall an der Decke waren dunkle Blutspritzer zu sehen.

»Harry«, sagte ich und berührte seine blutgetränkte Schulter. »Harry, ich rufe einen Krankenwagen. Bleiben Sie ganz ruhig liegen, Harry. Bewegen Sie sich nicht.«

Er starrte mich mit seinen blutigen Augen an. »Ich ... ich ...« Er atmete schwer, während sich seine fleischlosen Lippen schwach bewegten.

»Schon gut, Harry«, versicherte ich ihm. »Alles ist in Ordnung. Aber bleiben Sie bitte ruhig liegen. Ich bin in ein paar Minuten zurück.«

»Ich ...«, wiederholte er. Seine Augen waren wie erstarrt, weil er keine Lider mehr hatte, die er über sie hätte gleiten lassen können.

Ich eilte die Speicherstufen nach unten und stürmte in die Küche. Liz stand in der offenen Tür. »David? Was ist los?« fragte sie.

»Harry ... der Rattenfänger. Er hatte einen Unfall.« Ich riß den Hörer hoch und tippte den Notruf ein.

»*Was kann ich für Sie tun?*« ertönte die Stimme am anderen Ende der Leitung.

»Einen Krankenwagen, schnell! Fortyfoot House in Bonchurch.«

Liz bewegte sich auf die Treppe zu. »Was ist passiert?« fragte sie. »Soll ich ...«

»*Nein!*« schrie ich sie an. Sie blieb stehen, ihre Augen weiteten sich, und dann verstand sie, was geschehen war.

»Sir, geben Sie mir bitte Ihre Nummer?« forderte die Stimme mich auf. »Sir?«

7. Sweet Emmeline

Detective Sergeant Miller kam hinaus in den Garten und wischte sich den Staub von seinem zerknitterten grauen Anzug. Er erinnerte eher an einen Museumsdirektor als an einen Polizeibeamten – rosafarbene Haut, schütteres strohblondes Haar, wasserblaue Augen hinter kreisrunden Brillengläsern. Er trug eine Krawatte des Isle of Wight Yacht Club und hatte sich eine rosafarbene Rose ans Revers gesteckt.

Ich weiß nie so recht, was ich von Männern halten soll, die Blumen am Revers tragen – nicht etwa, weil ich sie für schwul halte, sondern weil ich bei ihnen immer den Eindruck habe, daß sie sich die adretten Jungs der fünfziger Jahre zum Vorbild nehmen: schicke Blazer und Seidenkrawatten mit Hufeisenmuster. Die adretten Jungs der fünfziger Jahre (wie mein Vater und mein Onkel Derek) hatten üblicherweise eine von Armut geprägte, unglückliche Kindheit hinter sich und glaubten, daß

Blazer und Seidenkrawatten (und Rosen am Revers) sie automatisch zu Männern von Stil machten.

»Sie müssen sich keine Vorwürfe machen, Mr. ... ähm ...?« sagte er mir, während er sich im Garten umsah. »Es war ein Unfall, weiter nichts.«

»Ich sage Ihnen doch, ich habe Klauen gesehen.«

Mit der Fingerspitze drückte er seine Nase, um ein Niesen zu unterdrücken, aber dann mußte er doch niesen. »Tut mir leid, Heuschnupfen«, sagte er, während er ein Taschentuch hervorholte.

»Ich weiß nicht, wie das ein Unfall gewesen sein soll«, sagte ich.

Nachdem er seine Nase geschneuzt hatte, sah er mich so kurz an, als wolle er mir eigentlich nicht in die Augen blicken. »Auf diesem Dachboden gibt es eine ganze Menge häßlicher Haken. Er ist an einem von ihnen hängengeblieben, es war ein Unglück, nichts weiter. Er hat seinen Halt verloren, ist umhergewirbelt und hat sich dabei die Haut vom Kopf gerissen. Das ist alles. So was sehe ich nicht zum ersten Mal. Letztes Jahr ist ein Kerl mit seiner Hand in eine Drehbank geraten, drüben am Blackgang-Sägewerk. Das Ding hat ihm die Haut – *ratsch* – bis zum Ellbogen abgerissen.«

Ich legte meine Hand vor den Mund. Ich wußte nicht, was ich sagen sollte.

Ich war *sicher*, daß ich gesehen hatte, wie sich geschwungene schwarze Klauen in Harrys Kopf gebohrt hatten. Ich war sicher, daß irgend etwas da oben auf dem Speicher war, das ihm die Haut vom Kopf gerissen hatte. Wie sollte das ein *Unfall* gewesen sein? Wie sollte er sich so verfangen, daß ihm das ganze Gesicht einfach weggerissen wurde?

Ich wußte, daß Brown Jenkin das gemacht hatte, auch wenn ich keine Ahnung hatte, wie er das hatte bewerkstelligen können. Ich hatte versucht, Detective Sergeant Miller zu erklären, daß sich auf dem Speicher möglicherweise eine Art ›Hyper-Ratte‹ befand. Doch Miller hatte mich mit seinen blaßblauen Augen angesehen, durch seine kleinen Brillengläser, und er hatte so entschlossen gewirkt, nicht an Brown Jenkin, sondern an einen Unfall zu glauben, daß ich beschlossen hatte, besser den Mund zu halten und lieber dafür zu sorgen, daß Danny und Liz vor den bedrohlichen Dingen geschützt wurden, die sich im Fortyfoot House befinden mochten. Und ich hatte beschlossen, dankbar dafür zu sein, daß die Polizei nicht auf die Idee gekommen war, *mich* wegen eines tätlichen Angriffs auf Harry Martin festzunehmen.

Die Polizei macht so etwas, wenn man am wenigsten damit rechnet. Manchmal muß man tatsächlich überlegen, ob man sie überhaupt informieren soll.

Die Opferung

»Sie bleiben doch in der Gegend, oder?« fragte mich Detective Sergeant Miller.

»Ja, ja, noch zwei bis drei Monate. Ich soll das komplette Haus renovieren, neue Leitungen verlegen, verputzen, tapezieren. Von allem etwas.«

»Dann kommen die Tarrants also zurück?«

Ich schüttelte den Kopf. »Sie wollen es verkaufen. Sie haben sich nach Mallorca zurückgezogen.«

»Manche Leute haben halt Glück«, meinte Miller. »Sie waren offensichtlich noch nie in Mallorca.«

Er sah mich lange Zeit an, ohne zu blinzeln. Ich war mir nicht sicher, ob er mir Angst einjagen oder ob er mir auf telepathischem Wege zu verstehen geben wollte, daß *er* schon mal auf Mallorca gewesen war. Immerhin mußte ein Mann mit einer Rose am Revers überall gewesen sein. Oder besser gesagt: Er *sollte* überall gewesen sein.

»Das wäre es dann für den Augenblick«, sagte er. »Ich gehe davon aus, daß wir uns noch mal bei Ihnen melden. Aber es sieht alles nach Routine aus.«

»Haben Sie den Dachboden abgesucht?« fragte ich ihn.

Er starrte mich noch immer durchdringend an, während er antwortete: »Ja, wir haben alles abgesucht.«

»Keine Ratten? Auch keine Anzeichen für Ratten?«

»Nein, Mister ... ? Keine Anzeichen für Ratten. Nur Haken. Drei verdammt große eiserne Haken. Vermutlich hat man die früher benutzt, um Dinge auf den Dachboden zu hieven. Bevor dieser Teil abgetrennt wurde.«

»Ich werde sie fortschaffen«, versprach ich ihm.

»Haben wir schon erledigt«, sagte er. »Jones ... sorgen Sie dafür, daß die Dinger vom Dachboden geholt werden?«

»Sofort«, sagte der Detective Constable und eilte zurück ins Haus.

Detective Sergeant Miller sagte nichts, bis Jones verschwunden war. Er sah hinüber zu der verfallenen Kapelle, zu den Grabsteinen, zur See, zur Zeder. Schließlich sagte er: »Wissen Sie, ich habe schon einige Geschichten über dieses Haus gehört. Ich bin aber noch nie zuvor drinnen gewesen.«

»Was für Geschichten?«

Er zuckte mit den Schultern und grinste fast ein wenig albern. »Oh, nichts ... mein Cousin sagte immer, es sei verflucht.«

»O ja, das habe ich auch gehört.«

Er nahm seine Brille ab und steckte sie in seine Brusttasche. »Ich wollte Ihnen nur sagen, Mister, daß wir nicht *ganz* dumm sind.«

»Wie bitte?«

»Wir sind nicht ganz dumm«, wiederholte er. »Wir kennen alle Geschichten über das Fortyfoot House, vor allem über die Geräusche, die Lichtblitze und die verschwundenen Kinder. Aber man kann ein Geräusch ebensowenig verhaften wie einen Lichtblitz. Und wenn ein Kind verschwindet und es nicht einmal einen einzigen *Fußabdruck* gibt ... was soll man dann machen? Für die Ermittlungen in einem Mordfall werden uns 20.000 Pfund genehmigt. Wenn das Geld aufgebraucht ist, werden die Untersuchungen abgebrochen. Und wenn wir Geister suchen wollen, bekommen wir keinen Penny.«

Ich war sprachlos. Eben erst hatte er beteuert, daß Harry einen Unfall erlitten habe, und jetzt spekulierte er darüber, daß Harry etwas Übernatürlichem zum Opfer gefallen sein könnte. So hatte ich einen Polizisten noch nie reden gehört.

»Sie haben die vermißten Kinder mit dem Fortyfoot House in Verbindung gebracht?« fragte ich. »*Tatsächlich?*«

»Ja, tatsächlich. Harry Martin hat genug Beschwerden eingereicht. Zwei unserer Leute haben auf ihren dienstfreien Abend verzichtet, um das Haus zu beobachten.«

»Und?«

»Nichts war. Die Polizei hat das Fortyfoot House in den letzten drei Jahren zweimal von oben bis unten durchsucht. Wenn Sie sich die Unterlagen seit dem Krieg ansehen, dann kommen noch sechs oder sieben weitere Durchsuchungen hinzu. Wir sind auch auf dem Dachboden gewesen, ohne Ergebnis. Jedenfalls ohne greifbares Ergebnis. Es gibt da oben nichts, dem man einen Zettel mit der Aufschrift ›Beweisstück A‹ aufkleben kann. Aber das heißt nicht, daß wir es aufgegeben haben. Das heißt nicht, daß wir dumm sind. Das heißt nur, daß wir *Beweise* haben müssen, bevor wir etwas unternehmen können.«

Ich schüttelte langsam den Kopf. »Wollen Sie mir wirklich sagen, daß Sie an das Übersinnliche glauben?«

Er blinzelte mich auf eine fast herausfordernde Weise an: »Warum nicht?«

»Sie sind Polizist.«

»Viele Polizisten sind Freimaurer, Mister. Sie glauben an den großen Schöpfer. Viele Polizisten sind Fundamentalisten. Sie glauben an Feuer und Schwefel und an die Wiederkunft Christi. Ich bin kein Freimaurer und kein Fundamentalist, aber ich *glaube* daran, daß man für alles offen sein muß.«

Ich sagte nichts, sondern stand nur da im warmen Wind und wartete, daß er weitersprach.

»Würde ich das Übersinnliche völlig ausschließen«, sagte Miller in einem überzeugten Tonfall, »dann würde ich nicht meinen Pflichten genügen. Natürlich nicht in Bezug darauf, was die *Handbücher* besagen, wenn Sie wissen, was ich meine. Aber ein guter Officer macht mehr, als nur den Handbüchern zu folgen. Ein guter Detective kombiniert Fakten, Logik und Schlußfolgerungen mit Phantasie und Inspiration.«

»Ich muß sagen, ich bin beeindruckt.«

Detective Sergeant Miller schneuzte wieder seine Nase. »Seien Sie das besser nicht. Der größte Teil der Polizei besteht nach wie vor aus Schurken und Idioten und Nestbeschmutzern. Aber hin und wieder findet man auch mal einen Profi. Es gibt immer mal ein oder zwei, bei denen befindet sich oberhalb der Schultern tatsächlich ein Gehirn. Allerdings trifft das nicht auf die Übergeordneten zu.«

»Das heißt, Sie können nicht zu Ihren Vorgesetzten gehen und den Gedanken ins Spiel bringen, daß Harry Martin von etwas angegriffen wurde, das nicht von dieser Welt ist.«

Er lachte verbittert. »Mein Chief Inspector glaubt nicht mal seinem Spiegelbild.«

»Aber was würden Sie ihm sagen, wenn Sie so könnten, wie Sie wollten?« Mich interessierte, was Miller *wirklich* über den grauenhaften Zwischenfall auf dem Dachboden dachte. Hatte sich Harry wirklich in einem Haken verfangen und sich durch sein eigenes Körpergewicht die Haut vom Kopf geschält? Oder gab es etwas Bösartiges auf dem Dachboden? Etwas, das entsetzlich heftig reagierte, wenn es gestört wurde?

»Ich würde ihm einfach sagen, daß Mr. Martin keinen Unfall im üblichen Sinne erlitten hatte und daß es auch kein Angriff im üblichen Sinne war. Mehr nicht.«

»Sie würden keine Theorien entwickeln?«

»Nicht in diesem Stadium.« Er hielt sich zurück. »Es wäre nicht hilfreich.«

»Und was ist mit Ihrem Kollegen? Detective Constable Jones? Werden Sie *ihm* erzählen, was Sie glauben?«

Miller schüttelte den Kopf. »Jones versteht nur das, was er essen, trinken oder schlagen kann.«

»Das heißt also, Sie wissen, was *nicht* geschehen ist, aber Sie haben auch keine Ahnung, *was* passiert ist?«

Er sah mich mit seinen blassen, ausdruckslosen Augen an. »Ein guter Ratschlag, Mister. Ich bin hier in der Gegend aufgewachsen. In Whitwell, um genau zu sein. An Ihrer Stelle wäre ich vorsichtig, was das Haus angeht. Als mein Cousin sagte, es sei verflucht ... na ja, das waren nicht nur Geschichten.«

»Glauben Sie, daß es Brown Jenkin wirklich gibt?«

»Ich weiß nicht, was es mit Brown Jenkin auf sich hat. Aber über die Jahre hinweg hat es so viele unerklärliche Zwischenfälle rund um Fortyfoot House gegeben, daß *irgend etwas* nicht stimmen kann. Kein Rauch ohne Feuer, wenn Sie wissen, was ich meine.«

»Nun ... Danke für die Warnung.«

In dem Moment kam Detective Constable Jones über den Rasen spaziert. Miller sagte: »Es war ein Unfall, mehr nicht. Ein verdammt häßlicher Unfall, das kann man wohl so sagen. Und ein sehr ungewöhnlicher dazu. Aber es war ein Unfall, weiter nichts.«

Er holte eine Visitenkarte aus der Jacke und reichte sie mir. »Sie können mich anrufen, wenn Sie wollen. Diese Woche bin ich tagsüber zu erreichen, nächste Woche habe ich Nachtdienst.«

Detective Constable Jones schnaufte. »Ich habe gerade eine Nachricht vom Krankenhaus erhalten, Sarge. Mr. Martin war bereits tot, als er eingeliefert wurde.«

Miller setzte seine Brille wieder auf. »Ich verstehe. Sehr bedauerlich. Wieder ein Original weniger.«

»Soll ich mit Mrs. Martin sprechen?« fragte ich. Ich fühlte mich entsetzlich schuldig, weil ich Harry auf den Dachboden gelassen hatte.

»Nein, das erledigen wir schon«, sagte Miller. »Wir schicken jemanden hin, der in solchen Dingen gut ist. Tee und Mitgefühl.«

»Gut, ich ...«

»Es wird eine Untersuchung geben«, unterbrach mich Miller. »Wahrscheinlich werden Sie eine Zeugenaussage machen müssen. Ich werde Sie das frühzeitig wissen lassen.«

»Ja«, sagte ich nur und sah zu, wie sie fortgingen. Liz kam aus dem Haus, nachdem die beiden gegangen hat. Sie brachte zwei Dosen Bier aus dem Kühlschrank mit, hatte einen weißen Schal um den Kopf gebunden und trug ein tiefausgeschnittenes schwarzes T-Shirt, dazu eine schwarze Radlerhose. Seite an Seite saßen wir auf der niedrigen Gartenmauer und öffnete unsere Bierdosen, dann tranken wir.

»Harry ist tot«, sagte ich nach einer Weile.

»Ja, der Detective hat es mir gesagt. Ich kann es nicht glauben.«

»Detective Sergeant Miller glaubt, es war ein Unfall.«

Liz legte die Stirn in Falten. »Wirklich? Er hat immer wieder *gesagt*, daß es ein Unfall war.«

»Ich glaube, er möchte die ganze Angelegenheit so unbedeutend wie möglich erscheinen lassen, darum sagt er es. Wenn er versucht, irgendeinem von seinen Kollegen zu erzählen, daß sich irgend etwas Sonderbares auf dem Speicher befindet, wird man ihn für verrückt halten.«

»Und was wird er *machen*? Und was werden *wir* machen? Wir können doch nicht mit irgendeinem Monster unter einem Dach leben, oder etwa doch?«

Ich blickte hinauf zum Dach des Fortyfoot House. Obwohl die Sonne an einem strahlendblauen Himmel hing, wirkte es so, als verdunkle eine vorüberziehende Wolke das Dach. Das Gebäude sah gehässig aus, so, als beherberge es alles Böse, das es an sich reißen konnte. Ich war sicher, daß ich, falls ich zu einem der oberen Fenster hinaufschauen würde, dort ein bleiches, ovales Gesicht erblicken werde. Doch ich war genauso sicher, daß es nach nichts weiter als einer Spiegelung oder nach einem Muster auf der Tapete im Zimmer dahinter aussehen würde, sobald ich mich dem Haus näherte.

Was mich am stärksten irritierte, waren die *Winkel* des Dachs. Das Dach schien ein finsteres Zelt zu bilden, für das eigene geometrische Gesetzmäßigkeiten Gültigkeit hatten. Das westliche Ende, das am weitesten von uns entfernt war, wirkte viel höher als das östliche Ende, das uns am nächsten war. Schien die Sonne auf die nach Süden gelegene Seite, veränderten sich die Proportionen völlig. Die südöstliche Regenrinne erweckte den Anschein, als sei sie nach innen gerichtet, nicht nach außen. Insgesamt wirkte es so, als bestehe das gesamte Dach aus einem System von Gelenken und Scharnieren, damit es nach Belieben seine Form verändern konnte.

Der Anblick ließ mich schwanken – ein Gefühl wie nach zu vielen Runden auf einem Karussell.

»Geht es dir gut?« fragte Liz. »Du siehst ganz blaß aus.«

»Mir geht's *gut*. Ich glaube, das ist der Schock.«

»Vielleicht solltest du dich ein wenig hinlegen.«

»Mir geht's gut, verdammt noch mal. Hör auf, so ein Theater zu machen.«

»Du trägst keine Schuld, er war fest entschlossen, da rauf zu gehen.«

»Ich weiß, aber das ändert nichts.«

Sie legte ihre Hand auf meinen Arm. »Ich mag dich, weißt du?« sagte sie mit einer fast unmöglichen Direktheit. »Mach dir darüber keine Gedanken. Und wenn du möchtest, daß ich mit dir schlafe, dann werde ich das machen.«

Ich beugte mich zu ihr hinüber und gab ihr einen Kuß auf die Stirn. »Ich glaube, das ist das Problem.«

»Ah, ich verstehe. Du möchtest eine Frau gerne erobern, richtig?«

»Das meinte ich nicht«, erwiderte ich, obwohl es eigentlich genau das war, was ich gemeint hatte. Ich mochte sie, ich war verrückt nach ihr. Aber im Augenblick genügte das nicht. Ich mußte mehr mir selbst beweisen, daß ich in der Lage war, mein Leben in den Griff zu bekommen.

Danny rannte mit ausgestreckten Armen über den Rasen auf den kleinen Bach zu und verursachte einen Lärm wie eine Spitfire.

»Paß auf«, rief ich ihm zu. »Fall nicht rein.«

Vielleicht hatte er mich gehört, vielleicht auch nicht. Er sprang in einen Satz über den Bach, die Arme immer noch ausgestreckt, und schaffte es, das Gleichgewicht zu verlieren, um mit einem Fuß direkt ins Wasser zu treten. Er rannte ungerührt weiter, obwohl ich sogar hören konnte, daß seine Sandalen völlig durchnäßt waren.

»Er ist schon ein Kerl, nicht wahr?« lächelte Liz.

»Ich hoffe nur, daß ihm seine Mutter nicht zu sehr fehlt.«

Wir sahen zu, wie Danny über die Mauer auf den Friedhof kletterte und zwischen den Gräbern umherlief, während er das Geräusch eines Flugzeuges machte.

»Ich habe morgen meinen ersten Arbeitstag«, sagte Liz. »Ich schätze, du mußt morgen auch mit deinem Renovieren weitermachen.«

Ich sah wieder hinüber zum Fortyfoot House. Der Gedanke, das Haus zu renovieren und zu streichen, während sich dieses *Ding* noch immer auf dem Dachboden aufhielt, erfüllte mich mit großer Unruhe. Zum ersten Mal war ich versucht, einfach alles zusammenzupacken, zu den Maklern zu gehen und ihnen zu sagen, daß sie es vergessen sollten. Das einzige Problem bestand darin, daß sie mir das Gehalt für den ersten Monat im voraus gezahlt hatten. Ich hatte es ausgegeben und ich wußte nicht, wie ich es zurückzahlen sollte, außer durch die Arbeit, die ich zu erledigen hatte. Ich hatte auch einen Teil des Geldes ausgegeben, das sie mir für Farben und Materialien überlassen hatten. Und wenn sie *das* erfuhren, würden sie sicher sehr ungehalten sein.

Auswandern schien die einzige Alternative, die mir noch blieb.

Liz zog an meinem Ärmel. »Sieh mal. Wer ist das?«

Ich sah hinüber zur Kapelle auf dem Friedhof. Ich konnte Danny entdecken, wie er zwischen den Grabsteinen umherlief. Aber da war noch ein Kind auf dem Friedhof ... ein Mädchen, vielleicht neun oder zehn Jahre alt, in einem langen weißen Kleid, das im strahlenden Sonnenschein leuchtete, als sei es von einem leichten Nebel umgehen. Das Mädchen stand vor der Tür zur Kapelle, als sei es gerade dort herausgekommen, obwohl sie fest verschlossen war. In den Händen hielt es etwas, das nach einer Girlande aus Gänseblümchen aussah.

»Wohl ein Kind aus der Gegend«, sagte ich.

Etwas am Erscheinungsbild dieses Mädchens störte mich. Es war nicht nur das weiße Kleid – die Kinder in der Gegend trugen fluoreszierende Bermudashorts und Ninja Turtle-T-Shirts –, das Kind wirkte auch kränklich. Die Augen sahen aus wie tiefschwarze Flecken und das Gesicht war so fahl, daß es fast schon *grünlich* wirkte.

Danny ›flog‹ noch immer mit ausgebreiteten Armen über den Friedhof, begann sich dann aber dem Mädchen zu nähern, senkte die Arme und blieb stehen. Ich konnte sehen, daß sie sich unterhielten.

»Sehr *gesund* sieht sie nicht gerade aus, wie?« bemerkte Liz.

Ich stellte meine Bierdose auf die Mauer und stand auf. Danny und das kleine Mädchen waren zu weit entfernt, als daß ich ihre Gesichter deutlich hätte sehen oder hätte hören können, was sie sprachen. Aber mit einem Mal ergriff eine unerklärliche Panik von mir Besitz. »Danny!« rief ich, während ich über den Rasen zur Kapelle ging.

Danny drehte sich um und sah mich an, dann unterhielt er sich weiter mit dem Mädchen. »Danny!« brüllte ich, während ich meine Schritte immer mehr beschleunigte.

»Danny, komm her!«

Ich lief an der Sonnenuhr vorbei. Hinter mir hörte ich Liz etwas rufen, aber das Geräusch des Windes und mein eigenes Atmen waren so laut, daß ich zunächst nicht verstand, was sie rief.

Erst als ich den Bach erreicht hatte und wieder zur Kapelle sah, verstand ich, was sie mir hatte sagen wollen. Zwischen den Türen der Kapelle waren die weiße Manschette und der schwarze Ärmel eines Mannes aufgetaucht, dessen Hand auf der Schulter des kleinen Mädchens ruhte. Das Mädchen drehte sich um, hob den Kopf und machte den Eindruck, als sage es etwas. Verstehen konnte ich davon nichts. Danny zog sich zwei, drei Schritte zurück, dann wurde er schneller, bis er in seiner Eile fast über einen Grabstein stolperte.

Ich trat in den eiskalten Bach, kletterte über die moosbedeckte Mauer und sprang in das hohe Gras des Friedhofs.

»Danny!« rief ich. Er stand ein Stück von mir entfernt, eine Hand hatte er fest auf einen Grabstein gepreßt. Er drehte sich um und sah mich ernst an. »Ich bin hier drüben, Daddy.« Die Kapellentüren waren so fest verkantet wie zuvor, doch das kleine Mädchen war verschwunden.

Ich ging zu Danny und legte ihm eine Hand auf die Schulter. Auf dem Friedhof war es ungewöhnlich ruhig und windstill. Grillen zirpten, blaue Schmetterlinge tanzten um die Kreuze.

»Mit wem hast du geredet?« fragte ich Danny.

»Mit Sweet Emmeline.«

»Sweet Emmeline? Das ist ein komischer Name.« Ich blickte zurück. Liz kam auch herübergelaufen. »Und wer war der Mann?«

»Der, den wir schon mal gesehen haben. Er hat gesagt: ›Komm, Sweet

Emmeline, wir müssen jetzt gehen‹. Mehr nicht. Er hatte einen Hut auf.«

Oh, Gott, nicht der junge Mr. Billings!

»Du meinst den schwarzen Hut? Den hohen schwarzen Hut?«

»Genau«, sagte Danny und hielt seine Hände hoch über den Kopf. »Den großen schwarzen Hut, der wie ein Schornstein aussieht. Sweet Emmeline hat mich gefragt, ob ich mit ihnen spielen will.«

»Mit *ihnen*? Hat sie gesagt, *wer* die anderen sind?«

Meine Fragen schienen Danny zu langweilen. Trotzdem schielte er ständig hinüber zur Kapelle, als fürchte er sich vor dem, was plötzlich dort zum Vorschein kommen mochte. *Bauz! Da geht die Türe auf, Und herein in schnellem Lauf, Springt der Schneider in die Stub', Zu dem Daumen-Lutscher-Bub.* Er schien so verwirrt und verunsichert wie ich darüber, daß Sweet Emmeline problemlos durch diese Türen hatte kommen können. Immerhin war das uns beiden nur gelungen, nachdem ich sie mit meiner Schulter und sehr viel Kraft einen Spaltbreit hatte öffnen können.

»Lebt sie im Dorf?« fragte ich Danny.

»Sie hat nicht gesagt, *wo* sie lebt.«

»Und sie hat dir nicht gesagt, wer ihre Freunde sind?«

Er schüttelte den Kopf.

»Und sie hat nicht gesagt, wer der Mann ist, der sie mitgenommen hat?«

Wieder ein Kopfschütteln. Aber dann sah er mich an, und ich konnte in seinen Augen Verständnislosigkeit und Beunruhigung erkennen.

»Sie hatte Würmer in ihren Haaren. Als sie sich umgedreht hat, waren rote Würmer in ihren Haaren.«

Oh, Jesus, dachte ich. *Was ist hier los?*

Liz betrat den Friedhof durch das Tor. Ich nahm Danny auf den Arm und drückte ihn an mich. »Wahrscheinlich war Sweet Emmeline ein Zigeunermädchen, weißt du? Die waschen sich nicht sehr gründlich.«

Danny klammerte sich an mich, sagte aber nichts. Liz kam zu uns und sah sich um. »Wo sind sie hin?«

Ich schüttelte den Kopf und versuchte, ihr zu bedeuten, daß sie nicht weiterreden sollte. Doch sie verstand mich nicht. Sie ging zur Kapelle und versuchte, die Tür zu öffnen. »*Hier* durch kann sie wohl kaum verschwunden sein.«

»Danny und ich haben uns auch schon da durchzwängen können, nicht wahr, Danny?« Ich fühlte seinen spitzes, kleines Kinn an meiner Schulter, als er nickte.

»Na, dann sollten wir doch mal sehen, ob sie dort sind«, schlug Liz vor.

Die Opferung

Wieder wollte ich ihr mit einem lautlosen Nein zu verstehen geben, daß sie aufhören solle, doch Danny drehte sich um und sagte: »Ja, das machen wir.«

»Bist du sicher?« fragte ich ihn. Wieder nickte er und rieb sich die Augen.

Ich ließ Danny wieder zu Boden und ging auf die Doppeltür der Kapelle zu. Liz hielt Danny an der Hand und lächelte ihm zu. Sie schienen beruhigend auf ihn zu wirken. Sie wirkte auch auf mich beruhigend, weil sie nett war und weil sie hübsch war. Und weil das Leben ohne Frau immer unvollständig ist. Während ich meine Schulter gegen die Türflügel drückte, wußte ich, daß es mir bei ihr nicht nur um Sex ging, sondern daß ich ihre Weiblichkeit brauchte, so wie Danny auch.

»Drücken!« sagte Liz, und ich drückte. Der rechte Türflügel gab ein wenig nach, und während ich ihn aufhielt, zwängten sich Liz und Danny durch die entstandene Öffnung. Ich folgte ihnen und riß mir an einem Nagel die Haut am Arm auf. Eine dünne Spur aus tiefrotem Blut bildete sich auf meiner Haut.

Die Kapelle war verlassen, sie war ein Meer aus grauen, zerbrochenen Dachschindeln. Wir stapften umher, doch von Sweet Emmeline war nichts zu sehen. Auch nicht vom jungen Mr. Billings. Wie auch? Der junge Mr. Billings war seit über hundert Jahren tot, und nach Dannys Beschreibung zu urteilen, war Sweet Emmeline ebenfalls tot. Sehr tot. Tot und verwest, und in ihrem Haar hatten sich Würmer eingenistet.

Liz kam zu mir und sah mich an. »Irgend etwas stimmt hier nicht, oder? Irgend etwas ist hier sehr seltsam.«

Ich sah nach oben, wo eine 737 der British Airways über den morgendlichen Himmel donnerte, bis auf den letzten Platz besetzt mit Touristen, die auf dem Flug nach Malaga oder Kreta oder wer weiß wohin waren. Ich blickte nach unten auf den Boden der Kapelle und hinüber zu den leeren Fenstern und dem raschelnden Efeu. Es war schwer zu sagen, in welcher Zeit ich mich eigentlich befand.

»Ja«, erklärte ich. »Ich weiß nicht, was es ist, aber etwas stimmt wirklich nicht. Das ganze Haus ist seltsam. Es *sieht* schon seltsam aus, ist dir das aufgefallen? Es verändert ständig seine Form.«

Liz senkte den Blick. Ihre Haut hatte den unschätzbaren Glanz der Jugend, nur mit ein paar Sommersprossen gesprenkelt, so wie ein Hauch Zimt. »Wärst du sauer, wenn ich sagen würde, daß ich ausziehen möchte?«

»Willst du die Wahrheit hören?«

»Natürlich.«

»Okay, ich wäre sauer.«

Liz' Blick trübte sich, als erinnere sie sich an eine frühere, ähnliche Begebenheit. Oder vielleicht sogar Dutzende Begebenheiten dieser Art. Sie war eine von diesen Frauen, die sich nie ganz einem Mann hingeben konnten. Sie war eine von diesen Frauen, die irgendwann in Selbstgespräche vertieft, einsam und mit Wärmflasche in irgendeinem Altersheim sterben würden. Scheiße, ich haßte es, darüber nachzudenken. Aber ich mußte schon auf mich selbst und auf Danny aufpassen, ich konnte nicht auch für jeden anderen die Verantwortung übernehmen, schon gar nicht für eine Frau wie Liz und für die Toten wie den jungen Mr. Billings, Sweet Emmeline und Harry Martin – mein Gott, wie mußte Harry gelitten haben.

Danny zertrat die Schindeln mit einem Geräusch, das so klang wie der Knorpel, der von Harrys Knochen gerissen wurde.

»Aber ...«, sagte ich dann, »falls du wirklich gehen möchtest.«

Lange Zeit sagte sie nichts. Dann schließlich: »Nein, nein, ich bleibe. Ich kann nicht mein Leben lang vor allem davonlaufen, das mir nicht paßt.«

»Hör zu. Ich möchte nicht, daß du hier gezwungenermaßen bleibst. Oder aus Mitleid. Harry Martin wurde das komplette Gesicht weggerissen, also ist irgend etwas da oben auf dem Speicher. Egal ob es real ist oder nur Einbildung oder was auch immer. Also bleib nicht, weil du Mitleid mit mir hast. Die Welt ist voll von alleinstehenden Männern mit siebenjährigen Söhnen.«

»Ich möchte bleiben«, beteuerte sie.

»Nein, das sagst du jetzt nur. Geh! Es ist besser für dich!«

»Hör mal, nur weil ich mit dir letzte Nacht ins Bett gegangen bin ...«

»Das hat damit überhaupt nichts zu tun! Das schwöre ich! Wir waren beide fertig mit der Welt, wir waren müde und wir hatten beide etwas zuviel getrunken.«

»Also mir hat es gefallen«, sagte sie spitz. »Mir hat es gefallen, und ich möchte mehr. Und darum werde ich bleiben.«

Trotz allem Schrecklichen, das geschehen war, schüttelte ich den Kopf und begann zu lachen. Worüber streiten Menschen, wenn es wirklich darauf ankommt? Liebe, Lust, Unsicherheit, Frustration und Angst. Mein alter Freund Chris Pert sagte mal, daß ein Mann und eine Frau, die den gleichen Geschmack bei TV-Komödien und bei chinesischem Essen haben, in einer himmlischen Beziehung leben.

»Guck mal, Daddy. Blut«, sagte Danny.

Ich hörte sofort auf zu lachen. Danny stand auf der anderen Seite der Kapelle vor dem Wandgemälde der Frau mit dem roten wallenden Haar. Ich ging zu ihm, Liz folgte mir.

Die Opferung

Die Frau zeigte ein exzentrisches Lächeln – freudig erregt, erotisch und eine ganz kleine Spur verrückt. Ihre Augen erschienen mir strahlender als zuvor. Doch das rattenähnliche Ding, das sie wie eine Stola um ihren Hals gelegt trug, machte mir Angst. Die Augen dieses Dings waren hämisch und triumphierend, und aus seinem Maul tropfte Blut.

Vorsichtig berührte ich das Blut mit meiner Fingerspitze.

»Iiihh«, sagte Liz und rümpfte die Nase.

Ich hob meinen Finger. »Es ist nicht frisch. Es ist nicht mal Blut, es ist bloß Farbe.«

»Die ist aber zuletzt nicht da gewesen«, sagte Danny.

»Nein«, mußte ich ihm zustimmen. »Das war sie auch nicht. Vielleicht haben irgendwelche Kinder es aus Spaß hingemalt.«

Liz konnte ihren Blick nicht von der an die Wand gemalten Frau lösen. »Toller Spaß«, gab sie von sich. »Wen stellt das dar?«

»Ich weiß nicht, wir haben es erst gestern entdeckt. Es muß seit Urzeiten unter dem Efeu verdeckt gewesen sein.«

Liz näherte sich dem Wandgemälde. »Wie *bösartig* diese Frau blickt«, flüsterte sie.

Ich schaute sie an. »Wieso sagst du das?«

»Keine Ahnung. Sieh sie dir doch an, sie ist so bösartig! Und dieses entsetzliche Rattending da um ihre Schultern!«

Wir betrachteten das Gemälde und gingen im Kreis durch die Kapelle, weil wir keine Ahnung hatten, was wir machen sollten. Irgendein unwirkliches Phänomen bedrohte uns, das uns im Grunde überhaupt nichts anging. Ich wußte, daß es für uns alle am besten gewesen wäre, unsere Sachen zu packen und mich von den Maklern vor Gericht zerren zu lassen, damit sie das Geld einklagen konnten, das sie mir im voraus gegeben hatten. Die Tarrants hatten offensichtlich erkannt, daß das Fortyfoot House verflucht war oder daß zumindest *irgend etwas* mit ihm nicht stimmte. Sie hätten mich nicht einfach mit der Renovierung beauftragen, sondern mich warnen sollen, daß hier Leute verschwanden, daß Leute wahnsinnig geworden waren, und daß hier Leute ihr Leben verloren hatten.

Zum Teufel mit ihnen, dachte ich. *Ich haue ab.*

In dem Moment rief Danny: »Sie ist da, Daddy! Sie ist da! Sweet Emmeline ist da!«

Er stand an dem Fenster der Kapelle und zeigte hinüber in den Garten. Ich lief zu ihm und stellte mich neben ihn.

Er hatte recht. Das kleine Mädchen in dem langen weiten Kleid lief durch den Garten, nahe der Sonnenuhr. Das Mädchen näherte sich dem Haus, die Küchentür öffnete sich wie aus eigener Kraft. Es war zu weit entfernt, als das ich hätte Einzelheiten hätte erkennen können, doch ich könnte schwören, daß ich etwas Dunkles, Haariges von der Tür forteilen sah, als sich Sweet Emmeline näherte. Vielleicht hatte ich mich aber auch geirrt, vielleicht war es nur Sweet Emmelines Schatten gewesen. Doch Danny stand da und starrte mit offenem Mund aus dem Fenster, und ich wußte, daß er mehr gesehen hatte, als jeder Siebenjährige sehen sollte.

»Jetzt reicht's«, sagte ich zu Liz. »Wir reisen ab. Tut mir leid, tut mir wirklich leid. Aber ich weiß nicht, was hier los ist, und ich *will* es auch gar nicht wissen. Glaubst du, daß du irgendwo unterkommst?«

»Ich schätze schon. Ich werde mich umhören. Aber was werdet *ihr* machen?«

»Zurück nach Brighton vermutlich. Ich habe Freunde, bei denen wir eine Weile bleiben können. Ich gebe dir meine Adresse.«

»Ich dachte, der Polizeibeamte wollte nicht, daß du die Insel verläßt.«

»Sein Problem. Ich reise ab. Kann ich dich ein Stück mitnehmen? Wie lange brauchst du, um zu packen?«

Wir verließen den Friedhof und ließen das Tor hinter uns offenstehen. Wir überquerten den Bach und gingen zurück zum Haus. Die Wolken zogen sich zusammen, und wenn ihre Schatten über die Spitzen des Dachs und die Schlafzimmerfenster hinwegglitten, wirkte das Haus fast so, als verziehe es mißbilligend das Gesicht. Ich spürte, wie mein Herz immer heftiger zu schlagen begann, je näher wir dem Haus kamen. Es verströmte eine solch bösartige Atmosphäre, daß ich kaum noch rational denken konnte. Ich wollte nur unsere Kleidung in den Koffer werfen, in den Wagen steigen und soviel Abstand zwischen das Fortyfoot House und uns bringen, wie es nur möglich war.

Danny zögerte und sah hinüber zum Meer. »Der Strand hat mir gefallen«, sagte er traurig.

Ich legte meine Hände auf seine Schultern. »Ich weiß. Mir auch. Aber wir müssen fort von hier, ich mag diese Geräusche nicht. Und ich mag keine Mädchen mit Würmern im Haar.«

»Was ist mit dem Mann passiert, der Ratten fängt?« fragte Danny.

»Er hat sich oben auf dem Speicher verletzt. Das ist noch ein Grund, warum ich abreisen möchte. Ich will nicht, daß dir oder Liz oder mir etwas zustößt.«

»Kann ich meine Krebse mitnehmen?« wollte Danny wissen. Er hatte ein halbes Dutzend kleiner grüner Taschenkrebse in einem Eimer gesammelt, der vor der Küchentür stand.

»Nein, leider nicht. Wir werden bei Mike und Yolanda wohnen, da ist

Die Opferung

kein Platz für Krebse. Warum bringst du sie nicht zurück zum Strand und veranstaltest ein Wettrennen, welcher von ihnen zuerst das Meer erreicht?«

»Darf ich wenigstens zwei mitnehmen?«
»Nein, die paaren sich und dann hast du tausende von ihnen.«
»Einen? Bitte!«
»Nein, er würde sich einsam fühlen.«

Widerstrebend nahm Danny den Eimer und marschierte in Richtung Strand davon. Mir war es lieber, wenn er nicht im Haus war, während wir packten. Ich hatte in letzter Zeit so häufig Koffer gepackt, daß es zu einem festen Bestandteil meines fehlgeschlagenen Lebens geworden war. Wenn man erst einmal mit dem Packen angefangen hat, findet man kein Ende mehr.

In der Küche nahm Liz meine Hand. »Das war's dann wohl mit unserem idyllischen gemeinsamen Sommer«, sagte sie mit einem traurigen Lächeln.

»Es tut mir leid, aber ich kann es nicht zulassen, daß Danny oder du verletzt werden oder daß irgend etwas noch Schlimmeres geschieht.«

Sie sah sich um. »Was, glaubst du, *stimmt* mit diesem Haus nicht?«

»Ich weiß es wirklich nicht. Ich glaube aber auch nicht, daß ich das wirklich erfahren will. Jedenfalls nicht im Moment.«

»Vielleicht solltest du mit einem Priester reden. Du weißt schon, einem Exorzisten oder so etwas.«

»Ich glaube, das würde nichts bringen. Ich habe allmählich das Gefühl, daß dieses gesamte Haus mit einer ganz bestimmten Absicht errichtet wurde. Es ist nicht ganz hier, aber auch nicht ganz woanders.«

»Willst du noch ein Bier, während wir packen?« fragte Liz, woraufhin ich nickte.

»Ich hätte dich wirklich lieben können«, sagte sie ehrlich. »Zu einer anderen Zeit, an einem anderen Ort.«

Ich warf ihr einen ironischen Blick zu. »Vor allem an einem anderen Ort.«

Wir tranken unser Bier aus, als es an der Tür klingelte. Wir erschraken beide.

»Himmel, ich bin ja zu Tode erschrocken!« japste Liz.

»Ich glaube, daß weder Brown Jenkin noch Mr. Zylinder sich die Mühe machen und klingeln würden«, sagte ich und ging zur Tür.

Es war der Rentokil-Mann aus Ryde. Ein hitzköpfiger junger Mann mit Kurzhaarfrisur und Ohrring. Er trug einen glänzenden blauen Nylon-Overall und Doc Marten's-Stiefel. »Mr. Williams? Rentokil, ich bin hier wegen Ihrer Ratte.«

»Oh, Gott, das hatte ich ganz vergessen. Entschuldigung, aber es gab ein Problem.«

»Aha?« sagte der junge Mann unbeeindruckt.

»Die Ratte ... na ja, heute können Sie wegen der Ratte nichts unternehmen. Es gab einen Unfall im Haus, die Polizei war hier.«

»Aha? Tja, aber Sie wissen ja, daß wir auf jeden Fall die Anfahrt berechnen.«

»Das geht in Ordnung, schicken Sie die Rechnung.«

»Dann müssen Sie hier unterschreiben.« Er trat in den Flur und holte ein Auftragsformular hervor, um eine Bestätigung zu erhalten, daß er mir einen Besuch abgestattet hatte.

Er reichte mir einen Kugelschreiber mit angeknabberter Spitze, und ich unterschrieb.

»Was war denn das für ein Unfall?« fragte er und riß das oberste Blatt des Formulars ab, um es dann zusammenzufalten. »Irgendwas mit Ihrem Wagen?«

Ich sah ihn verständnislos an. »Mit meinem Wagen? Nein, damit hatte es nichts zu tun.«

»Oh«, sagte er. »Ich dachte nur, weil er so ramponiert aussieht.«

»Was meinen Sie mit ramponiert?«

»Der Audi da draußen, in der Einfahrt.«

Ich hatte keine Ahnung, was er meinte.

»Ja«, sagte ich. »Das ist mein Wagen. Zugegeben, er ist nicht im Bestzustand ...«

Er lachte in einem unangenehmen Stakkato wie ein Hooligan. »Das können Sie laut sagen.«

Ich schob ihn zur Seite und ging zur Vordertür. Ich konnte nicht glauben, was ich sah. Mein Wagen war ringsum verbeult, alle Scheiben waren eingeschlagen, die Reifen waren platt, die vordere Stoßstange war abgerissen worden. In der Nähe stand Vera Martin, Harry Martins Witwe, die offenbar auf mich wartete. Sie trug einen schwarzen Pullover, dazu ein einfaches graues Kleid. Neben ihr stand ein kleiner, stiernackiger junger Mann mit schwarzem öligem Haar. Er trug eine grüne Tweedjacke, und in der Hand hielt er einen Vorschlaghammer.

Zuerst wunderte ich mich, daß ich davon nichts *gehört* hatte, aber dann wurde mir klar, daß es ein weiter Weg bis zur Kapelle war. Zudem kam der Wind von See und trug das Rauschen der Brandung mit sich. Aber selbst falls ich etwas gehört hätte, wäre ich nicht auf die Idee gekommen, daß jemand meinen Wagen demolierte.

Ich ging zu meinem Audi, hob die Stoßstange auf, ließ sie dann aber wieder fallen. Da gab es nichts zu reparieren, der Wagen war hinüber.

»Was um alles in der Welt soll das?« wollte ich wissen.

»Nennen Sie es Rache, wenn Sie wollen«, sagte Vera Martin, die mit verschränkten Armen dastand.

»Rache? Für was?«

»Für Harry«, sagte der junge Mann zornig. »Für ihn.«

»Wer ist das?« fragte ich Vera.

»Keith Belcher, der jüngste Sohn meiner Schwester Edie. Es war nicht seine Idee, sondern meine. Aber er hat sich freiwillig gemeldet.«

Ich ging um meinen Wagen herum, um den Schaden zu begutachten. Keith Belcher hatte verdammt gute Arbeit geleistet. Es gab keinen Quadratzentimeter Blech, der vor dem Hammer verschont geblieben war. Er hatte es sogar geschafft, eine Beule ins Lenkrad zu schlagen.

»Mrs. Martin, ich habe Ihren Mann nicht umgebracht. Es war ein Unfall, nichts anderes.«

»Im Fortyfoot House gibt es keine Unfälle«, gab sie zurück. »Es ist ein böser Ort für böse Menschen. Sie und dieses Ratten-Ding, Sie beide haben sich das verdient. Ich hoffe, Sie werden glücklich.«

»Ja, hoffentlich werden Sie zusammen scheißglücklich«, warf Keith Belcher ein und legte den Griff seines Vorschlaghammers so in die Handfläche, als wolle er mich auffordern, ihm das Werkzeug abzunehmen.

»Mrs. Martin, Sie verstehen nicht. Ich wollte ihn aufhalten, aber er ließ es sich nicht ausreden.«

»Ich habe Sie angefleht«, sagte sie, und mit einem Mal schossen ihr Tränen in die Augen. »Ich habe Sie wieder und wieder angefleht. Lassen Sie ihn nicht zu dem Ratten-Ding, habe ich Ihnen gesagt. Lassen Sie es nicht mal zu, wenn er es unbedingt will. Und jetzt? Er ist tot. Und alles nur Ihretwegen. Gott allein weiß, was ihm Schreckliches zugestoßen ist. Im Krankenhaus haben sie mich nicht mal zu ihm gelassen.«

Ich trat gegen einen der platten Reifen. »Tja ...«, sagte ich. »Sieht so aus, als hätten Sie erledigt, wozu Sie hergekommen sind.«

»Seien Sie bloß froh, daß es nur Ihr Auto war, nicht Ihr Kopf«, warf Keith ein.

»Darüber bin ich froh, das können Sie mir glauben.«

Ich sah ihnen nach, wie sie sich entfernten. Der Rentokil-Typ hatte die ganze Zeit über neben seinem Van gestanden. Er grinste mich freundlich an und sagte: »Ich hoffe, Sie haben eine gute Werkstatt, Kumpel.« Dann stieg er in seinen Wagen und fuhr ab. Am liebsten hätte ich ihm einen Ziegelstein hinterhergeworfen.

Liz kam nach draußen und trat neben mich. »Und was machst du nun?« fragte sie.

»Nichts. Was soll ich machen? Ich kann eine Werkstatt anrufen und hören, ob noch was zu retten ist.«

»Willst du immer noch abreisen?«

»So bald wie möglich. Aber heute klappt es ja wohl nicht. Sieh dir nur dieses Meisterwerk an. Er hat sogar das Armaturenbrett zertrümmert.«

»Willst du nicht die Polizei anrufen?«

Ich schüttelte den Kopf. »Sie hat gerade ihren Mann verloren, ich will ihr nicht noch mehr Kummer bereiten.«

»Aber dein Wagen. Was ist mit der Versicherung?«

Ich zuckte mit den Schultern. Ich wollte ihr nicht sagen, daß ich gar keine Versicherung hatte. »Ich werde sagen, daß ich mich überschlagen habe und daß niemand sonst darin verwickelt war.«

Liz sah zurück zum Fortyfoot House. »Dann sieht es nach einer weiteren Nacht in der Herberge zum fröhlichen Stöhnen aus.«

»Du mußt nicht bleiben, wenn du nicht möchtest.«

»Oh«, sagte sie nachdenklich. »Ich glaube doch, daß ich bleibe. Wir beide haben ja noch so etwas wie eine offene Rechnung, meinst du nicht auch?«

Ich sah ebenfalls zum Haus. Vielleicht hatte sie ja recht, was die offene Rechnung anging. Ich dachte dabei nicht nur daran, mit ihr zu schlafen, sondern auch daran, daß es vielleicht gar kein Zufall war, der Danny und mich ins Fortyfoot House verschlagen hatte. Vielleicht war das unsere Bestimmung gewesen.

Vielleicht war der Zeitpunkt gekommen, an dem Danny und ich entscheiden mußten, wer wir waren und welches Leben wir führen wollten. Vielleicht war das auch der Zeitpunkt, an dem all diese seltsamen Gestalten, die rund um das Fortyfoot House auftauchten und wieder verschwanden, entscheiden mußten, in welche Realität *sie* gehörten.

»Es könnte gefährlich sein, hierzubleiben«, sagte ich, doch Liz schien mich nicht zu hören. Sie hatte sich abgewandt und blickte hinüber zu den verfallenen Ställen, die von Efeu überwuchert waren. Ihr Profil vor dem Hintergrund des Gartens war präzise und vollkommen. Ich hatte das Gefühl, Liz sehr nah und doch sehr fern zu sein – so, als würde sie mein gesamtes Leben und alle meine Geheimnisse in ihrem Herzen bewahren.

Danny trat mit einem leeren Eimer nach draußen. »Ich habe den Krebsen alle Beine abgemacht und sie ins Wasser geworfen«, verkündete er.

»Oh, Danny«, schimpfte ich. »Das ist widerlich! Und grausam!«

»Der Fischer hat mir gesagt, daß Krebse alles fressen, auch wenn es lebt. Der Fischer hat gesagt, daß die Krebse deine Füße und deine Ohren und alle weichen Stellen auffressen, wenn du zu lange am Strand liegst. Sie fressen zuerst immer die weichen Stellen.«

»Geh und wasch dir die Hände, es gibt bald Abendessen«, sagte ich ihm.

»Reisen wir nicht ab?« fragte er, sah dann aber den Wagen. Sein Unterkiefer fiel nach unten, seine Augen weiteten sich.

»Was ist mit dem Auto passiert?« fragte er fassungslos.

»Es hatte einen Streit mit einem Vorschlaghammer«, antwortete ich. »Darum bleiben wir.«

8. Ordensschwester oder Nonne

Als es fast schon zu dunkel war, um noch etwas erkennen zu können, kam ein riesiger Kerl in einem schmierigen braunen Overall zum Haus, um sich meinen Wagen anzusehen. Mit den Händen in den Taschen stand er da, betrachtete den Wagen, dann sagte er schließlich: »Ich geb' Ihnen dreißig Pfund für den Schrotthaufen.«

»Ich möchte keine dreißig Pfund haben, ich möchte, daß er wieder fährt, sonst nichts. Er soll nicht wie neu aussehen, die Beulen kümmern mich nicht. Aber wenn Sie was mit den Reifen, den Fenstern und dem Lenkrad machen können. Der Drehzahlmesser ist auch nicht wichtig, aber den Tacho brauche ich.«

Er schüttelte den Kopf so heftig hin und her, als hätte er Wasser im Ohr. »Lohnt sich nicht, Kumpel. Ist die Mühe nicht wert. Ein neuer wäre besser. Das hier kostet Sie dreihundert Pfund. Mindestens. Und das nur für die Ersatzteile.«

»Oh, Scheiße«, erwiderte ich.

Er trat gegen einen der platten Reifen. »In meiner Werkstatt steht ein 78er Ford Cortina, den können Sie für dreihundert haben. Er ist nicht im Bestzustand, aber fahrbereit.«

»Ich weiß nicht. Ich habe keine dreihundert Pfund übrig, jedenfalls nicht im Moment.«

Der riesige Kerl zuckte mit den Schultern. »In dem Fall kann ich Ihnen auch nicht helfen.«

Er fuhr mit seinem Pick-Up fort und hinterließ eine Rußwolke. Eine Weile stand ich dort in der Dämmerung und lauschte den Bäumen und dem Flattern der Fledermäuse. Schließlich ging ich zurück ins Haus, wo Liz in der Küche auf mich wartete. Sie bereitete eine Hühnchenkasserolle vor, die köstlich duftete. Aber ich war nicht sicher, ob ich wirklich Hunger hatte. Ich lauschte, ob ich ein Kratzen und Schlurfen hörte, oder ferne Geräusche und Stimmen, die nicht menschlichen Ursprungs waren. Ich erschrak über mein eigenes Spiegelbild in den Fensterscheiben und in den gerahmten Fotos im Flur.

Danny kniete auf einem der Küchenstühle und malte mit Buntstiften ein Bild. Ich beugte mich über ihn und sah, daß er ein mageres Mädchen in einem weißen Nachthemd gemalt hatte, mit dünnen roten Fäden auf dem Kopf und blaßgrünen Wangen. Sweet Emmeline.

»Komm und spiel' mit uns«, ahmte Danny ihre hohe Stimme nach. »Wir sind so viele und wir können soviel Spaß haben.

»Danny«, warnte ich ihn. »Nicht.«

Er sah mich mit weit aufgerissenen Augen an, die so sonderbar leuchteten, als habe er geheult. Nach einem langen Moment des Schweigens widmete er sich wieder seinem Bild. Ich betrachtete ihn mit einem Gefühl der Hilflosigkeit, als sei er aus irgendeinem Grund meiner Kontrolle entglitten.

Liz schob den Schmortopf zurück in den Ofen und sagte: »Und?« Ihr Ton hatte etwas von einer Ehefrau, die von ihrem Mann eine Information erwartete.

»Und was?«

»Und was kann er mit dem Wagen machen?«

»Oh, der Wagen. Nichts, was nicht wenigstens dreihundert Pfund kostet. Er meinte, ich solle mir besser einen neuen kaufen.«

»Und was wirst du jetzt tun?«

»Was soll ich schon tun? Ich muß solange weiterarbeiten, bis ich mir einen neuen leisten kann.«

»Ich meine immer noch, daß du zur Polizei hättest gehen sollen. Dieser Brecher, oder wie der Typ heißt, gehört hinter Gitter.«

»Belcher«, berichtete ich sie. Ich ging zum Kühlschrank, nahm eine große Flasche Soave heraus und goß uns zwei Gläser ein. »Vielleicht hast du recht. Aber das hätte mir ein paar Unannehmlichkeiten bescheren können. Zum Beispiel die Frage, warum die Steuerplakette abgelaufen war. Und warum der Wagen nicht versichert war.«

»Nicht *versichert*?« wiederholte Liz ungläubig.

»Konnte ich mir nicht leisten. Janie hatte das Geschäftskonto komplett geplündert.«

»So eine Kuh.«

»Ja, so eine Kuh. Aber vielleicht habe ich das ja auch so verdient. Ich habe sie nicht sehr gut behandelt.«

Liz nahm einen Schluck Wein und sah mich mit Augen an, die älter schienen, als sie selbst an Jahren zählte. »Du hast sie doch nicht geschlagen?«

»Nein, ich habe sie ignoriert. Ich glaube, manchmal ist es schlimmer, jemanden zu ignorieren, als wenn man ihn schlägt.«

»Vielleicht hättest du sie schlagen sollen.«

Ich setzte mich hin. »Keine Ahnung. Vielleicht habe ich sie auch gar nicht richtig geliebt. Wenn ich so drüber nachdenke, bin ich gar nicht mal so sicher, ob ich weiß, was Liebe eigentlich ist. Du weißt schon, richtige Liebe. Die Liebe, für man sogar sein Leben geben würde.«

»Ich glaube, das geht den meisten so«, sagte Liz. Sie lächelte, dann sprach sie weiter. »Ich war so etwa neun Jahre alt, als ich einen Goldfisch hatte. Ich habe ihn wirklich geliebt. Er hieß Billiam. Ich sagte meiner Mutter, daß ich mich umbringen würde, wenn Billiam eines Tages starb. Als er dann *wirklich* starb, hat meine Mutter mir nichts davon gesagt. Statt dessen hat sie mir erzählt, er sei abgehauen. Ich war so dumm und habe ihr geglaubt. Ich habe allen meinen Klassenkameraden erzählt, daß derjenige zehn Pence Finderlohn bekommt, der ihn mir wiederbringt. Und die waren sogar so dumm, daß sie nach ihm gesucht haben.«

»Und was willst du mir damit sagen?« wollte ich wissen. »Daß man sich in nichts und niemanden verlieben soll? Nicht mal in einen Goldfisch?«

Sie zuckte mit den Schultern, sagte »Keine Ahnung« und begann zu lachen.

In dem Moment kam Danny zurück in die Küche. Ich hatte nicht mal gemerkt, daß er hinausgegangen war. Er trug sein Malbuch unter dem Arm und machte einen irritierten Eindruck.

»Wo ist der Mann hin?« fragte er verwundert.

»Du meinst den Mann von der Werkstatt?«

»Nein, den Mann auf dem Bild.«

»Auf welchem Bild?«

»Draußen. Ich male ein Bild von Sweet Emmeline und von dem Mann mit dem Schornsteinhut. Ich wollte auf dem Bild nachsehen, wie er aussieht, damit ich ihn richtig male. Aber er ist weg.«

Ich erschrak. *Es geht wieder los ... das Haus bewegt sich ... Schatten zucken umher ... leise Stimmen murmeln etwas in den Zimmern im Obergeschoß.* Aus irgendeinem Grund kam mir ein längst vergessener Reim in den Sinn. »Die Wände samtbespannt, so schwarz wie Sünde und so fein ... Und kleine Zwerge kriechen raus und kriechen rein.«

Als kleiner Junge glaubte ich immer, der Reim würde das beschreiben, was mit meinem Schrank passiert, sobald es dunkel ist. Ich hatte mich immer entsetzlich gefürchtet. Kleine, böse Leute trieben ihr Unwesen zwischen meiner Kleidung. Jeden Abend überprüfte ich zweimal, ob die

Tür zu meinem Kleiderschrank auch wirklich zu war, und daß der Stuhl sie zusätzlich blockierte. Und selbst dann konnte ich hören, wie sich die kleinen Zwerge in meinem Schrank bewegten und wie sie die Kleiderbügel ganz sanft schaukeln ließen.

Ich war der Ansicht gewesen, daß ich dieses Gefühl der Hilflosigkeit lange hinter mir gelassen hatte, das jene Worte damals in mir ausgelöst hatten. Aber als Danny »*Er ist weg*« sagte, da brach die Erinnerung über mich herein, und einen Moment lang konnte ich nichts sagen.

»Er kann nicht weg sein«, brachte ich schließlich mühsam hervor. Meine Zunge schien angeschwollen, mein Hals war trocken.

»Er ist nicht mehr auf dem Bild.«

Ich folgte ihm in den Flur und schaltete das Licht an. Am anderen Ende des Flurs hing das Foto. ›Fortyfoot House, 1888‹. Ich ging darauf zu, Liz dicht hinter mir, und beugte mich vor.

Danny hatte recht. Der junge Mr. Billings war nicht mehr zu sehen. Sein *Schatten* war allerdings noch da und lag wie ein achtlos weggeworfener Umhang auf dem Rosenbeet, aber von dem Mann war nichts mehr zu sehen.

»Das ist doch irgendein Trick«, sagte ich. »Leute verschwinden nicht einfach aus einem Foto, das ist schlicht unmöglich.«

»Komm, wir sollten uns das bei mehr Licht ansehen«, schlug Liz vor, nahm das Bild von der Wand und brachte es in die Küche. Dort angekommen blieb sie unter der hellen Deckenlampe stehen. Wir starrten eindringlich auf die Stelle, an der bis vor kurzem noch der junge Mr. Billings gestanden hatte. Das Glas über dem Foto war verstaubt und praktisch frei von Fingerabdrücken, abgesehen von Liz' und von meinen. Als ich das Bild umdrehte, gab es keinen Hinweis darauf, daß das braune Papierklebeband, mit dem das Bild im Rahmen gehalten wurde, aufgeschnitten worden war. Das gravierte Schild des Rahmenbauers war auch immer noch dort: *Rickwood & Sons, Picture Framers & Restorers, Ventnor, Isle of Wight*.

Ich drehte das Bild wieder um, und wir betrachteten das Foto eine Weile, bis Danny plötzlich sagte: »*Guck mal!* Was ist das?«

Kinderaugen sehen immer mehr und besser. Sie können Formen, Zeichen und Omen viel besser erkennen als ein Erwachsener. Ich sah auf die Stelle, auf die Danny zeigte, und erkannte etwas. Dort, wo der Rasen in Richtung Gartentor und See abfiel, war gerade eben das leicht gekippte schwarze Rechteck eines Zylinders zu sehen. Der junge Mr. Billings war noch immer auf dem Foto, aber er hatte einen Spaziergang unternommen.

Liz schüttelte ihren Kopf. »Ich glaube das nicht. Das muß ein Trick sein. Ich möchte wetten, daß es mehrere Fotos mit der gleichen Ansicht gibt und daß irgend jemand sie austauscht.«

»*Wer?*« fragte ich. »Und vor allem: *warum?*«

»Hausbesetzer«, sagte Liz. »Ich hab dir doch gesagt, daß bestimmt Hausbesetzer oder obdachlose Kinder oben auf dem Dachboden leben. Vermutlich haben sie auch Harry Martin so zugerichtet.«

»Schhh«, machte ich und deutete auf Danny. Zum Glück schien er ihre Bemerkung entweder nicht gehört oder deren Bedeutung nicht verstanden zu haben.

»Du meinst, sie wollen uns aus dem Haus jagen?« fragte ich. »So wie in einem dieser Filme mit Bette Davis, in dem die Kinder versuchen, sie in den Wahnsinn zu treiben, damit sie alles von ihr erben?«

»Na ja, möglich wäre es doch, oder? Klingt jedenfalls plausibler als Geister. David, ich habe immer wieder darüber nachgedacht. Wie *sollten* es Geister gewesen sein? Es gibt keine Geister.«

»Und die Geräusche? Und die Lichter?«

»Tonbänder? Halogenscheinwerfer?«

»Also gut. Nehmen wir mal an, es *wäre* ein Trick. Wo sollen dann diese Hausbesetzer sein? Die Polizei hat das ganze Haus abgesucht, auch den Speicher.«

»Sie haben nicht das zugemauerte Stück neben deinem Schlafzimmer durchsucht.«

»Aus einem einfachen Grund: Dort kann niemand *hinein*kommen. Und auch nicht *heraus*kommen.«

»Vielleicht gibt es eine Geheimtür.«

»Ach, Liz, hör auf. Da ist nirgendwo Platz für eine Geheimtür. Und selbst wenn, wohin sollte sie führen?«

Sie richtete sich auf. »Dann bist du also überzeugt, daß es Geister sind.«

»Ich weiß es nicht. Vielleicht nicht gerade Geister in dem Sinn, daß sie mit einem Laken über dem Kopf herumlaufen. Aber ich bin sicher, was diese Sache mit der Zeit angeht. Jemand hat mal gesagt, daß Geister nicht wirklich Geister sind, sondern Menschen, die man nur vage sehen kann, wenn sich das Heute und das Gestern sozusagen *überlappen*. Das würde doch Sinn ergeben, nicht wahr?«

Liz nahm wieder das Foto an sich. »Wenn das Sinn ergeben soll, dann tut es mir leid. Dann muß ich dir nämlich sagen, daß du Unsinn redest. Ich glaube nach wie vor, daß uns jemand hier raustreiben will. Ein menschlicher Jemand, kein Geist. Das kommt mir alles viel zu sehr wie in mysteriösen Spielfilmen vor.«

Nachdem Danny ins Bett gegangen war, hatten wir den Wein fast ausgetrunken und uns aufs Sofa geflegelt, um John Hiatts *Stolen Moments* anzuhören. Ich fühlte bei dem Song ein gewisses Mitleid mit den sieben kleinen Indianern, die in einem Ziegelsteinhaus an der Central Avenue lebten, wo – allen erbaulichen Geschichten ihres Vaters zum Trotz, die davon erzählten, daß sich alles zum Guten wenden werde – »immer das Gefühl vorherrschte, als würde sich jemand nähern, der sie töten will«.

Es war so gegen elf Uhr, als ich mit leichten Kopfschmerzen und dem Geschmack von zuviel Soave aufstand und sagte: »Ich gehe ins Bett. Kommst du?«

»War das eine Einladung?«

Ich sah sie an, lächelte und sagte: »Ja.« Ich schaffte es gerade noch rechtzeitig, mir ein »wenn du willst« zu verkneifen.

Ich ging in die Küche, um die tropfenden Wasserhähne zuzudrehen und das Licht auszumachen. Das Foto ›Fortyfoot House, 1888‹ lag noch immer mit dem Glas nach unten auf dem Tisch. Ich griff danach, unmittelbar bevor ich den Lichtschalter umlegte, und klemmte es unter den Arm. Ich wollte es auf dem Weg nach oben wieder im Flur an die Wand zurückhängen. Aber mit einem Mal schaltete ich das Licht wieder an und hielt das Foto hoch, um es mit wachsendem Entsetzen zu betrachten.

Der Kopf des jungen Mr. Billings war nun zu sehen, so als würde er sich allmählich nähern. Direkt neben ihm befand sich irgendeine kleine, dunkle Gestalt mit zwei Auswüchsen, die wie spitze Ohren aussahen.

Ich kniff die Augen zu, dann öffnete ich sie wieder, nur um sicher zu sein, daß sie mir keinen Streich spielten. Aber das Foto hatte sich nicht verändert. Der Rosengarten, in dem der einsame Schatten des jungen Mr. Billings noch immer wie hingeworfen dalag, die Sonnenuhr, der abfallende Rasen. Und das deutlich erkennbare Gesicht des Hausherrn, der von einem Spaziergang am Meer zurückkehrte – in Begleitung von ... *was nur*?

»Kommst du oder bleibst du heute nacht in der Küche?« rief Liz. »Auf dem Treppenabsatz ist das Licht kaputt.«

»Ich komme«, sagte ich nachdenklich. Wieder knipste ich das Licht in der Küche aus, ging durch den Flur und hängte das Bild zurück an seinen angestammten Platz. Ich weiß nicht, warum, aber ich hatte das Gefühl, daß es das sicherste sei, was ich machen konnte. Nein, um ganz genau zu sein, hatte ich das Gefühl, daß es das war, was der junge Mr. Billings bevorzugt hätte. Und ich hatte kein Verlangen danach, den jungen Mr. Billings zu verärgern, erst recht nicht wegen einer so albernen

Sache wie der, ihn mit dem Gesicht nach unten auf dem Küchentisch zurückzulassen.

Gütiger Gott, schoß es mir durch den Kopf. *Ich verliere den Verstand. Ich hänge ein Bild an die Wand, nur weil ich glaube, daß es den Leuten auf dem Bild so lieber wäre!*

Liz beugte sich über das Geländer, ihre Brüste drückten gegen den Handlauf. »Nun komm schon. Baden können wir auch morgen früh.«

Ich schaltete das Licht im Flur aus, im gleichen Moment lag die Treppe in völliger Dunkelheit da. *Und kleine Zwerge kriechen raus und kriechen rein.* Ich tastete mich die Treppe hinauf, während ich vor mir Liz hören konnte, wie sie an den Geländerstangen entlangstrich, um zu merken, wohin sie gehen mußte.

»Ich will nur hoffen, daß wir heute nacht nicht schon wieder dieses Stöhnen hören werden«, sagte sie. »Sonst ziehe ich *wirklich* aus, das sage ich dir.«

Als ich die Kehre der Treppe erreicht hatte, sah ich den fahlen silbrigen Schein des Spiegels. Ich zögerte und verlor in der Dunkelheit fast das Gleichgewicht. Während ich stolperte, hörte ich hinter der Fußleiste ein Kratzen und dann ein hastiges Schlurfen, das sich über die gesamte Länge des Hauses zog.

»Hast du das gehört?« fragte ich Liz.

Sie hatte die oberste Stufe erreicht und blieb stehen. Ich wußte, daß sie sich auf dem Treppenabsatz befand, weil sie den Lichtschein des Spiegels blockierte.

»Nein ... ich hab nichts gehört.«

»Dann hab ich's mir wohl nur eingebildet.«

»Solange es weiter nichts ist.«

Wir tasteten uns durch den Korridor voran. Ich hatte *schon wieder* vergessen, eine verdammte Taschenlampe zu kaufen. Im Küchenschrank gab es ein paar Kerzen, aber ich war nicht auf die einfache Idee gekommen, eine von ihnen anzuzünden und mit nach oben zu nehmen. Das allmähliche Nahen des jungen Mr. Billings und seines haarigen Gefährten hatte mich zu sehr beschäftigt. Und die kleinen Zwerge aus meiner Kindheit hatten auch noch ihren Teil dazu beigetragen. Ich fragte mich, ob meine Mutter etwas davon gewußt hatte, welche Panik ich vor den elenden kleinen Kreaturen empfand, die nachts meine Kleidung heimsuchten. Ich verfluchte es, daß die Erinnerung mich eingeholt hatte, und ich wünschte, diese Gedanken endlich wieder verdrängen zu können.

Schließlich aber hatten wir es bis zu meinem Schlafzimmer geschafft. Durch die Vorhänge schien ein schwaches Licht, das vom Meer reflektiert wurde und das Zimmer gerade genug erhellte, um das Bett und die Garderobe zu erkennen.

»Ich sehe nur noch mal schnell nach Danny«, sagte ich zu Liz, die gerade ihr T-Shirt über den Kopf zog und dabei für einen kurzen Moment ihre Brüste anhob, die auf eine erregende Weise zurückfielen.

»Mach nicht zu lange«, erwiderte sie. »Und wenn du irgendwelche Geräusche hörst, ignorier sie einfach.«

Ich überquerte den Korridor und sah in die alles verschluckende Finsternis von Dannys Zimmer. Ich konnte ihn riechen, und ich konnte ihn atmen hören. Ich konnte hören, daß eines seiner Nasenlöcher leicht verstopft war. Ich fragte mich, wovon er wohl träumte. Von Krebsen, vom Zirkus oder vielleicht von seiner Mutter? Manchmal tat er mir so unendlich leid, aber ich konnte nicht mehr tun, als das, was ich für ihn tat.

Ich schloß die Tür und ertastete meinen Weg zurück. Ich hätte ins Badezimmer gehen und mir die Zähne putzen sollen, aber ich hatte keine Lust, noch länger durch die Dunkelheit zu stolpern. Liz lag bereits im Bett. Sie war nackt und sie wartete auf mich. Wenn sie sich keine Gedanken darüber gemacht hatte, ob sie sich die Zähne putzen sollte, warum sollte ich das dann machen? Trotzdem haßte ich den Geschmack von abgestandenem Soave.

Ich zog mich aus und glitt unter die Bettdecke. Liz kuschelte sich an mich, und ich konnte ihre Brustwarzen fühlen, ihre Hüften und ihr feuchtes Schamhaar. Sie küßte mich auf die Stirn, dann auf die Augen und schließlich auf die Nase. »Ich kann dich nicht sehen«, sagte sie glucksend. »Es ist hier so verdammt dunkel.«

Ich erwiderte ihre Küsse, und unsere Zähne schlugen aneinander. Die Geschehnisse in Fortyfoot House hatten uns zutiefst beunruhigt. Wir waren beide müde und ein wenig überdreht. Ob die Geräusche und die Lichter von Geistern, Ratten oder Hausbesetzern stammten, war ganz egal. Auf jeden Fall waren sie furchterregend. Das Schlimmste war aber, daß wir nichts dagegen machen konnten, von einer Abreise einmal abgesehen. Die Polizei hatte schon nichts finden können, wie sollten wir da erfolgreicher sein?

Wir liebten uns schnell und heftig, weil wir für ein paar Minuten an nichts anderes als an Sex denken wollten. Liz setzte sich wieder auf mich, so wie in der Nacht zuvor. Doch diesmal rollte ich herum, so daß sie unter mir auf dem Rücken lag.

Sie legte ihre Beine fest um meine Hüften, während ich in sie eindrang. Ich glaube, wir wußten beide, daß dies nichts mit Liebe tun hatte, nicht einmal mit Leidenschaft. Aber wir mochten einander. Und ich ent-

Die Opferung

deckte etwas von mir in Liz, während sie etwas von sich in mir sah. Ich glaube, daß wir auf unsere unterschiedliche Art beide eine Warnung für den jeweils anderen waren.

Liz griff zwischen ihre Beine und zog ihre Schamlippen weit auseinander, damit ich noch tiefer eindringen konnte. Sie begann zu keuchen, was mich noch mehr erregte. Meine Stöße wurden härter und härter, und dann begann das Bett zu quietschen, bis ich schließlich langsamer werden und die Position meines Knies verändern mußte, weil mich das Geräusch so sehr störte.

»Warte ...«, flüsterte sie. »Schhht ...«

Sie drückte mich sanft zurück, bis ich wieder auf dem Rücken lag. Sie küßte mich, auf meine Lippen, auf meine Brust und meinen Magen, und dann nahm sie meinen Penis in den Mund und begann gleichmäßig zu saugen. Gegen das Licht vom Fenster konnte ich den Umriß ihres Kopfes sehen, der sich auf und nieder bewegte. Ich sah die Umrisse ihrer Lippen, wie sie sich über meinen steil in die Höhe ragenden Schaft schoben.

Einen Moment lang zögerte sie, und ich fühlte ihre scharfen Zähne auf meiner Haut. Der Moment zog sich in die Länge, der Druck ihrer Zähne wurde fester, und einen Augenblick lang glaubte ich, daß sie mit dem Gedanken spielte, meine Eichel abzubeißen.

»*Liz* ...«, sagte ich leise, während in mir Panik aufstieg. Doch dann hörte ich sie mit vollem Mund lachen, und sie fuhr fort, meinen Schwanz mit ihrer Zungenspitze und ihren Lippen zu bearbeiten. Gegen meinen Willen spannten sich meine Muskeln an und ich kam zum Höhepunkt. Liz hielt die ganze Zeit über ihren Mund fest um den Schaft geschlossen und schluckte alles, was mein Körper in dem Augenblick hergab. Als sie fertig war, setzte sie sich auf und gab mir einen Kuß. Ihre Lippen waren trocken.

»Vielleicht ein anderes Mal«, flüsterte sie mir ins Ohr. »Auf jeden Fall aber an einem anderen Ort.«

Seite an Seite lagen wir in der fast völligen Dunkelheit. Liz schlief rasch ein, ich spürte ihren Atem auf meiner nackten Schulter. Ich fühlte mich leer und traurig und fehl am Platz, so als habe mich die ganze Welt im Stich gelassen. So als wisse jeder Mensch auf der Welt von einem Geheimnis, das mir niemand verraten wollte. Ich hörte die See, wie sie sich heimlich selbst etwas zuflüsterte, und die Vögel, die in der Regenrinne stocherten. Ich dachte an das Foto von Fortyfoot House, das unten im Flur an der Wand hing. Und ich betete, daß der junge Mr. Billings nicht näher gekommen war.

Ich kam zu dem Entschluß, daß ich am Morgen noch einmal zum

Strandcafé gehen und mich mit Doris Kemble unterhalten wollte. Vielleicht konnte sie mir etwas mehr über den jungen Mr. Billings erzählen, irgend etwas, das erklärte, warum er so unablässig immer wieder im Garten auftauchte. Die spirituelle Unruhe im Fortyfoot House schien in Bonchurch so zum Alltag zu gehören, daß sie vielleicht vergessen hatte, mir etwas Wichtiges zu erzählen.

Gegen zwei Uhr in der Nacht öffnete ich die Augen. Der Mond war aufgegangen und tauchte das Zimmer in silbernes Licht. Liz preßte sich noch immer an meine Schulter. Das Laken war verrutscht und machte aus ihrem nackten Rücken und ihrem wohlgeformten Po eine geschwungene erotische Landschaft, die wie die Dünen der Nefud-Wüste bei Nacht war. Ich lauschte, doch das Haus war ungewöhnlich stumm. Kein Kratzen, kein Schlurfen. Keine knarrenden Holzbohlen. Vielleicht hatte das Etwas Harry Martin als Opfer angenommen und vielleicht war sein Hunger für den Augenblick gestillt. In diesem Moment mitten in der Nacht war ich bereit, so ziemlich alles zu glauben.

Ich wünschte, ich hätte schlafen können. Ich war so verdammt müde. Ich versuchte, einen Ausweg zu finden, wie ich mit irgendeinem Job den Maklern das Geld zurückzahlen konnte, damit ich Fortyfoot House endlich verlassen konnte, ohne ihnen etwas zu schulden. Ich überlegte, wie ich an einen neuen Wagen kommen sollte. Vielleicht konnte ich bei Großmutter ein wenig Geld borgen. Das Problem war nur, daß sie 88 Jahre alt und fast blind war und ihr Vormund wie der schärfste Wachhund der Welt ihr Vermögen hütete. Ich besaß nichts, was ich hätte verkaufen können.

Ich versuchte, nicht an diese kleinen Zwerge zu denken, die raus und rein krochen.

Liz' Idee von den Besetzern, die sich im Haus versteckten, war weit hergeholt, aber nicht völlig abwegig. Es war niemand auf dem Dachboden. Detective Sergeant Miller hatte das erklärt. Aber da war immer noch das abgetrennte Stück unmittelbar darunter, gleich neben diesem Schlafzimmer. Dieser Teil mußte einmal ein Fenster aufgewiesen haben, das zur Westseite des Gartens und zu den Erdbeerbeeten zeigte, und er war groß genug, um drei oder vier Menschen Platz zu bieten, vielleicht sogar mehr. Aber es gab keinen Zugang, weder von hier, vom Schlafzimmer, noch vom Dachboden aus, soweit ich das hatte erkennen können, und auch nicht von außen.

Ich betrachtete die ungewöhnlichen Winkel der Decke, die dadurch entstanden waren, daß man einen Teil dieses Zimmers abgetrennt hatte. Sie waren in keiner Weise symmetrisch. In nördliche Richtung schienen sie stärker abzufallen als auf der nach Süden weisenden Seite. Und die

Wand zur Westseite hin – die abgeteilte Wand – stieß in einer so irritierenden und betonten Diagonale auf sie, daß ich kaum glauben konnte, daß es sich dabei bloß um einen Zufall handeln sollte. Diese Wände waren so extrem schief, daß eine Absicht dahinterstecken mußte. Jemand hatte sie aus einem bestimmten Grund so angeordnet. Vielleicht aus demselben Grund, aus dem auch die gesamte Dachkonstruktion des Fortyfoot House in einer Art und Weise errichtet worden war, daß sie sich den Gesetzen der Perspektive zu entziehen schien. Manche Häuser wurden nach einem schlechten Plan erbaut, aber *so* schlecht konnte kein Plan sein.

Ich starrte die Winkel an der Decke noch immer an, als mir bewußt wurde, daß sie auf mehr als nur zufällige Weise zusammenliefen. Es war sehr schwierig zu beschreiben, aber mir kam es so vor, als könne ich dahinterblicken, als könne ich *diese* Seite *und die andere* Seite der Decke gleichzeitig sehen. Ich rieb mir die Augen, aber als ich sie wieder öffnete, war der Eindruck stärker als zuvor. Ich hatte das untrügliche Gefühl, daß ich *durch* die Decke hindurch in den abgetrennten Bereich sah.

In diesem Moment tauchte eine verschwommene Form auf, zu einer Seite geneigt. Sie flackerte ein wenig, so wie die Lichtreflexe eines Schwarzweißfernsehers, durch den Wohnzimmervorhang betrachtet. Die Form befand sich in der südwestlichen Ecke des Zimmers, dort, wo die Winkel zusammenliefen. Sie war der Decke näher als dem Boden und schwebte minutenlang auf einer Stelle, während ich angsterfüllt im Bett lag und überlegte, was wohl als nächstes geschehen werde.

Allmählich wurden die Konturen schärfer, obwohl ich noch immer nicht erkennen konnte, um was es sich handelte. Eine Spiegelung? Ein Irrlicht? Ich hatte davon gehört, daß in alten Häusern manchmal Gas aus defekten Leitungen entwich. In der viktorianischen Zeit waren regelmäßig Haushälterinnen an den Folgen von ausströmendem Gas erkrankt und gestorben.

Einen Sekundenbruchteil lang glaubte ich zu erkennen, worum es sich bei der Form handelte. Sie sah aus wie eine Frau, die eine Haube mit weißen Spitzen trug. Ich glaubte zu sehen, daß sie den Kopf drehte. Ich glaubte, ihre Augen zu sehen.

In diesem Moment schrie ich laut auf und im gleichen Augenblick verschwand die Form in dem Winkel der Wand, als habe jemand einen Staubsauger auf sie gerichtet.

Liz wachte auf und fragte: »*Was?* David, was ist?«

Ich sprang aus dem Bett und riß die Vorhänge auf. Dann schlug ich im letzten Schein des Mondes dort gegen die Decke, wo der Schemen zum ersten Mal aufgetaucht war. Ich fühlte nur die feste, feuchte Wand.

»David, was ist *los* mit dir?«

»Ich habe etwas gesehen. Es kam aus der Decke. Wie ... wie ein Geist. Ich weiß nicht. Es sah aus wie eine ... eine Nonne. Oder eine Krankenschwester.«

»David, du hast geträumt.«

Zornig schlug ich gegen die Wand und rief in einem wütenden Stakkato: »Ich habe nicht geträumt, ich war wach!«

»Ja, okay, ist gut«, besänftigte mich Liz. »Du warst wach. Aber jetzt ist das ... das Ding weg, nicht? Also komm zurück ins Bett und beruhige dich.«

Ich rannte im Schlafzimmer umher und schlug immer wieder mit der flachen Hand auf die Stelle, an der ich die Erscheinung zum ersten Mal gesehen hatte.

»Ich kann mich nicht beruhigen! Ich war wach und ich habe es gesehen!«

»David, seit du hier bist, sind entsetzliche Dinge geschehen ... vielleicht halluzinierst du.«

»Nein! Ich habe eine Nonne gesehen, hier an dieser gottverdammten Wand!«

Liz wartete geduldig, bis mein Wutanfall vorüber war. Ich hatte *sie* nicht anbrüllen wollen. Ich schrie mich selbst an, und Janie und Raymond, und Harry Martin und Brown Jenkin und alles andere, was mich in dieses Haus gebracht hatte. Ich glaube, sie wußte das auch. In gewisser Weise benutzte sie mich ebenfalls, das verriet ihre Art, mit mir zu schlafen. Es war körperlich sehr intim. Ich hätte alles mit ihr machen können, so wie sie im Gegenzug alles für mich getan hätte. Aber ihre Gefühle waren nicht im Spiel. Mit wem auch immer sie schlief, ich war jedenfalls nicht derjenige. Wahrscheinlich war ich nur der Platzhalter für jemanden, der ihr sehr wehgetan hatte. Ein Platzhalter im Bett zu sein, ist nicht gerade sehr aufregend, aber manchmal nimmt man, was man bekommen kann.

Schließlich hatte ich mich wieder unter Kontrolle und kehrte zurück ins Bett. Liz schmiegte sich eng an mich und legte ihren Arm um mich.

»Du zitterst ja«, sagte sie.

Ich konnte mich nicht von den Winkeln der Decke losreißen, sie flößten mir noch immer Angst ein. »Ich habe eine Frau gesehen, die sich vorbeugte. Ich schwöre es. Eine Krankenschwester. Oder eine Nonne. Sie war genau dort!«

»David, das kann doch nicht sein.«

Die Opferung

»Ich werde diesen Artikel im *National Geographic* heraussuchen, und ich werde mit Doris Kemble unten im Café sprechen.«

»Du solltest besser mit deiner Bank sprechen und dir Geld für einen neuen Wagen leihen.«

Ich ließ meinen Kopf auf das Kissen sinken. Ich wußte nicht warum, aber auf einmal liefen mir Tränen übers Gesicht. Ich dachte an den alten Countrysong *I've Got Tears In My Ears From Lying On My Back And Cryin' Over You*. Liz lutschte meine Schulter und küßte mich auf die Wange, während ihre Finger durch meine Haare fuhren. Aber ich war zu müde und zu verstört. Und Sex war nicht die Antwort, die ich jetzt brauchte. Schließlich setzte sie sich auf und lehnte sich über mich, nahm meinen Augen den Blick auf den letzten Rest Mondlicht, um mir einen zarten, flüchtigen Kuß auf die Stirn zu geben.

»Du bist hoffnungslos«, sagte sie.

»Nein, eigentlich nicht«, erwiderte ich, während ich mir die Augen rieb. »Ich bin nur pleite und verängstigt, und ich mache mir Sorgen um meinen Sohn. Davon abgesehen, bin ich ein großartiger Typ.«

Sie lachte und küßte mich. Ich hielt sie in meinen Armen, bis der Mond verschwand und es sehr dunkel wurde. Ich versuchte zu schlafen, aber ich konnte meinen Blick nicht von den Winkeln der Decke nehmen, obwohl ich sie gar nicht sehen konnte.

Liz schlief. Aber im Fortyfoot House veränderten Dinge ihre Positionen mit hohem Tempo. Bloße Füße huschten fast lautlos über die Dachsparren, pelzige Dinge rannten blind und schnell durch die Hohlräume hinter den Wänden. Der junge Mr. Billings kam näher, dessen war ich sicher. Und begleitet wurde er von ... von *was* bloß? Als ich aufwachte, schien die Sonne. Ich nahm an, daß mich das letzte Nachhallen eines Kindesschreis auf dem Schlaf gerissen habe.

Liz öffnete die Augen und sah mich an. Es war ein warmer Morgen, und die Fransen des Lampenschirms bewegten sich leicht in der Brise wie die Beine eines von der Decke herabhängenden Tausendfüßlers.

Sie küßte mich auf die Schulter, dann auf die Lippen.

»Soll ich dir mal was sagen?« fragte sie. »Du siehst beschissen aus.«

9. Der Priester

Am Morgen aß Liz zwei Weetabix und kippte einen großen Becher Kaffee in sich hinein, um sich auf den Weg zum Tropical Bird Park zu machen. Ich versprach ihr, daß wir sie um fünf Uhr mit dem Bus abholen würden. An der Tür gab sie mir einen Kuß, der keuscher nicht hätte ausfallen können und den Danny im Flur stehend mit einer Mischung aus Nachdenklichkeit und unterdrückter Freude beobachtete. Ich glaube, er begann sich an die Tatsache zu gewöhnen, daß seine Mutter und ich nicht wieder zusammenkommen würden. Ich glaube sogar, daß er allmählich zu vergessen begann, wie sie aussah und wie sie sich anfühlte. Außerdem mochte er Liz sehr.

Mein Gott, dachte ich, während Liz zur Straße ging. *Vergib uns unsere Verfehlungen und vergib uns, daß wir so verdammt stur und egoistisch sind.*

»Ich würde sagen, daß wir als erstes in der Küche die alte Farbe abkratzen«, sagte ich zu Danny. »Wir können in der Küche anfangen und uns dann vorarbeiten.«

»Kann ich nicht wieder Krebse suchen?«

»Ich dachte, du würdest mir bei der Arbeit helfen.«

Danny machte einen unerfreuten Eindruck. »Ja ... aber ich kann nicht gut kratzen.«

»Na gut. Aber bleib in der Nähe vom Strandcafé. Lauf nicht weg und geh nicht ins Wasser. Du kannst ein wenig plantschen, aber mehr nicht.«

Er nickte, ohne mich anzusehen. Vielleicht hörte er mir gar nicht zu. Oder er *hörte* mir zu und verstand bloß nicht alles, was ich ihm sagte. Wenn man erwachsen ist, setzt man so viele Dinge voraus. Man setzt voraus, daß man es schon schaffen wird, daß man attraktiv ist, daß die Kinder einen verstehen, wenn man ihnen etwas sagt. Vermutlich hatte Danny irgend etwas gehört, was dem entsprach, was er am liebsten machen wollte.

Ich sah ihm nach, wie er über den Rasen lief, vorbei am Fischteich und durch das Gartentor. Ich sah, wie die Sonne sein frischgewaschenes Haar leuchten ließ, während er auf dem Weg an den Cottages entlang weiterlief. Man bekommt nicht oft die Gelegenheit, jemanden so sehr zu lieben wie den eigenen Sohn. Ich hatte diese Chance, und dafür war ich dankbar.

Den ganzen Morgen über verbrachte ich damit, die Fensterrahmen mit beißendem, gelblichem Lösungsmittel zu bestreichen und in mühseliger Kleinarbeit uralte Farbe abzulösen. Unter der obersten, schwarzen Farbschicht waren mindestens vier bis fünf alte Lagen Farbe, die ich alle abtrug – grün, beige, sonderbar rosa, bis ich das nackte, graue Metall erreicht hatte. Diese monotone Arbeit hatte etwas sehr Therapeutisches an sich. Gegen elf Uhr war der größte Teil des großen Rahmens fertig und ich beschloß, mich mit einem Bier und einem Sandwich zu belohnen.

Am Strand entdeckte ich Danny. Er hatte offenbar verstanden, was ich ihm gesagt hatte, weil er nur wenige Meter vom Strandcafé vor einem Tümpel zwischen den Felsen hockte und Krebse mit einem Stock ärgerte. Ich würde ihm eine Predigt halten müssen, daß man Tieren gegenüber keine Grausamkeiten begehen soll.

Ich betrat den Garten des Cafés und wählte einen Tisch, von dem aus ich Danny sehen konnte. Kurz darauf kam Doris Kemble nach draußen.

»Was soll's sein?«

»Ein Lager und eines Ihrer Garnelensandwiches, bitte. Ach ja ... und ein Käsetoast für Sindbad den Seefahrer. Und eine Coca Cola.«

Sie notierte meine Bestellung auf einem kleinen Block. Ohne mich anzusehen, sagte sie: »Sie hatten Schwierigkeiten im Haus.«

»Ja«, sagte ich. »Sie haben bestimmt das mit Harry Martin gehört.«

»Ich habe auch gehört, was Keith Belcher mit Ihrem Wagen gemacht hat.«

Ich verzog das Gesicht. »Ich habe versucht, Harry davon abzuhalten, sich auf dem Speicher umzusehen. Aber er hat nicht auf mich hören wollen. Er sagte, Brown Jenkin habe seinen Bruder geholt, und darum sei er im Recht.«

Doris Kemble schauderte sichtlich. Dann setzte sie sich zu mir an den Tisch, als könne sie sich nicht länger auf den Beinen halten.

»*Gesehen* haben Sie Brown Jenkin nicht etwa?«

»Ich weiß nicht, vielleicht schon«, sagte ich vorsichtig. »Ich weiß, daß ich irgendeine Ratte gesehen habe.«

»Eine sehr große Ratte? Mit einem menschlichen Gesicht? Und menschlichen Händen?«

»Doris«, erwiderte ich und hielt ihre Hand. »Keine Ratte auf der ganzen Welt sieht so aus.«

»Brown Jenkin ist keine Ratte. Jedenfalls nicht das, was Sie als Ratte bezeichnen würden.«

»Und als was würden Sie ihn sonst bezeichnen?« fragte ich, dann wandte ich mich kurz ab und rief: »Danny! Beeil dich! Mittagessen!«

Danny stand auf. Er bildete eine schmale Silhouette vor dem glitzernden Sonnenlicht, das vom Sand, von den Pfützen und den Wellen reflektiert wurde.

»An Ihrer Stelle«, sagte Doris Kemble, während das Sonnenlicht jedes Staubkorn auf ihren Brillengläsern erkennen ließ, »würde ich den Jungen nehmen, und dann würde ich das Haus verlassen. Ich würde es denjenigen überlassen, die wissen, wie man mit Geistern und solchen Dingen umgeht. Die sollten das Haus niederbrennen und das weihen, was dann noch von ihm übrig ist. Es führt nichts Gutes im Schilde, darum. Und ich muß Vera Martin beipflichten, daß sie Ihren Wagen zertrümmert hat, so leid es mir tut, das zu sagen. Aber Sie hätten niemals zulassen dürfen, daß Harry nach Brown Jenkin sucht.«

Ich mußte mich sehr zusammenreißen, um nicht die Geduld zu verlieren und ihr zu sagen, was für ein dämliches altes Tratschweib sie war. Aber ich wußte, daß ich mehr von ihr hatte, wenn ich tolerant und reuig blieb.

»Ich schätze, Sie haben recht«, sagte ich, während ich meinen Blick auf Danny gerichtet hielt, der über die Steine in Richtung Promenade stieg. »Ich hätte Harry nicht ins Haus lassen dürfen.«

»Er hat immer gesagt, daß Brown Jenkin seinen Bruder geholt hat«, sagte Doris und schüttelte den Kopf. »Er hat es so oft gesagt, daß Vera es ihm verbieten mußte. Sie hatte ihm gedroht, zu gehen und nie wiederzukommen, wenn er noch einmal davon sprach.«

»Doris«, beteuerte ich. »Es ist nicht meine Schuld. Keine zehn Pferde hätten ihn davon abhalten können.«

»Tja. Jetzt ist es zu spät. Der arme Harry ist tot, und das war's. Keine Krittelei dieser Welt wird ihn zurückbringen.«

Ich wartete eine Weile, dann sagte ich: »Wenn jeder in Bonchurch sich schon immer solche Sorgen wegen Brown Jenkin gemacht hat ... warum hat dann noch niemals jemand etwas unternommen?«

Doris Kemble reagierte mit einem bitteren Lächeln. »Man kann nur schwer eine Kreatur fangen, die nicht immer vorhanden ist.«

»Ich verstehe nicht.«

»Könnten Sie heute mittag zum Bahnhof gehen und den Zug von gestern erwischen?«

»Natürlich nicht.«

»Könnten Sie heute mittag zum Bahnhof gehen und den Zug von *morgen* erwischen?«

»Nein.«

»Genau deshalb können Sie auch nicht Brown Jenkin fangen. Er war und er wird sein. Aber er *ist* nur sehr selten.«

»Doris, können Sie mir irgend etwas über den jungen Mr. Billings erzählen?«

»Was?« fragte sie mit einem aggressiven Unterton.

»Sie sagten, daß Ihre Mutter viel über die Billings wußte.«

»Ja, sicher. Ich habe gesagt, daß sie im Fortyfoot House geputzt hat. Und was sie nicht über die Billings wußte, war es auch nicht wert zu wissen.«

»Hat sie jemals Brown Jenkin erwähnt?«

»Nicht oft. Sie machte das nicht so gerne. Jeder in Bonchurch weiß von Brown Jenkin. Einige sagen, daß es stimmt, andere halten es für

Die Opferung

Unsinn. Wir haben hier ein Sprichwort, wenn jemand zuviel getrunken hat: ›Er hat Brown Jenkin gesehen‹. Sie wissen schon, anstelle von rosa Elefanten.«

»Und was glauben *Sie*?«

Doris nahm ihre Brille ab. Ihre Augen wirkten müde und matt, ihre Wangen waren rissig. »Ich habe Brown Jenkin nie selbst zu Gesicht bekommen. Aber als ich jung war, sagten viele meiner Freunde, sie hätten ihn gesehen. Und dann war da noch Helen Oakes, meine beste Freundin zu jener Zeit. Eines Tages verschwand sie, und niemand wußte, was mit ihr geschehen war. Man gab ihrem Vater die Schuld, er wurde zweimal verhört, aber niemand konnte irgend etwas beweisen. Also ließen sie ihn wieder laufen. Es hat ihn trotzdem in den Ruin getrieben. Er mußte sein Geschäft verkaufen und wegziehen. Ich habe gehört, daß er sich kurz nach dem Krieg erhängt haben soll.«

»Aber was hat es mit dem jungen Mr. Billings auf sich?« hakte ich nach.

Sie machte eine Pause und dachte nach, dann schüttelte sie den Kopf. »Es bringt nichts, Geschichten über Leute zu erzählen, die seit langem tot sind. Vor allem Geschichten aus zweiter und dritter Hand. Das bringt ganz und gar nichts.«

»Vielleicht doch«, sagte ich. »Ich glaube, wenn wir verstehen könnten, was in der Vergangenheit geschehen ist, dann sind wir vielleicht auch in der Lage zu verstehen, was heute im Fortyfoot House geschieht.«

Doris Kemble setzte ihre Brille wieder auf und sah mich eindringlich an. »Meine Mutter hat gesagt, daß der junge Mr. Billings Dinge wußte, die er nicht hätte wissen sollen. Er ist an Orte gereist, an die kein Mensch jemals reisen sollte. Und er hat Dinge gesehen, die kein Mensch jemals sehen sollte. Er hat irgendeinen Pakt geschlossen, der mit dem Leben unschuldiger Kinder bezahlt werden mußte. Darum wollte ich als Kind nie in der Nähe des Fortyfoot House spielen, und darum gehe ich auch heute noch niemals dorthin.«

»Hat Ihre Mutter gesagt, was das für ein Pakt war und mit wem er ihn geschlossen haben könnte? Hat sie Ihnen irgendeinen Hinweis gegeben?«

Doris Kemble sagte: »Ich mache jetzt Ihre Sandwiches fertig. Da kommt Ihr Junge.«

Ich umfaßte ihr Handgelenk.

»Bitte, Doris. Nur ein ja oder ein nein. Hat Ihre Mutter Ihnen gesagt, was das für ein Pakt war?«

Sie wartete geduldig, bis ich sie wieder losließ. »Jeder hat nur geraten, es war ein Rätsel. Einige sagten, es sei der Teufel gewesen, aber andere glauben, es sei etwas viel Schlimmeres gewesen. Keiner weiß etwas Genaues.«

Ich ließ sie los. »Tut mir leid«, sagte ich.

»Keine Ursache«, erwiderte sie. »Das Haus kann jeden verrückt machen.«

Danny kam zum Tisch und setzte sich. »Ich habe sechs Krebse gefangen. Ich habe sie wieder laufenlassen und ich habe ihnen nicht die Beine ausgerissen.«

Ich strich durch sein Haar. »Du warst ja richtig *gnädig*. Wie wär's mit einem Käsetoast?«

Wir aßen zu mittag und sahen hinunter zum Strand. Wir sprachen nicht viel, statt dessen genossen wir den Wind und das Meeresrauschen. Nur Doris Kemble verdarb mir die Laune, weil sie mich unablässig so stechend ansah, als wolle sie mir unbedingt noch etwas sagen. Zweimal ertappte ich sie dabei, wie sie zu mir sah und sich auf die Unterlippe biß.

Als wir fertig waren, bezahlte ich und sagte: »Wenn Ihnen sonst noch etwas einfällt, werden Sie es mir doch sagen, oder?«

Sie nickte. Sie tippte die Preise für unser Essen in die Kasse, und als sie mir das Wechselgeld reichte, sagte sie mit zitternder Stimme: »Es heißt, daß der junge Mr. Billings verheiratet war. Jedenfalls sagte meine Mutter das. Er war mit einer sehr jungen Frau verlobt, die sein Vater aus London mitgebracht hatte, einer Waise, Familienname Mason. Ein sehr sonderbares, wildes Mädchen.«

Ich wartete, das Wechselgeld noch immer in der Hand. »Und?« fragte ich schließlich.

»Es war so ... der junge Mr. Billings hatte einen Sohn. Aber mit dem Sohn stimmte etwas nicht. Niemand hat ihn jemals gesehen. Die meisten hier dachten, er sei tot, aber niemand hat gesehen, daß er beerdigt wurde. Einige Leute haben getuschelt, daß der Sohn des jungen Mr. Billings behaart und seltsam war. Einige meinten, er sehe wie eine Ratte aus. Manche Leute sagten, der Kerl mit dem braunen Fell im Gesicht, das sei sein Junge, aber genau wußte das niemand.«

»Brown Jenkin«, sagte ich fast tonlos.

Doris Kemble nickte, ihre Lippen hatte sie fest zusammengepreßt. Ihr Gesicht glich einer zerschlagenen Fensterscheibe.

»Meine Mutter hat oft davon erzählt, bevor sie starb. Sie war 84, und sie war ein wenig daneben. Sie dachte immer, sie befinde sich wieder in der Zeit, als sie das Haus saubermachte. Der junge Mr. Billings war da ja schon lange tot. Aber die Geschichten, die die Leute ihr erzählten ... Ich würde schon sagen, daß sie bei ihr einen ziemlichen Eindruck hinterlassen haben. Manchmal sprach sie so über den jungen Mr. Billings, als habe sie ihn sehr gut gekannt. Und Brown Jenkin ebenfalls. Brrrr! Mich schaudert, wenn ich nur daran denke.«

»Das kann wohl sein«, pflichtete ich ihr bei. Zur gleichen Zeit dachte ich darüber nach, ob es stimmen konnte, daß das Ratten-Ding der Sohn des jungen Mr. Billings war.

»Können wir *gehen*?« fragte Danny ungeduldig.

Aus irgendeinem Grund sah ich aber nicht zu ihm, sondern zu den Cottages, die die Küste säumten und von denen das Strandcafé das letzte Gebäude in der Reihe war. Am Ende des steilen Weges, der vom Fortyfoot House hinabführte, glaubte ich, im Schatten der Bäume einen Mann zu sehen, einen Mann mit einem blassen Gesicht, der komplett in Schwarz gekleidet war. Er sah eindringlich zu uns herüber, seine Augen hatte er zusammengekniffen, damit er uns auf die große Entfernung deutlicher sehen konnte.

Doris Kemble hob den Kopf und bemerkte meine Blickrichtung. Sie drehte sich in die gleiche Richtung, doch genau in dem Augenblick verschwand der Mann, als sei er nichts weiter gewesen als eine optische Täuschung.

Im gleichen Moment kippte direkt hinter Doris' Kopf ein Krug im Regal um und fiel zu Boden, wo er in Stücke zersprang. Eine beunruhigende innere Stimme sagte mir, daß es zwischen dem Verschwinden des Mannes und dem zerbrochenen Krug einen Zusammenhang gab.

Ich nahm den Nachmittag frei, um mit Danny zusammen einige Nachforschungen anzustellen. Hand in Hand spazierten wir auf der kilometerlangen Promenade bis nach Ventnor. Es war ein erfreulicher warmer Tag, das Meer war strahlend blau, und die Möwen kreisten laut schreiend über den Klippen. Wir gingen einen steilen Pfad hinauf, der durch Büsche und Kalkstein führte, bis wir einen Parkplatz und die ersten Seitenstraßen von Ventnor erreichten.

Ventnor hatte nicht viel zu bieten: eine typische britische Küstenstadt mit Bushaltestelle und einem Kino, aus dem man eine Bingohalle gemacht hatte, mit Geschäften, die prallvoll gefüllt waren mit Wasserbällen und Strohhüten und Eimer-und-Schaufel-Sets. Aber es gab eine Pfarrkirche, St. Michael's, und eine Bibliothek – und mehr brauchte ich nicht.

In der engen, sonnendurchfluteten und viel zu warmen Bibliothek, die nach Lavendelbohnerwachs roch, saß ich in einer Ecke und studierte das Fach GEISTER und OKKULTE PHÄNOMENE. Ich las über das schottische Schloß im Königreich Fife, in dem einmal im Jahr Blut über die Steintreppe strömte und die große Halle überflutete. Ich las über den Mann ohne Gesicht, der den Trost seiner vor langer Zeit verstorbenen Mutter suchte und deshalb in einem kleinen Cottage in Great Ayton in Yorkshire erschien.

Ich suchte auch unter ZEIT und RELATIVITÄT. Das meiste, was ich entdeckte, war so geheimnisvoll, daß ich es nicht mal im Ansatz verstand, auch wenn sich in *The Arrow of Time* einige interessante Passagen über alternative Realitäten fanden und darüber, warum es wissenschaftlich gesehen möglich ist, daß ein und dasselbe kosmische Szenario mehrere verschiedene, aber parallele Konsequenzen haben kann. Mit anderen Worten: Die Indianer hätten sich zur Wehr setzen und Amerika für sich behalten können. Und Hitler hätte ein weiser und gütiger Kanzler sein können, der Europa Frieden und Wirtschaftswachstum bescherte.

Ganz am Ende des Regals zum Thema ZEIT stieß ich auf eine von Eselsohren geprägte Ausgabe von *National Geographic*. Sie war vom Juni 1970, in Plastik eingeschlagen, und trug einen gelben Aufkleber mit der Aufschrift ZEIT & SUMERISCHE ANTIKE, S. 85. Ich schlug die Zeitschrift auf und suchte den Artikel – ›Zikkurat-Magie im antiken Sumer‹ von Professor Henry Coldstone II. Es ging um die Zikkurats von Babylon, die terrassenartig angelegten Türme, die rund um Ur am Euphrat erbaut worden waren.

Nicht das Thema das Artikels weckte meine Aufmerksamkeit, sondern ein grobkörniges Schwarzweißfoto, mit der Unterzeile: ›Sumerischer Tempel, der im August 1915 von den Türken niedergerissen wurde, weil seine Form den örtlichen Bey störte‹.

Vom Tempel war wegen der schlechten Qualität des Fotos kaum etwas zu erkennen. Aber etwas an seiner Silhouette war äußerst vertraut, an der Art, wie seine Winkel dem Auge einen Streich spielten, und an den finsteren und unnatürlichen Perspektiven.

Ich hätte alles Geld – das ich nicht mehr besaß –, darauf verwetten können, daß es sich um ein Foto des Dachs von Fortyfoot House handelte.

Ich überflog den Rest des Artikels in aller Eile. Die Bibliothek wurde jeden Moment geschlossen, während eine üppige Frau in einem grauen Twinset und mit Brille mich vom Tresen aus beobachtete, als wolle ich ein Buch stehlen.

Professor Coldstone stellte die These auf, daß im antiken Irak mehrere bedeutende Zikkurats errichtet worden waren, die – obwohl aus massivem Stein gebaut – in der Lage waren, ihre räumlichen Dimensionen zu ändern, und die die Babylonier benutzt hatten, um von einer Welt in die andere zu reisen.

Die Opferung

Die Babylonier glaubten an die Existenz unendlich vieler antiker Zivilisationen, in die man sich unter Anwendung bestimmter astrogeometrischer Formeln begeben konnte, die auf den Mustern der wichtigen Konstellationen basierten. Mathematiker der Neuzeit waren trotz des Einsatzes von Computern, die präzise Bewegungen quer durch das gesamte Universum berechnen konnten, bislang nicht in der Lage gewesen, diese Formen wieder zu erschaffen, weil sie so viele scheinbar absurde und mathematisch unmögliche Faktoren enthielten.

Professor Coldstone führte aus, daß »die Zivilisation der Sumerer auf Wissen basierte, das von einer anderen Welt jenseits der Zikkurats stammte«. Die Keilschrift der Sumerer wies keinerlei Übereinstimmungen mit irgendeiner anderen Schrift dieser Erde auf, auch wenn viktorianische Übersetzer versucht hatten, zu zeigen, daß es sich um nichts anderes als gekippte vereinfachte Piktogramme handelte. Die Götter der Sumerer und ihre Legenden zeigten keine religiösen oder anthropologischen Verbindungen zu irgendeiner anderen menschlichen Religion oder Glaubensrichtung. Bereits um 3500 vor Christus berichteten sie mit einer unheimlich anmutenden Selbstverständlichkeit von einem Ort, »an dem keine Tage gezählt werden« – ein Ort, den ihre Priester und Gelehrten vergleichsweise problemlos erreichen konnten, wenn auch nicht immer ohne Risiken. Einige der Priester verfielen durch das, was sie jenseits der Zikkurats zu sehen bekamen, dem Wahnsinn. Es gab sogar ein spezielles Symbol für den, »der gesehen hat, was jenseits wartet«. Nicht, was jenseits »liegt« oder »lebt«, sondern »wartet«. Worauf dieses Unbekannte wartete, dazu sagte Professor Coldstone nichts.

Über den von den Türken zerstörten Tempel fand ich nur wenig, lediglich eine Notiz des Bey, die besagte: »Er ist ein Zentrum des Unbehagens. In der Nacht sehen wir Lichter und hören Stimmen in Sprachen, die wir nicht verstehen können. Da sein Fortbestand die türkische Kontrolle über dieses Gebiet zu gefährden droht, habe ich angeordnet, den Tempel zu sprengen.«

Ich bat die Frau im grauen Anzug, mir den Artikel zu kopieren. »Sieht interessant aus«, sagte sie, während das grelle Licht des Kopierers die Abstellkammer beleuchtete, in der er gleich neben der Spüle, dem Wasserkessel und einem halben Dutzend Tassen aufgestellt worden war. »Zikkurats.«

»Also eigentlich sind die ziemlich langweilig«, sagte ich, während ich erfolglos versuchte, ein Lächeln zustandezubringen. Aufgewirbelter Papierstaub sank von der Nachmittagssonne beschienen zu Boden. In der Kinderecke der Bibliothek saß Danny im Schneidersitz auf dem

Boden und las eine Kinderfassung von *Dracula*. »Warum trinken Vampire das Blut von anderen Leuten?« fragte er mich, während wir die Stufen von der Bibliothek hinuntergingen.

»Weil sie keinen Fischgeruch mögen.«

»Nein, *wirklich*. Warum trinken sie Blut?«

»Das ist nur eine Geschichte, die dir Angst einjagen soll.«

»Was passiert denn, wenn ein Vampir von jemandem Blut trinkt, der AIDS hat?«

Ich blieb an der Ecke stehen, während ein Bus an uns vorbeifuhr, und sah ihn an. »Wie alt bist du?«

»Sieben.«

»Dann erzähl nicht solche Dinge. Du mußt dir keine Gedanken über AIDS machen. Noch nicht, jedenfalls.«

»Aber wenn mich ein Vampir beißt, und der Vampir hat AIDS von jemandem, den er vorher gebissen hat?«

»Und was ist, wenn du mir so viele Fragen stellst, daß mein Kopf explodiert?«

Wir erreichten St. Michael's, eine bescheidene viktorianische Kirche, umgeben von Steinmauern und mit Zypressen im Kirchhof. Es war erkennbar, daß die Kirche einmal auf einem weitläufigeren Grundstück gestanden hatte. Doch ein großer Teil davon war aufgegeben worden, um die Hauptstraße zu verbreitern. So drängten sich zwanzig oder dreißig Grabsteine wie eine Zahnreihe an die Mauer, die dank der größten Bäume im Schatten lag.

In der Kirche, in der es überraschend kalt war, warf jeder unserer Schritte ein lautes Echo. Eine ältliche Frau war mit einer Blumendekoration beschäftigt, der Vikar stand auf einer Holzleiter und tauschte die Nummern der Kirchenlieder aus. Ich ging zu ihm hinüber und sagte: »Guten Morgen.«

Er schob seine Brille soweit herunter, daß er mich über den Rand ansehen konnte. Nach dem ersten Eindruck zu urteilen, schien er nicht älter als vielleicht fünfundvierzig oder fünfzig, aber er war auf dem besten Weg zur Glatze und besaß all die betulichen, übertriebenen Verhaltensweisen eines Mannes im Rentenalter. Er trug eine dicke Tweedjacke und eine abgewetzte grüne Kordhose.

»Bin sofort bei Ihnen«, sagte er, während er die letzte Karte einschob. Dann stieg er von der Leiter und sah mich an. »Kommen Sie wegen der Abflußrohre?«

»Nein, ich wollte Sie nur fragen, ob ich einen Blick auf die Aufzeichnungen der Pfarrei werfen dürfte.«

»Die Aufzeichnungen? Also, das wird ziemlich viel Arbeit werden.

Abgesehen von diesem und vom letzten Jahr befinden sie sich alle im Vikariat. Kommt drauf an, welches Jahr Sie suchen.«

»Ich bin nicht sicher, aber ich nehme an, daß es vor 1875 sein muß.«

»Darf ich fragen, was genau Sie suchen, Mr. ...?«

»Williams, David Williams. Ja ... ich suche Daten über eine Hochzeit.«

»Ich verstehe. Vorfahren von Ihnen?«

»Nein, aber Leute, über die ich etwas weiß und über die ich etwas mehr wissen möchte.«

»Das waren doch Leute von hier, oder?« fragte der Vikar. Dann wandte er sich der alten Frau zu, die noch immer mit den Blumenarrangements beschäftigt war. »Nicht zu viele Gladiolen vor der Kanzel, Mrs. Willis. Ich möchte noch meine Gemeinde sehen können«, rief er ihr so laut zu, daß seine Worte noch geraume Zeit nachhallten.

»Ja, sie waren von hier«, erklärte ich. »Sie lebten in Bonchurch.«

»Und Sie sind sicher, daß sie hier geheiratet haben? Sie hätten auch in Shanklin heiraten können.«

»Richtig, aber ich dachte mir, daß ich einfach hier anfange.«

Er sah auf seine Uhr. »Ich gehe jetzt zurück ins Vikariat. Wenn Sie wollen, können Sie sofort mitkommen.«

Wir verließen die Kirche, überquerten die Straße und gingen dann durch eine schmale Gasse zu einem großen spätviktorianischen Haus, das von Lorbeerhecken und einem beschädigten Holzzaun umgeben war. Zwischen den Steinplatten in der Einfahrt wucherte Unkraut, und die braune Farbe an den Türen und den Fensterrahmen blätterte ab.

»Ich fürchte, es sieht alles ein wenig schäbig aus«, sagte der Vikar, während er die Haustür öffnete. »Für einen Luxus wie Farbe ist heutzutage nicht mehr viel Geld übrig.«

Er führte uns in den Flur mit Kachelboden und brauner Holzvertäfelung.

Ein starker Geruch von Fleisch und Kohl zog durchs Haus, woraufhin Danny die Nase rümpfte und sagte: »Schulessen.«

Ich sagte ihm, er solle ruhig sein, doch der Vikar lachte. »Stimmt genau«, sagte er. »Mir hat das Schulessen immer geschmeckt.«

Eine Frau mit einer geblümten Schürze kam aus der Küche und trug ein Goldfischglas. Ihr Gesicht war so ausdruckslos wie ein Teller.

»Mrs. Pickering«, stellte der Vikar vor, woraufhin die Frau flüchtig lächelte.

»Sie können die Bibliothek benutzen«, fuhr der Vikar fort, während er weiter durch den Flur ging. »Die Aufzeichnungen befinden sich alle dort, allerdings nicht in der chronologischen Reihenfolge. Sie sagten 1875?«

»Um 1875. Ich bin nicht ganz sicher.«

»Kennen Sie die Namen der Eheleute?«

»Ja. Der Bräutigam hieß Billings, die Braut Mason.«

Er blieb stehen. »*Billings* sagten Sie? Und *Mason*? Aus Bonchurch?«

»Genau, das Fortyfoot House.«

»Oh«, sagte er abweisend. »*Das* ist allerdings etwas anderes. Sie ... *schreiben* darüber?«

»Nein, nein, ich bin Handwerker, ich schreibe nichts. Ich wohne zur Zeit im Fortyfoot House. Ich soll es ein wenig flottmachen, damit die Eigentümer es verkaufen können.«

»Sie ... was? Sie machen es ... flott?«

»Sie wissen schon, streichen, tapezieren, renovieren.«

»Ach so«, sagte der Vikar. »Entschuldigen Sie bitte, daß ich so reagiert habe. Es ist nur so, daß ich gelegentlich äußert unerwünschte Anfragen über Fortyfoot House erhalte ... von den weniger seriösen Zeitungen, Sie wissen schon. Und von Leuten, die Bücher über schwarze Magie und okkulte Geheimnisse schreiben. Ich versuche nach Kräften, sie davon abzubringen.«

»Ich wußte nicht, daß Fortyfoot House so bekannt ist.«

»Ich glaube, ›berüchtigt‹ wäre das passendere Wort«, erwiderte er. Er öffnete die Tür zur Bibliothek und ließ uns hinein. In dem Raum war es stickig und heiß und es herrschte eine entsetzliche Unordnung. In Leder gebundene Bücher, Fotoalben und vergilbte Pfarrzeitungen stapelten sich in jedem der Regale, und auf dem ausgefransten Teppich fanden sich noch höhere Türme aus Büchern und Zeitschriften. Eine Katze lag zusammengerollt auf der Fensterbank, das Maul leicht geöffnet, während sie wie im Koma schlief. Gleich neben ihr stand eine leere Flasche Moët & Chandon, daneben eine afrikanische Elfenbeinstatuette.

»Sie *wohnen* dort?« fragte der Vikar.

»Richtig. Mr. und Mrs. Tarrant wollen es so schnell wie möglich in einem verkaufsfähigen Zustand haben.«

»Ah, ja. Tja, das ist auch verständlich. Dieses Haus scheint jedem Unglück zu bringen, der es besitzt.«

»Haben Sie eine Ahnung, warum das so ist?«

Der Vikar nahm seine Brille ab und rieb sich mit dem Handrücken über die Augenbrauen. »Ich habe mich selbst einmal damit beschäftigt. Ich habe mich schon immer für die örtliche Geschichte und für Aberglauben interessiert. Aber über dieses Haus gibt es so viele widersprüchliche Geschichten, daß man nur schwer sagen kann, welche man glauben soll.«

»Aber Sie haben vom jungen Mr. Billings gehört und von der Frau, die er geheiratet hat, dieser Frau namens Mason. Und Sie wissen von Brown Jenkin, oder?«

Mit gesenkter Stimme erwiderte der Vikar: »Wenn man in Ventnor lebt, dann weiß man auch von ihnen. Das ist ein Teil der lokalen Mythologie.«

»Haben Sie dort jemals irgend etwas *gesehen*? Irgend etwas, das Sie dazu bringen könnte, einiges davon für wahr zu halten?

Er sah mich eindringlich an: »Darf ich aus Ihrem besonderen Interesse schließen, daß *Sie* etwas gesehen haben?«

Danny stand am Fenster und streichelte die Katze. »Ich bin nicht sicher, was ich gesehen habe«, antwortete ich dem Vikar. »Mit im Haus lebt zur Zeit eine junge Frau. Sie hat sich fast einreden können, daß es Hausbesetzer sind, die sich auf dem Dachboden verstecken und die versuchen, uns Angst einzujagen.«

»Aber *Sie* glauben das nicht«, sagte der Vikar und strich sein weniges Haar zurück.

»Ich muß sagen, daß es mir schwerfällt, das zu glauben.«

»Sie haben Stimmen gehört? Sie haben grelle, unerklärliche Lichter gesehen?«

»Mehr noch. Ich habe etwas gesehen, das wie eine Ratte aussieht, aber keine Ratte ist. Und ich habe ein Mädchen in einem Nachthemd gesehen, das den Eindruck machte, als sei es tot. Und ich habe jemanden gesehen, der Billings sein könnte; ich bin sogar sicher, daß er es ist. Das Problem ist, das alles wirkt wie eine Halluzination. Es ist immer im gleichen Augenblick wieder vorbei, und ich bin mir nie sicher, ob ich *wirklich* etwas gesehen oder gehört habe oder ob ich ...«

»... verrückt werde«, führte der Vikar den Satz für mich zu Ende.

»Ja. Ich meine, mein Sohn hat Billings ebenfalls gesehen. Und auch das Mädchen mit dem Nachthemd. Liz ebenfalls. Aber ... ich weiß nicht ...«

»Glauben Sie, daß Sie alle die gleichen Halluzinationen haben könnten? Eine Art kollektive Wahnvorstellung?« fragte der Vikar.

»Ich schätze schon. Ich kenne mich nicht sehr gut mit übernatürlichen Dingen aus, oder mit dem Leben nach dem Tod.«

»Tja, so geht es uns allen«, räumte der Vikar ein. »Ach, übrigens, ich heiße Dennis Pickering, aber nennen Sie mich bitte Dennis. Das macht jeder hier. Möchten Sie einen Tee? Meine Frau macht einen schrecklich guten Kümmelkuchen. Und Ihr Sohn ... möchte er vielleicht einen Orangensaft?«

Danny rümpfte die Nase. Für einen Jungen, der mit Pepsi Light und Lucozade Sport großgeworden war, hatte die Vorstellung eines lauwarmen Orangensafts etwas äußerst Unappetitliches.

»Vielleicht möchtest du lieber einen Yoghurt?« schlug Dennis Pickering vor.

Dannys Gesichtsausdruck wechselte von leicht angewidert zu etwas, das an den Glöcker von Notre Dame erinnerte.

»Er hat gerade gegessen«, erklärte ich.

Pickering räumte einen Stapel Papiere und Bücher zur Seite, und wir nahmen Knie an Knie auf dem Rand des verstaubten braunen Ledersofas Platz.

»Da ist noch etwas«, sagte ich ihm. »Etwas, das nur ich gesehen habe und das mich an der Theorie der Massenhysterie zweifeln läßt. Letzte Nacht so gegen zwei Uhr sah ich etwas in einer Ecke an der Decke in meinem Schlafzimmer. Es war zuerst nur ein verschwommenes Licht, aber dann veränderte es sich langsam zu einer Ordensschwester oder einer Nonne. Es war nicht richtig klar zu sehen. Es hat mich zu Tode erschreckt, um ehrlich zu sein. Ich schrie dieses ... dieses Etwas an, und dann verschwand es.«

Pickering nickte nachdenklich. Er legte seine knochigen Hände aneinander, als wolle er beten. Und lange Zeit sagte er gar nichts.

»Sie *glauben* mir doch, oder?« fragte ich und lachte nervös. Mit einem Mal kam mir der Gedanke, daß er mir womöglich *nicht* glaubte und nur überlegte, ob er die Polizei oder die nächste Klapsmühle anrufen sollte.

»Guter Mann!« Er schlug seine Hand auf mein Knie, zog sie dann aber schnell zurück, als er erkannte, daß seine Geste falsch ausgelegt werden könnte. »Ja ... ja, ich glaube Ihnen. Alle meine Vorgänger wußten davon, daß es im Fortyfoot House etwas gibt, was man als ›spirituelle Unregelmäßigkeiten‹ bezeichnen könnte. Ich habe lediglich überlegt, was ich Ihnen raten kann und was ich eigentlich *tun* kann.«

»Gibt es *überhaupt* irgend etwas, was Sie tun können? Könnte man Fortyfoot House beschwören? Oder können all diese Geister ruhiggestellt werden? In den Filmen geht so was immer.«

Pickering seufzte und sagte: »Ja, in den Filmen geht das immer. Aber das hier ist die Wirklichkeit, Mr. Walker. Die Rastlosen und die, die tot sein sollten, sind in der Realität nicht so einfach zu besänftigen wie in der Phantasie.«

»Haben Sie irgendeine Vorstellung davon, was diese Störungen verursacht?« fragte ich ihn.

Er schüttelte fast bedauernd seinen Kopf. »Ich kenne die Geschichte des Fortyfoot House sehr gut. Und ich habe auch Lichter gesehen und Geräusche gehört, die man übernatürlichen Einflüssen zuschreiben könnte. Aber was sie genau sind und was sie wollen ... tja, da habe ich absolut keine Vorstellung. Und auch keiner meiner Vorgänger in dieser

Pfarrei konnte etwas dazu beitragen. Es ist so, als lebe man gleich neben einem aktiven Vulkan. Es behagt einem vielleicht nicht, aber man muß sich damit abfinden.«

Ich hole die Kopie hervor, die die Frau in der Bibliothek für mich gezogen hatte. »Ich habe da eine Theorie, na ja, es ist weniger eine Theorie, es ist mehr so ein Gefühl, daß Fortyfoot House an zwei Orten gleichzeitig existiert. Genauer gesagt, in zwei *Zeiten* gleichzeitig. Hier, sehen Sie. Die alten Sumerer bauten Zikkurats, die ihnen angeblich den Zugang zu einer anderen Welt ermöglichten, die der gleiche Ort war, nur noch viel älter.«

Dennis Pickering faltete die Kopie auseinander. »Das ist äußerst interessant«, sagte er. »Ich habe davon gehört. Angeblich soll es nicht nur eine prähistorische, sondern sogar eine ›vormenschliche‹ Zivilisation in Arabien gegeben haben, die Mnar, deren Hauptstadt Ib war. Einigen Historikern zufolge wie beispielsweise Dr. Randolph Carter ... ah, ja, sehen Sie doch, hier unten wird Carter sogar erwähnt ... also es heißt, daß die Sumerer in der Lage gewesen sein sollen, in der Zeit zurückzureisen, um nach Ib zu gelangen. Möglich gemacht wurde ihnen das angeblich durch bestimmte mathematische Formeln und ungewöhnliche architektonische Strukturen. Es ist faszinierend, wenn auch ein wenig überholt. Ich habe das meiste darüber auf dem College gelernt. Aber es ist meiner Meinung nach sehr suspekt.«

Er nahm seine Brille ab und sah mich an. »Ich kann allerdings nicht sehen, wo der Zusammenhang zum Fortyfoot House sein soll. Meiner Meinung nach ist Fortyfoot House einfach nur eines von diesen Gebäuden, die von der Verderbtheit derer heimgesucht werden, die dort einmal gelebt haben. Und von der Tragödie derjenigen, die dort gestorben sind. Ein klassischer Fall von Heimsuchung. Ich habe sogar selbst schon einen kleinen Artikel darüber geschrieben, *Die Heimsuchung von Fortyfoot House*. Er wurde Anfang der siebziger Jahre in der *Church Times* veröffentlicht.«

Er gab mir die Kopie zurück. »Reverend John Claringbull war der Vikar von St. Michael's, als Fortyfoot House gebaut wurde. Er kannte Mr. Billings sehr gut. Den *alten* Mr. Billings, nicht den jungen Mr. Billings. Der alte Mr. Billings war ein bekannter Menschenfreund. Als er beschloß, Fortyfoot House zu bauen, um Waisenkinder aus dem Londoner East End aufzunehmen, stellte ihm Reverend Claringbull jede erdenkliche pastorale Unterstützung zur Verfügung. Es ist alles in seinen Tagebüchern festgehalten, die noch immer hier im Vikariat sind, wo sie auch hingehören. Mit dem Bau von Fortyfoot House lief alles nach Plan, bis der alte Mr. Billings eines Tages aus London ein elternloses Mädchen mitbrachte, das sein Dienstmädchen und seine Köchin und Putzfrau werden sollte. Mr. Billings betrachtete die moralische Errettung dieses Mädchens als eine der größten Herausforderungen seines Lebens – eine Herausforderung, wie sie sich ihm noch nie gestellt hatte. Das Mädchen war vierzehn Jahre alt und hatte seit dem zehnten Lebensjahr als Prostituierte gearbeitet. Dieses Mädchen ... diese junge Frau war jenseits aller Vorstellungskraft verdorben. Es hieß, daß sie in den finstersten Straßenzügen der Londoner Docks aufgewachsen war, zwischen Ratten, Huren, Kriminellen und anderen Menschen, deren moralische Verwerflichkeit Sie sogar noch heute schockieren würde.«

Er machte eine kurze Pause, dann fuhr er mit seinen Schilderungen fort: »Laut Mr. Billings hatte Dr. Barnardo diese junge Frau aus der Obhut eines namenlosen und verdreckten Wesens gerettet, das im Zentrum aller Rattennester in den Londoner Kaianlagen lebte. Er konnte nicht sagen, ob es sich dabei um eine Frau oder einen Mann handelte, nicht mal, ob es überhaupt menschlich war. In Dr. Barnardos Tagebüchern können Sie nachlesen, daß es in fast völliger Dunkelheit dasaß, umgeben von den Kadavern Tausender großer Kanalratten, von denen einige so alt waren, daß sie schon zu Staub zerfallen waren, während andere erst vor relativ kurzer Zeit ihr Leben gelassen hatten und teilweise mumifiziert waren. Diese junge Frau hatte zu Füßen dieses Wesens gesessen, sie war in schmutzigen Samt gekleidet und hatte – laut Dr. Barnardo – einen grotesken und gutturalen Gesang rezitiert, immer und immer wieder. Auch wenn er den Text nicht verstehen konnte, verspürte Dr. Barnardo unglaubliches Entsetzen, fast so, als sei es ein Gebet an Gevatter Tod persönlich.«

Pickering sah mich nachdenklich an, während er abermals eine Pause machte. »Die junge Frau setzte sich heftig zur Wehr«, sprach er dann weiter, »als Dr. Barnardo sie mitnehmen wollte. Schließlich holte er sich aber Unterstützung in Gestalt von zwei kräftigen jungen Freunden, und sie erwischten sie eines Nachts in der Slugwash Lane, um sie zu Mr. Billings Haus in London zu bringen. Obwohl sie eingeschlossen wurde, versuchte sie zweimal, zu entkommen. Schließlich entschied der alte Mr. Billings, sie mit auf die Isle of Wight zu nehmen, auch wenn Fortyfoot House noch längst nicht fertiggestellt war. Er wollte sie nur so weit wie möglich von London fortbringen. Er glaubte, daß er gemeinsam mit Mr. Claringbull aus der Hafendirne eine saubere, anständige und folgsame junge Frau machen könnte.«

»Das *Pygmalion*-Syndrom«, warf ich ein. »Aus einem Blumenmädchen eine Dame von Welt machen. ›Es grünt so grün, wenn Spaniens Blüten blühn‹.«

Die Opferung 125

»Ja, genau«, pflichtete Pickering mir bei. »Leider verliefen die Bemühungen des alten Mr. Billings, die Rolle des Professor Higgins zu spielen, gründlich verkehrt. Ist Ihr Junge sicher, daß er keinen Yoghurt möchte? Meine Frau macht ihn selbst.«

»Nein, danke, wirklich nicht.«

»Also ich muß sagen, daß ich es ihm nicht verübeln kann. Ich hasse ihren Yoghurt.«

»Was lief zwischen dem alten Mr. Billings und der jungen Frau aus dem Ruder?« hakte ich nach.

»Alles, guter Mann, einfach *alles*! Die junge Frau war so entschlossen und verschlagen und charakterstark, daß Mr. Billings *ihr* nach kurzer Zeit buchstäblich aus der Hand fraß. Und Mr. Claringbull brachte sie dazu, ihm widerspruchslos zur Seite zu stehen. In Mr. Claringbulls Aufzeichnungen ist das alles sehr lebhaft geschildert. Ihre Lektüre ist wirklich sehr nervenaufreibend. Laut Mr. Claringbull bestand sie fast vom ersten Augenblick darauf, daß Billings Hunderte von Guineen für edle Kleidung und für Schmuck ausgab, und auch wenn sie erst vierzehn war, kleidete und schminkte sie sich wie eine Erwachsene. Sie verlangte, daß er ihr Brandy kaufte, was er auch tat. Und Morphium. Das beschaffte er sich bei Dr. Bartholomew in Shanklin. Sie schlief mit jedem Mann und jedem Jungen, der ihr gefiel. Und sogar« – er senkte seine Stimme so sehr, daß sie kaum noch hörbar war – »mit Ponys und Hunden.«

»Mein Gott«, sagte ich. Ich hatte keine Ahnung, welche Reaktion er von mir erwartete.

»Das Sonderbarste aber war, daß sie unverrückbar darauf beharrte, daß er die Architektenpläne für das Dach des Fortyfoot House änderte. Sie präsentierte Zeichnungen und Berechnungen, die die Architekten in Erstaunen versetzten. Die weigerten sich im übrigen, sie umzusetzen, weil sie aus ihrer Sicht technisch nicht korrekt waren. Ihrer Meinung nach konnte man ein solches Dach nicht bauen. Aber die junge Frau war so beharrlich in ihrer Überzeugung, daß der alte Mr. Billings schließlich einlenkte – so wie immer. Die Handwerker befolgten exakt ihre Pläne und bauten das Dach so, wie Sie es heute kennen. Wie Sie sehen, *war* es möglich, das Dach zu bauen. Warum sie aber so sehr darauf bestanden hatte, daß es geändert wurde, und wieso sie in der Lage war, die notwendigen Zeichnungen zu erstellen, das hat niemand jemals erfahren. Mr. Claringbull sah den alten Mr. Billings immer seltener, und wenn er ihm begegnete, dann wirkte er erschöpft und gereizt. Weder wußte er, welcher Tag, noch welcher *Monat* war.«

Pickering ließ seine Worte eine Weile wirken, dann sprach er weiter:

»Jedesmal, wenn Mr. Claringbull die junge Frau zu Gesicht bekam, fühlte er einen kalten Hauch, für den er keinerlei Erklärung finden konnte. Wenn er sich mit ihr in einem Raum aufhielt, verließ er ihn nahezu augenblicklich mit einem schuppigen Ausschlag, wie trockene Ekzeme. Und wenn er zum Abendessen ins Fortyfoot House eingeladen wurde und neben ihr sitzen mußte, zog er sich nach der Tomatensuppe zurück und verbrachte den größten Teil des Abends damit, sich im Garten zu übergeben. ›Ich erbrach Dinge, die ich nicht gegessen hatte‹, schrieb er. ›Ich erbrach Dinge, die sich aus eigener Kraft bewegten, Dinge, die im Gras zuckten und zappelten und dann zur schützenden Hecke davonkrochen‹.«

Wieder machte Pickering eine Pause und sah von links nach rechts, als befürchte er, von einem Geist belauscht zu werden, der sich an ihm rächen könnte.

»Das war natürlich Mr. Claringbulls Version der Geschichte. Wenn Sie sie so betrachten, dann ist es wirklich eine entsetzliche und beunruhigende Geschichte. Aber es gab andere, die sich nicht so sicher waren, ob Mr. Claringbull völlig bei Verstand war.« Er beugte sich zu mir herüber und flüsterte: »Wenn Sie die Aufzeichnungen des Küsters lesen und wenn Sie die Begabung haben, zwischen den Zeilen zu lesen, dann könnte man sehr wohl zu dem Schluß kommen, daß Mr. Claringbull gar nicht von Mr. Billings' jungem weiblichem Schützling *abgestoßen* wurde, sondern sich vielmehr so sehr zu ihr hingezogen fühlte, daß seine heftige körperliche Reaktion durch seine eigene Scham- und Schuldgefühle ausgelöst wurde. Mr. Claringbull war verheiratet, aber nach allen Berichten über seine Frau zu urteilen, litt sie ewig unter Rückenschmerzen. Das führte zwangsläufig dazu, daß Mr. Claringbull weit weniger ... ähem, *eheliche Gefälligkeiten* erhielt, als er sich gewünscht hätte.«

Danny drehte sich plötzlich um und lächelte ihn freundlich an. Dennis Pickering war peinlich berührt und lief rot an, während er das Lächeln erwiderte.

»Schon gut«, beschwichtigte ich. »Sie müssen nicht in Rätseln sprechen. Danny weiß bereits alles über das Paarungsverhalten von Amöben und Gerbilen. Glauben Sie mir, das, was erwachsene Menschen machen, wird ihn nicht wirklich verderben. Wahrscheinlich würde es ihn nicht mal interessieren.«

»Ja, ich glaube, Sie haben recht«, stimmte Pickering mir zu und lehnte sich zurück. »Nehmen Sie Schnupftabak?«

»Noch nie probiert.«

»Gut, das sollten Sie auch nicht.«

Die Opferung

Er holte eine kleine Schnupftabaksdose hervor und begann – von Danny völlig fasziniert beobachtet –, mit jedem Nasenloch ein wenig Pulver zu inhalieren und anschließend zu niesen. Dann saß er da, während seine Augen zu tränen begannen.

Während er einen erneuten Niesreiz zu unterdrücken versuchte, sagte ich: »Mrs. Kemble vom Strandcafé hat mir gesagt, daß der alte Mr. Billings schließlich getötet wurde.«

»Oh, Mrs. Kemble! Sie hat am Fortyfoot House einen Narren gefressen. Warum, weiß ich allerdings nicht. Einmal bat sie mich, das Gartentor zu segnen, erklärte mir aber nicht den Grund dafür. Sonderbare Frau. Ihr Mann war eine Art Kriegsheld, er fiel in Dieppe. Sie betreibt ein ziemlich gutes Café.«

»Sie wissen nicht, wie der alte Mr. Billings starb?«

Pickering schneuzte seine Nase in drei Tonlagen und hörte sich dabei an wie die Hupe eines Maserati. »So wie bei allem, was Fortyfoot House angeht, gibt es viele verschiedene Geschichten. Ich glaube, die am weitesten verbreitete besagt, daß der alte Mr. Billings von einem Blitz getroffen wurde. Das ereignete sich aber erst lange nach der Fertigstellung des Waisenhauses, zu einer Zeit, als sein Sohn ihm bereits half. Das nächste Mal tauchte der Name Billings in den Aufzeichnungen der Pfarrei auf, als der junge Mr. Billings Mr. Claringbull bat, ihn mit dieser jungen Frau zu vermählen. Das war auch das erste Mal, daß ihr Name irgendwo Erwähnung fand: Kezia Mason. Mr. Claringbull mußte einen langen Brief schreiben, um der Diözese zu erklären, daß Kezia Masons gottloses Verhalten eine kirchliche Trauung zu einem Ding der Unmöglichkeit machte. Daneben gab es Gerüchte im Dorf, der junge Mr. Billings sei selbst in irgendeinen gottlosen Geheimbund verwickelt, und die Kapelle im Fortyfoot House werde für Tieropfer und schwarze Messen benutzt. Diese Gerüchte wurden ohne Zweifel durch die merkwürdigen Gestalten geschürt, die sich im Fortyfoot House aufhielten, nachdem der junge Mr. Billings die Leitung übernommen hatte. ›Gesuchte Mörder und zweifelhafte Charaktere‹, hatte Mr. Claringbull sie genannt.«

Pickering warf Danny einen kurzen Blick zu. »Mr. Claringbull behauptete in seinem Brief, der junge Mr. Billings verfüge über magische Kräfte. Einmal soll er ihn klar und deutlich an einem Fenster des Fortyfoot House gesehen haben, und keine halbe Minute später habe er auf dem Weg hinunter zur Küste vor ihm gestanden. Dieser Brief an den Bischof besiegelte Mr. Claringbulls Schicksal. Verständlicherweise glaubte man, er sei verrückt geworden. Er wurde als Vikar von St. Michael's abberufen – zunächst wurde er zwangsbeurlaubt und dann nach Parkhurst als Assistent des Gefängnisgeistlichen versetzt. Nach nur einem Jahr wurde er von einem Gefangenen erstochen, der sagte, er sei der Teufel, dessen Augen in der Dunkelheit rot glühten.«

»Mein Gott«, sagte ich wieder.

»Ja ... Es war ein schreckliches Ende.«

»Und was ist mit dem jungen Mr. Billings? Was können Sie mir über ihn erzählen?«

»Nur wenig, fürchte ich. Mr. Claringbulls Nachfolger war Geoffrey Parsley, der allem Anschein nach ein sehr direkter Kerl war, der sich mehr für Hunde und neue Kartoffeln interessierte als für das Werk des Teufels. Er nahm von den Gerüchten über Fortyfoot House kaum Notiz. Einmal notierte er allerdings in seinem Tagebuch, er sei an einem Sommermorgen dem jungen Mr. Billings und Kezia Mason auf dem Weg in die Stadt begegnet und habe einen äußerst kalten Hauch gefühlt, als sie an ihm vorübergingen. ›Als sei der Fischwagen voller Eis und Heilbutt‹.«

»Mrs. Kemble sprach davon, daß der junge Mr. Billings einen Sohn hatte.«

»Das wurde erzählt. Kezia Mason wurde in hochschwangerem Zustand gesehen, und zu der Zeit, da man annehmen konnte, daß die Geburt unmittelbar bevorstand, war die Kutsche eines Doktors wiederholt vor dem Fortyfoot House gesehen worden. Aber das Baby hat niemand je zu Gesicht bekommen.«

»Was ist mit Brown Jenkin?« fragte ich. »Mrs. Kemble sagte etwas in der Art, daß Brown Jenkin und der Sohn des jungen Mr. Billings – sofern er je einen hatte – ein und dieselbe Person gewesen sein könnten.«

»Das ist mir auch zu Ohren gekommen. Aber Brown Jenkin soll doch angeblich eine Ratte sein, oder nicht? Ganz egal, wie mißgestaltet ein Kind auch ist, man wird es bestimmt nicht mit einer Ratte verwechseln können.«

»Wird das Kind nicht in den Aufzeichnungen erwähnt?«

»Mit keinem Wort.«

»Es muß aber doch irgendwelche Aufzeichnungen über gestorbene Kinder geben.«

Dennis Pickering nickte mit finsterer Miene. »Oh, ja. Natürlich. Darüber hat Geoffrey Parsley mehr als genug geschrieben. Das war ... warten Sie ...«

»1886«, half ich ihm auf die Sprünge. »Jedenfalls steht das auf allen Grabsteinen.«

»Ja, sie haben recht, das muß 1886 gewesen sein. Nicht nur auf der Insel hat man darüber gesprochen. Dr. Barnardo begab sich persönlich ins Fortyfoot House, um zu sehen, ob er irgend etwas tun konnte, doch alle Kinder starben.«

»Haben Sie eine Ahnung, warum sie starben? Auf den Grabsteinen steht darüber nichts geschrieben.«

Pickering schüttelte knapp den Kopf. »Keine Ahnung. Es gab damals alle möglichen Epidemien. Wir vergessen gerne, wie anfällig die Menschen seinerzeit für Krankheiten waren, die wir heute als nebensächlich betrachten. Vor dem Krieg war mein Großvater mit Dr. Leonard Buxton befreundet, dem Quästor des Exeter College. 1939 starben Buxton und seine Frau innerhalb von nicht einmal 36 Stunden an Lungenentzündung, obwohl sie beide erst um die vierzig waren. Heute ist so etwas unvorstellbar.«

Wieder schüttelte er seinen Kopf. »Ich glaube, es wurde davon gesprochen, daß die Kinder durch Scharlach dahingerafft wurden. Der junge Mr. Billings rief einen Spezialisten aus London herbei. Er machte viel Wirbel darum, wohl, um allen im Distrikt zu zeigen, daß er den Kindern die beste Hilfe bot. Aber dieser Spezialist war laut Geoffrey Parsley ein höchst rätselhafter Typ. Ein sehr verschwiegener Mann namens Mazurewicz, der kaum ein Wort Englisch sprach und die untere Hälfte seines Gesichts stets mit etwas bedeckte, das wie ein verschmutzter weißer Verband aussah. Ob er nun ein Spezialist war oder nicht – die Kinder starben alle innerhalb einer Woche und wurden neben der Kapelle von Fortyfoot House beigesetzt. Aber das wissen Sie ja. Niemand machte viel Wirbel um diese Sache. Schließlich war es *normal*, daß Kinder an solchen Krankheiten starben – auch in so großer Zahl. Es gab viele Internate, die sogar komplett geschlossen werden mußten, weil sich Scharlach oder Pfeiffer'sches Drüsenfieber dort ausgebreitet hatten. Und zudem waren es Waisen aus dem East End, die keine Verwandten hatten, die sich um ihr Schicksal kümmerten.«

»Mrs. Kemble sagte, der junge Mr. Billings habe schließlich den Verstand verloren«, warf ich ein.

»Darüber gibt es auch viele verschiedene Geschichten. Die Leute sagten, daß er verschwand und wieder auftauchte. Angeblich wurde er zur gleichen Zeit an zwei Orten gesehen – in Old Shanklin Village und in Atherfield Green. Ich glaube, die Phantasie der Bewohner war ein wenig überreizt.«

»Und was geschah mit Kezia Mason?«

»Um sie ranken sich gleichfalls zahlreiche phantastische Schilderungen. Letztlich schien es aber nur so zu sein, daß sie vom Leben im Fortyfoot House gelangweilt war und daraufhin verschwand. Ihr Verschwinden könnte aber durchaus zum Nervenzusammenbruch des jungen Mr.

Billings geführt haben. Er hatte mehreren Menschen, darunter auch Mr. Claringbull, erklärt, er liebe sie mehr als seinen gesunden Menschenverstand. Offenbar trank er sehr viel und nahm Morphium. Neben der Tragödie im Waisenhaus könnte der Verlust von Kezia Mason ihm den Rest gegeben haben. Er beging schließlich Selbstmord.«

Ich sah auf meine Uhr. Es war schon fast halb vier. Zeit, um zum Fortyfoot House zurückzukehren und noch ein wenig Farbe abzulösen, bevor mir der Makler einen Besuch abstattete und feststellte, daß ich gar nicht dort war.

»Ich muß gehen«, sagte ich zu Pickering. »Aber ich muß unbedingt wissen, was ich unternehmen kann. Ich war schon drauf und dran, alles zu packen und abzureisen. Aber *falls* Sie diese Geister besänftigen können ...?«

»Sind Sie wirklich davon überzeugt, daß Ihre Phantasie Ihnen keinen Streich gespielt hat?« fragte Pickering.

»Absolut. Ich habe nicht den leisesten Zweifel.«

»Nun ... ich muß sagen, daß ich es nicht für eine Lösung halte, beim ersten Anzeichen von Geistern davonzulaufen«, sagte er. »In den meisten Fällen sind diese Geister nichts weiter als unsere eigenen Ängste, die sich in visuellen Täuschungen ausdrücken. Die wenigen ›echten‹ Geister sind vielleicht furchterregend, aber normalerweise harmlos. Nur wenn gewaltige und entsetzliche Schandtaten begangen worden sind, kann das Haus die Aura des Bösen annehmen. Eine Aura, die jeden bedrohen oder belasten kann, der später in diesem Haus lebt.«

»Glauben Sie, daß das auf Fortyfoot House zutrifft?« fragte ich ohne Umschweife.

»Ja, ich vermute schon«, erwiderte er.

»Was kann ich tun? Ich muß dort wohnen und arbeiten. Mein Sohn muß auch dort wohnen, und Liz ebenfalls.«

»Ich schätze, ich könnte vorbeikommen und mich dort umsehen«, sagte er, klang aber nicht allzu begeistert.

»Das wäre machbar?« fragte ich ermutigt. »Ich kenne außer Ihnen niemanden, an den ich mich wenden könnte. Der arme alte Harry Martin konnte mir nicht helfen, und ich glaube, Rentokil kann auch nicht wirklich etwas erreichen.«

Pickering reagierte mit einem ironischen Lächeln. »Ich hätte nicht gedacht, daß einmal der Tag kommt, an dem die Kirche um geistigen Beistand gebeten wird und es dabei nur auf den dritten Platz nach einem Rattenfänger und einem landesweit arbeitenden Kammerjäger schafft.«

»Tut mir leid. Ich habe eine Weile gebraucht, bevor ich an Geister oder Phantome oder ›spirituelle Unregelmäßigkeiten‹ glauben konnte.«

Die Opferung

Pickering führte uns durch den Flur, in dem es immer noch nach Schulessen roch. »Wie wäre es heute abend, nach dem Abendgebet?« schlug er vor. »Halb neun?«

»Das klingt gut. Es macht Ihnen doch nichts aus, einen Blick auf den Dachboden zu werfen, oder? Ich werde auch noch eine brauchbare Taschenlampe kaufen.«

»Sie könnten es mit einem kleinen Gebet versuchen«, sagte Pickering, während er uns die Haustür öffnete. »Nicht nur für sich selbst, sondern auch für die Seelen derjenigen, die das Fortyfoot House heimsuchen.«

»Ja, ich glaube, das ist machbar.«

Er reichte erst mir die Hand, dann Danny.

Während wir über die Einfahrt gingen, fragte mich Danny: »Warum hat der Mann Staub in seine Nase getan?«

»Das war Schnupftabak. Anstatt zu rauchen, atmet man ihn ein.«

»Warum?«

Ich ging noch zwei oder drei Schritte weiter, dann blieb ich stehen. »Das weiß allein der liebe Gott«, sagte ich schließlich zu Danny.

10. Die Abendflut

Wir trafen Liz um kurz nach fünf an der Bushaltestelle vor dem Tropical Bird Park. Ganze Busladungen von Touristen strömten in Scharen auf den Parkplatz. Wie Scherenschnitte tanzten ihre Schatten über den Asphalt. Väter mit Bierbauch und Baseballkappe mit dem Aufdruck ›Born to Kill‹, in fluoreszierende Shorts und viel zu enge T-Shirts gekleidet. Blonde Mütter mit schlechtsitzender Dauerwelle, in hautengen Radlerhosen, auf kleinen weißen Stilettos. Schwitzende, übergewichtige Kinder mit ›New Kids on the Block‹-T-Shirts, grauen Socken und Sportschuhen. Durch das monotone Gewummer der Autoradios konnten wir die lauten und durchdringenden Schreie der verschiedenen Vögel hören, die aus dem Park nach draußen schallten.

Ich fand, daß Liz müde und ein wenig ... na ja, *aufgewühlt* aussah, als beschäftige sie sich in Gedanken mit irgendeiner Sache. Sie hatte dunkle Ringe unter den Augen, und immer wieder strich sie ihre Haare aus der Stirn, als leide sie unter Kopfschmerzen.

»Wie war's?« fragte ich sie, nachdem wir im Bus einen Platz gefunden hatten.

»Oh, schrecklich. Man sollte alle Touristen erschießen.«

»Na, hör mal. Keine Touristen, kein Job.«

Sie rang sich zu einem schiefen Lächeln durch. »Stimmt schon. Ich fühle mich heute nur ein wenig daneben. Ist nicht meine Periode oder so. Ich bin einfach nur müde.«

»Fortyfoot House ist ja auch nicht gerade der beste Platz für einen festen Schlaf.«

Danny ließ seine Beine schaukeln und sah in das Flackern, als die Äste der Bäume vor der Sonne vorüberhuschten. Er war noch nicht sehr oft Bus gefahren, und daher war das hier für ihn etwas Besonderes. *Etwas Besonderes,* dachte ich sarkastisch. Wenn ich niemanden fand, der meinen Wagen reparieren konnte, würden wir für den Rest des Sommers mit dem Bus fahren müssen. In Ryde gab es einen Audi-Händler. Vielleicht sollte ich morgen zu ihm fahren und sehen, ob ich ihm nicht ein paar Ersatzteile abschwatzen konnte. Im Grunde benötigte ich nur eine Windschutzscheibe, Lampen, Reifen und einen Tacho. Alles andere konnte ich später in Angriff nehmen.

An der grasbewachsenen, dreieckigen Verkehrsinsel, von der es nach Bonchurch ging, stiegen wir aus dem Bus. Es war ein ruhiger Spaziergang, vorbei am Dorfladen und an einem Café mit Strohdach und einem Garten voller Stockrosen. Auf der linken Straßenseite befand sich ein großer Teich, in dem Enten umherschwammen. Die Spätnachmittagswolken spiegelten sich in der Wasseroberfläche wie die Wolken über einem ertrunkenen mittelalterlichen Königreich. Ich sah zu Liz, um etwas zu diesem Anblick zu sagen, doch im gleichen Augenblick verspürte ich einen kalten Hauch, und aus irgendeinem Grund wußte ich, daß sie nicht interessiert sein würde. Und ich hätte wie ein Narr dagestanden.

Danny lief voraus, hüpfte über die Risse im Asphalt und sang einen Kinderreim. Es war ein Anblick wie auf einer Ansichtskarte, außer daß wir auf dem Weg zurück zum Fortyfoot House waren und Liz gereizt war. Und ich hatte mit einem Mal das Gefühl, die Kontrolle über meine gesamte Existenz zu verlieren. Vielleicht hatte ich sie auch schon vor langer Zeit verloren und es jetzt erst bemerkt.

An der Steinmauer, die im Schatten des überhängenden Lorbeers lag, bogen wir um die Ecke und sahen das Tor zu Fortyfoot House, die leicht abfallende Einfahrt, die zur Haustür führte – und ich fühlte eine Angst, wie ich sie noch nie erlebt hatte: *Angst* vor dem, was sich in diesem Haus verbarg und dem ich mich würde stellen müssen.

Ich nahm Liz am Arm. »Hör mal«, sagte ich, »warum gehen wir nicht runter zum Strandcafé, um erst noch was zu trinken? Zur Entspannung, meine ich. Du hattest einen schweren Tag.«

Sie sah erst mich, dann das Haus an. Wir näherten uns aus nördlicher Richtung der Seite, die im Schatten lag. Alle Fenster waren dunkel.

Die Opferung

Ich konnte die Anspannung in ihren Muskeln fühlen. Ich spürte ihre Müdigkeit und ihre Kälte, als wären wir eine einzige Person. Wir waren uns nah, sehr nah. Aber warum war da keine Leidenschaft? Vereinfacht gesagt: Wenn sie krank gewesen wäre, hätte ich sie ausziehen und baden können, aber ich konnte sie nicht lieben, nicht wirklich.

Wir ließen das Haus aus und gingen zwischen den Gärten hindurch nach unten. Danny sprang auf die Sonnenuhr und rief: »Es ist halb sechs.«

»Das kann er gut«, sagte Liz. »Ich konnte die Uhr nicht lesen, bis ich zehn war.«

Ich ging zur Sonnenuhr. Der Zeiger war ein einfaches Dreieck aus Bronze. Es war deutlich zu erkennen, daß die Spitze des Zeigers abgebrochen war und sich verfärbt hatte. Nein, *abgebrochen* war er nicht, eher *geschmolzen*. Und die einst scharfen Kanten waren von Blasen verunstaltet worden, die das Metall geworfen hatte. Ich berührte die Stelle und glaubte zu wissen, was damit geschehen war. Ein schwaches, knisterndes Gefühl. Ein Gefühl von Höhenangst, als hätte ich den Boden verlassen und würde immer weiter emporgewirbelt.

Liz stand ein Stück von mir entfernt und hielt sich wegen der tiefstehenden Sonne die Hand vor ihre Augen. »Was ist?« fragte sie mich.

Ich trat von der Sonnenuhr weg und folgte Liz über den Rasen. »Ich weiß nicht, nur so ein Gefühl.«

»Ich glaube, wir lassen uns von diesem Ort einschüchtern«, sagte sie. »Wir hätten gestern abreisen sollen. Egal, ob hier Hausbesetzer, Geister oder wer auch immer am Werk sind.«

»Glaubst du immer noch an Hausbesetzer?«

Sie warf mir einen knappen, fast vorwurfsvollen Blick zu. »Schon gut. Nein, das glaube ich nicht mehr. Aber ich glaube auch nicht an Geister. Glaubst *du* an Geister? Um Himmels willen, David! Ich weiß nicht, was es ist. Ich habe den ganzen Tag darüber nachgedacht. Ich bin nicht mal sicher, *ob* ich wissen will, was es ist.«

»Wenn du möchtest, können wir morgen auch noch abreisen«, erwiderte ich. Ich versuchte, aufmunternd zu sein. Aber wer konnte das schon angesichts von Geräuschen und Lichtern, von blassen toten Kindern im Nachthemd und dunklen Gestalten, die sich in Fotografien bewegten?

»Ich weiß nicht«, sagte sie. Sie klang gereizt und deprimiert.

»Ich habe mir heute ein wenig freigenommen und bin zum Vikar gegangen.«

»Was? Soll das ein Witz sein?«

»Warum sollte ich Witze machen? Wenn ein Rohr platzt, läßt man einen

Klempner kommen. Und wenn das Haus voller unruhiger Geister ist, ruft man einen Vikar. Du hast es selbst vorgeschlagen, weißt du noch? Ich sollte das Haus beschwören lassen, hast du mir empfohlen. Erstaunlicherweise weiß dieser Vikar verdammt viel über Fortyfoot House und die Billings und Brown Jenkin. In den Aufzeichnungen der Pfarrei ist einiges darüber niedergeschrieben.«

»Und?«

Ich zuckte mit den Schultern. »Ich weiß nicht, ob er mir geglaubt hat – du weißt schon, das mit den Lichtern und mit Sweet Emmeline.«

Emmeline ..., dachte ich. *Emmeline ... hat seit über einer Woche niemand gesehen ... sie verschwand zwischen ...*

»Was?« fragte Liz. »Wovon redest du?«

Ich blinzelte sie an. »Was ... was meinst du?«

»Du hast irgendwas gesagt von *Emmeline hat seit über einer Woche niemand gesehen.*«

»Ich wußte nicht, daß ich das laut ausgesprochen hatte.«

Liz seufzte. »David Williams, ich glaube, du hast es bald hinter dir.«

»Das ist von A. A. Milne«, erklärte ich ihr. »Du weißt schon, der Kerl, der auch *Winnie Puh* geschrieben hat. *Emmeline ... hat seit über einer Woche niemand gesehen ... sie verschwand zwischen ... den beiden großen Bäumen am Ende des Rasens ... wir haben sie alle gesucht.* ›Emmeline!‹ Dieses Gedicht hat mir früher immer Angst eingejagt. Es gab eine Zeichnung, zwei Bäume, die an einem Zaun standen. Ich dachte immer, daß niemand zwischen diesen Bäumen verschwinden könne, es sei denn ...«

»Es sei denn *was*, David? Allmählich mache ich mir Sorgen um dich.«

»Es sei denn ... keine Ahnung. Es sei denn, daß sich Emmeline am selben Ort aufhielt, aber in einer anderen *Zeit*. Sie war *eine Woche* lang weg? Ohne etwas zu essen? Ohne zu schlafen? Und wo ist sie gewesen? Das hat mir immer Angst eingejagt.«

»Himmel, David! Das ist ein Kinderbuch.«

»Vielleicht. Aber *irgend etwas* hat mich daran erinnert. Vielleicht will mir mein Unterbewußtsein irgend etwas sagen. Emmeline ... am selben Ort, in einer anderen Zeit.«

»Ich glaube, dein Unterbewußtsein will dir sagen, daß du nicht länger im Fortyfoot House übernachten sollst. Das glaube ich ganz sicher.«

»Und falls der Vikar das alles klären kann?« erwiderte ich.

»David, was kümmert es dich, was er machen kann und was nicht? Das hier ist nicht dein Problem. Und mein Problem ist es auch nicht, das kannst du mir glauben.«

»Natürlich ist es mein Problem. Ich möchte nicht um jeden Preis Geld ausgeben, um woanders zu wohnen. Außerdem bin ich bereits dafür bezahlt worden, um das Haus in Schuß zu bringen.«

»Stimmt genau«, sagte Liz. »Du wirst bezahlt, um das Haus zu renovieren, nicht um es zu beschwören. Warum sagst du den Maklern nicht, daß es verflucht ist und daß du erst wieder arbeiten wirst, wenn es ... ›entflucht‹ ist?«

»Ja, sicher, und sie werden mir natürlich glauben.«

»Jeder hier scheint zu glauben, daß Fortyfoot House verflucht ist. Ich glaube ja bald schon selbst daran, und ich glaube eigentlich überhaupt nicht an solche Dinge.«

»Liz, ich kann es ja wenigstens versuchen.«

Sie schüttelte fassungslos ihren Kopf. »Du glaubst doch nicht ernsthaft, daß dieser Vikar *irgend etwas* erreichen kann, oder etwa doch?«

»Er kommt heute abend vorbei, um zu sehen, ob er herausfinden kann, was hier nicht stimmt, weiter nichts. Vielleicht *kann* er uns ja auch nicht helfen. Vielleicht hat das alles überhaupt nichts mit Satan zu tun. Aber wenn es eine Chance gibt, daß hier Ruhe einkehrt, dann ist das einen Versuch wert. Für jemanden, der sich mit Geistern auskennt, könnte es ein ganz gewöhnliches Problem sein. Vielleicht sind nur die richtigen Gebete erforderlich.«

»So wie bei deiner Ehe«, sagte Liz mit ihrer Begabung, abrupt das Thema zu wechseln. Sie erwischte mich kalt.

»Meine ... was?« fragte ich sie. »Meine Ehe? Was hat meine Ehe damit zu tun?«

»Alles und nichts. Vielleicht hat sie nichts mit Fortyfoot House zu tun, aber sie hat sehr viel mit uns beiden zu tun.«

»Um ganz ehrlich zu sein, glaube ich nicht, daß es jemals ein ›wir beide‹ gegeben hat.«

»Oh ja, und ich habe wohl mit irgendeinem von diesen Geistern geschlafen, oder. Es hätte ein ›wir beide‹ geben können. Es könnte immer noch ein ›wir beide‹ geben. Aber du kannst dich ja nicht entscheiden. Du weißt nicht, ob du Fortyfoot House verlassen willst oder nicht. Gehen – bleiben – gehen – bleiben. Du bist wie dieser Song von Jimmy Durante. Du kannst dich nicht entscheiden, ob du dich von Janie scheiden lassen willst oder nicht. Du weißt nicht, ob du mit mir schlafen willst oder nicht. Du hast so große Angst davor, die falsche Entscheidung zu treffen, daß du dich am Ende gar nicht mehr entscheiden kannst. David, um Himmels Willen, *entscheide* dich doch endlich mal!«

»Tut mir leid«, sagte ich.

»Es soll dir nicht *leid tun*!« gab sie zurück. »Ich will nicht, daß es dir leid tut! Ich will, daß du dein Leben wieder in den Griff bekommst, ob nun mit mir oder mit einer anderen. Du kannst mit keiner anderen Frau eine Beziehung eingehen, solange du nicht Janie hinter dir läßt. Du mußt dich von ihr scheiden lassen, David, und dann mußt du sie vergessen. Wahrscheinlich wirst du ihr dann aber trotz allem jahrelang hinterhertrauern. Du mußt das mal aus meiner Sicht sehen. Es ist nicht sehr schmeichelhaft, mit einem Mann ins Bett zu gehen, der so tut, als wäre ich seine Ex, und der dann schlappmacht.«

Ich blieb stehen, mein Gesicht zur Hälfte von meiner Hand verdeckt, damit die Sonne mich nicht blendete. Wahrscheinlich sah ich aus wie das Phantom der Oper mit dieser halben Maske. Sie hatte natürlich recht, größtenteils jedenfalls. Daß ich keine Leidenschaft empfand, hatte nicht nur mit Janie zu tun. Fortyfoot House hatte damit auch etwas zu tun. Aber in erster Linie lag es an Janie. Ich hing immer noch zu sehr an den Erinnerungen an unsere gemeinsame Zeit, und ich war rasend eifersüchtig auf Raymond. Die Eifersucht war schlimmer als das Nichtloslassen-Wollen. Das kann mit der Zeit nachlassen. Aber die Eifersucht muß sofort mit einem glutroten Eisen ausgebrannt werden, so wie eine Schußwunde in einem Film mit John Wayne. Ein Zischen, ein Aufschrei, und das war's dann.

»Tut mir leid«, wiederholte ich. Und weil es mir wirklich leid tat, sagte ich noch einmal: »Tut mir leid.«

Liz trat vor mich, vergrub ihre Finger in meinen Haaren und küßte mich. Sie war ziemlich klein, viel kleiner als Janie, und auch viel sanfter und klüger als Janie. Sie drückte ihr Gesicht gegen meine Schulter, und ich nahm sie in die Arme. Danny stand auf der kleinen Holzbrücke, die den Bach überspannte, die Wolken zogen gemächlich vorüber, als ...

... als ich mich zur Sonnenuhr umdrehte und sah, wie eine massige, in einen schwarzen Anzug gekleidete Gestalt langsam um sie herumwirbelte, in der Horizontalen, als sei sie ein riesiger Propeller. Eine Hand war schmerzhaft zur Spitze des Zeigers ausgestreckt. Ihre Haare waren steil aufgerichtet und rauchten, ihre Rockschöße flatterten wild umher.

»Jesus! Siehst du auch, was ich ...« Ich versuchte, Liz' Kopf anzuheben, damit sie sehen konnte, was ich sah ...

Tausende Volt Elektrizität bahnten sich ihren Weg aus dem Zeiger der Sonnenuhr. In einem wilden Funkenregen bohrten sie sich unter die bebenden Fingernägel des Mannes. Ich konnte den Geruch von Ozon und verbrannten Nägeln wahrnehmen. Ich konnte *riechen*, wie das Blut kochte. Ich konnte hören, wie der Mann unverständliche Worte schrie. N'ggaaa nngggaa sothoth nyaa – völlig ungewöhnliche, erstickte, gut-

Die Opferung

turale Laute, die meine Nackenhaare sich steil aufrichten ließen. Dann brüllte er: »Laß mich sterben, du Miststück. Laß mich sterben. Oh, verdammt, verdammt, laß mich sterben.«

»Liz, sieh doch!« sagte ich. Sie blickte zu mir auf und legte die Stirn in Falten, als könne sie mich nicht verstehen. Als sie sich endlich zur Sonnenuhr umdrehte, war die Gestalt verschwunden. Zurückgeblieben waren nur ein paar Schwaden dünnen blauen Rauchs, die sich rasch entwirrten und von der steifen Seebrise her fortgeweht wurden.

»Was ist los?« fragte sie. »Stimmt was nicht?«

»Ich dachte, ich ...« Ich preßte meine Fingerspitzen gegen die Stirn. »Ich dachte, ich hätte etwas gesehen. Ich weiß nicht, was. Wahrscheinlich bin ich nur übermüdet.«

»Dir geht es so wie mir. Ich wäre heute fast eingeschlafen, als ich den Tee aufbrühen sollte. Die Chefin meinte, sie werde mich feuern, wenn ich mich nicht zusammenreiße. Es geht doch nichts darüber, gleich am ersten Tag die Kündigung zu erhalten, was?«

Ich sah wieder zur Sonnenuhr. Was hatte Reverend Dennis Pickering gesagt? *Der alte Mr. Billings war von einem Blitz getroffen worden?* Vielleicht hatte ich soeben den Tod des alten Mr. Billings mit angesehen, so als wäre ich tatsächlich Zeuge davon geworden, wie er auf diesem Grund und Boden ums Leben kam, der *jetzt* und *damals* gleichzeitig zu existieren schien.

»Komm, wir gehen jetzt was trinken«, sagte ich.

Wir überquerten die Brücke und gingen an den Bäumen entlang und durch das Gartentor hinaus. Wie üblich lief Danny auf dem Weg zur See voraus. Es herrschte Ebbe, und der Strand war geprägt von zahllosen Wasserlachen und angespültem Seetang, der sich an den Felsen festklammerte. Der Geruch des Seetangs war sehr intensiv, und Dutzende von Möwen zogen an der Küste ihre Kreise, um sich auf die winzigen grünen Taschenkrebse und die durchscheinenden Krabben zu stürzen.

Wir erreichten das Strandcafé und nahmen Platz. Erstaunlicherweise war Doris Kemble nirgends zu sehen. Genaugenommen war überhaupt niemand zu sehen. Im Garten gleich neben dem Café schaukelten riesige Sonnenblumen gemächlich in der leichten Brise, und eine kleine, hölzerne Windmühle quietschte unablässig vor sich hin.

Ich ging ins Café und sah den Tisch, an dem Mrs. Kemble sonst saß und ihr Geld zählte. Die verschiedenen Münzen waren ordentlich aufgetürmt worden. Es waren insgesamt wohl rund dreißig oder vierzig Pfund, an denen sich jeder hätte bedienen können. Eine Tasse mit kaltem Tee stand außerdem auf dem Tisch.

»Mrs. Kemble?« rief ich, erhielt aber keine Antwort. »Mrs. Kemble?«

Wieder nichts. Ich lief wieder nach draußen, wo Liz auf der Mauer saß und Danny von den Papageien im Tropical Bird Park erzählte. »Du hättest die Aras sehen müssen, die sind schrecklich. Und ein Papagei sagt immer: ›Benimm dich‹. Der kann einen wirklich verrückt machen.«

»Kann ich morgen mitkommen?« fragte Danny.

»Es ist niemand hier«, sagte ich zu Liz. »Sie hat ihr Geld auf dem Tisch liegenlassen, aber von ihr selbst fehlt jede Spur.«

»Vielleicht mußte sie noch irgend etwas einkaufen gehen«, überlegte Liz. »Brot. Oder Salatdressing. Oder irgend was anderes.«

»Kann ich denn morgen mit zu den Vögeln gehen?« nervte Danny noch immer.

»Vielleicht am Freitag«, antwortete ich, während ich den Strand absuchte. Niemand war zu sehen, von einem einsamen Fischer in einem kleinen Boot weit draußen auf dem Meer abgesehen.

»Das ist *sehr* seltsam«, sagte ich.

Liz sah mich an. »Was sollen wir machen? Bis nach Ventnor zum nächsten Pub gehen?«

»Ich schätze, wir müssen uns aus Mrs. Kembles Kühlschrank selbst bedienen und ihr das Geld hinlegen.«

»Eine gute Idee.« Sie zog einen der roten Plastikstühle nach hinten, setzte sich und zog ihre Schuhe aus. »Sieh dir das an. Doppelt so groß wie normal. Ich hätte die Schuhe in der nächst kleineren Größe nehmen sollen.«

Ich ging zum Kühlschrank und holte zwei Harp Lager und eine Coca-Cola heraus, öffnete sie und nahm sie mit nach draußen. Von unserem Tisch aus beobachteten wir die Möwen, wie sie ihre Kreise zogen, und sahen zu, wie die Sonne sich allmählich dem Horizont näherte. In der Ferne konnte ich einen Öltanker ausmachen, der nach Westen in Richtung Kanal fuhr. Die See stimmte mich immer nostalgisch, obwohl ich als kleiner Junge keine besonders schönen Erlebnisse mit ihr verband.

Danny hatte seine Coke ausgetrunken und begann zu zappeln. »Möchtest du an den Strand gehen?« fragte ich. »Du kannst doch noch ein Krebsrennen veranstalten. Der schnellste Krebs kommt in den Eimer und geht morgen wieder an den Start.«

Wir sahen zu, wie er auf die Felsen kletterte und bis zum Wasser balancierte, das fast hundert Meter entfernt war. Ich lehnte mich zurück und trank einen Schluck Lager.

»Wann kommt denn der Exorzist vorbei?« fragte Liz.

»Du meinst Reverend Pickering? Er kommt nur vorbei, um sich umzusehen.«

»Glaubst du wirklich, daß er irgend etwas machen kann?«

Die Opferung

»Ich habe nicht die leiseste Ahnung. Er hat selbst gesagt, daß echte Geister nichts mit den Geistern im Kino zu tun haben. Sie verschwinden nicht einfach, nur weil jemand es ihnen befiehlt. Ich meine, wir haben es hier nicht mit Linda Blair oder Patrick Swayze zu tun.« Ich mußte wieder an diese massige schwarze Gestalt denken, die sich langsam um die Sonnenuhr drehte, mit rauchendem Haar, das Gesicht schmerzverzerrt. *N'gaaa nngggaa sothoth nggaaa.* Es war eine Täuschung gewesen. Es mußte eine gewesen seine. Aber was wäre geschehen, wenn ich nach ihm gegriffen hätte, während er an mir vorbeikam? Hätte ich ihn wirklich *spüren* können? Oder wären seine Beine einfach durch mich hindurchgegangen?

»Ich meine immer noch, daß wir ausziehen sollten«, sagte Liz. »Wir könnten uns einen Wohnwagen auf dem Shanklin Caravan Park mieten. Das kostet nicht viel, und du könntest trotzdem deine Arbeit hier erledigen, oder?«

»Ich glaube schon«, antwortete ich. Aber da nun Dennis Pickering vorbeikommen wollte, war ich zuversichtlicher, daß wir die Geister im Fortyfoot House zur Ruhe kommen lassen konnten. Die Erscheinungen waren wirklich beängstigend gewesen, vor allem in der Nacht. Doch abgesehen von Harry Martin – und mal ehrlich, daß *mußte* doch wirklich ein Unfall gewesen sein – war niemandem etwas zugestoßen.

»Warum hören wir uns nicht erst an, was der Vikar zu sagen hat, und entscheiden dann?« schlug ich vor. »Es sind nur Geister, im Grunde sind es nur *Bilder*. Und dazu noch von Menschen, die vor über hundert Jahren gestorben sind. Sie sind ... ich weiß nicht ... so etwas wie lebende Fotografien. Wie sollen die uns etwas antun?«

»Ich glaube kaum, daß ich das herausfinden möchte«, sagte Liz. Sie klang überraschend entschlossen.

Ich sah sie aufmerksam an: »Du meinst, du willst nicht mal heute nacht bleiben?«

»David, es tut mir wirklich leid. Aber mir fällt es ohnehin schwer genug, meine Gedanken zusammenzuhalten, da brauche ich nicht noch Lichter und Geräusche in der Nacht.«

»Was ist los mit dir?« Ich wußte, daß ihre Stimmung ständig schwankte, aber das hatte ich auf ihr Alter geschoben, oder auf ihre Monatsblutung oder auf den puren Schrecken der Ereignisse um uns herum.

Geistesabwesend streichelte sie mein Knie. »Ach, ich weiß nicht. Ich glaube, ich bin nicht besser als du. Ich kann mich auch nicht entscheiden, was ich sein will. Ich kann mich ja nicht mal entscheiden, *wer* ich sein will. Und daß ich hierhergekommen bin, hat die Antwort nicht leichter gemacht. Eigentlich ist es jetzt nur noch schlimmer.«

»Ich verstehe nicht.«

Sie lächelte mich an. »Ich glaube, ich habe ein Identitätskrise«, sagte sie schließlich. »In der einen Minute fühle ich mich stark und unabhängig, und dann fühle ich mich wieder so schwach wie ein kleines Kätzchen. Einmal glaube ich, daß ich mein Leben völlig unter Kontrolle habe, dann wieder scheint alles in die Brüche zu gehen. Mal glücklich, mal traurig. Heute morgen habe ich meine Augen geöffnet und ich kam mir so vor, als sei ich jemand anderes. Ich kann es nicht beschreiben. Aber es hilft mir nicht, wenn ich hierbleibe.«

»Du willst wirklich abreisen?«

Sie nickte. Sie sah zwar müde aus, aber auch sehr hübsch. Ich legte meine Hand auf ihre.

»Allen Ernstes«, sprach sie weiter. »Das letzte, was ich jetzt gebrauchen kann, sind seltsame Geräusche, riesige Ratten und arme alte Männer, denen der Kopf abgerissen wird.«

»Da haben wir ja was gemeinsam«, sagte ich.

»Ja«, stimmte sie mir zu. »Aber ich brauche keinen Mann, der sich ebenfalls nicht entscheiden kann.«

»Da muß ich dir wohl beipflichten.«

Ich sah mich um. Von Mrs. Kemble war noch immer nichts zu sehen. Eine dünne Gestalt kam aus Richtung Ventnor am Strand entlanggelaufen. Etwa eine halbe Meile entfernt. *Bauz! Da geht die Türe auf, Und herein in schnellem Lauf* ... Aber als ich eine Hand über meine Augen hielt, konnte ich sehen, daß es sich nur um einen alten Mann handelte, der mit seinem schwarzweiß gefleckten Hund spazierenging.

Die Sonne stand noch immer recht hoch, aber die Schatten wurden allmählich länger, und die Brise von der See her war ungewöhnlich frisch. Ich konnte nicht verstehen, warum Mrs. Kemble so spät am Nachmittag ihr Café verließ, ohne zu schließen.

In dem Moment hörte ich ein hohes, pfeifendes Geräusch vom Strand her. Zunächst konnte ich es nicht definieren; es klang wie eine Flöte oder eine Pfeife. Ich kniff die Augen zusammen und konzentrierte mich auf den Bereich nahe am Wasser, wo die Möwen hartnäckig kreisten. Ich sah Danny zwischen den Felsen und winkte ihm zu, aber er winkte nicht zurück. Statt dessen stand er in einer sonderbar gebückten Haltung da, wie erstarrt, die Fäuste geballt. Allmählich wurde mir klar, daß er dieses Geräusch verursachte. Er schrie!

»Danny!« Ich hechtete über die Mauer, die das Café umgab, und landete im Sand. Mit meinem Knöchel stieß ich gegen einen schlüpfrigen Felsen, fand dann aber mein Gleichgewicht wieder und sprang einer Gemse gleich von einem Fels zum nächsten. Zwischendurch glitt ich aus und trat in eine Wasserlache. Einmal fiel ich hin und zog mir eine Abschürfung an der Hand zu, aber dann hatte ich endlich ein ebenes Stück Strand erreicht und rannte in Richtung Meer. Das Wasser spritzte an mir hoch, während mein Herz raste und der Wind in meinen Ohren donnerte.

Danny stand neben einem flachen, bräunlichen Felsen. Er schrie nicht mehr, aber sein Gesicht war noch immer angstverzerrt. Er mußte mir gar nicht erst erzählen, was ihm solche Angst eingejagt hatte, ich konnte es mit eigenen Augen sehen. Ich schnappte mir Danny, nahm ihn auf den Arm und ging sofort durch den nassen Sand zurück in Richtung Promenade.

Liz war mir gefolgt und stand nach Luft schnappend vor mir. »Kannst du Danny zurück ins Café bringen? Ruf von Mrs. Kembles Apparat die Polizei an.«

»Was ist passiert?« fragte sie mit weit aufgerissenen Augen.

»Es ist Mrs. Kemble«, sagte ich.

Ich setzte Danny ab, Liz nahm ihn sofort an die Hand. »*Daddy*«, sagte er jämmerlich.

»Ich weiß, Danny«, sagte ich. »Ich sehe nur nach, ob ich noch irgend etwas mitnehmen muß, bevor die Flut kommt. Danach komme ich sofort ins Café zurück.«

»Ist sie tot?« fragte Liz mit gesenkter Stimme.

Ich nickte. »Dauert nicht lange.«

Widerwillig ging ich zurück zu den Felsen. Der Wind riffelte das klare Meerwasser, das gerade begonnen hatte, sich wieder voranzukämpfen. Über mir kreischten die Möwen. Mrs. Kemble lag auf dem Rücken, sie war nackt, abgesehen von der zerrissenen Strumpfhose, die bis zu ihren Knien heruntergezogen worden und voller Sand und Tang war. Ihre Kopf lag in einer flachen Aussparung eines Felsens, ihr graues Haar war strähnig und naß wie ein Mop. Ihre dünnen Unterarme waren beide angewinkelt, als würde sie noch immer versuchen, sich gegen jemanden zur Wehr zu setzen. Ihre Haut war weiß und vom Meerwasser aufgeschwemmt.

Am schlimmsten aber war, daß sich die Krebse an ihr zu schaffen gemacht hatten. Ich hatte schon den einen oder anderen Heilbutt gesehen, der von Fischern zu lange im Netz gelassen und von Krebsen angefressen worden war. Aber ich hatte mir nicht vorstellen können, wie brutal Krebse einen menschlichen Körper angreifen konnten. Mrs. Kembles Gesicht war von einem kleinen grünen Taschenkrebs, der jetzt mit ihrer Augenhöhle beschäftigt war und bereits ihre Lippen und ihre rechte Wange zur Hälfte aufgefressen hatte, in eine geisterhafte

Karikatur verwandelt worden. Mrs. Kembles dritte Zähne waren zu einem gespenstischen Grinsen freigelegt worden.

Sie hatten auch ihren Bauch aufgerissen, so daß die gesamte Bauchhöhle nur noch eine zappelnde Masse aus zahllosen kleinen Taschenkrebsen war, deren Schalen und Scheren wie Kastagnetten unablässig gegeneinander schlugen. Einige Krebse krabbelten bereits durch die zur Hälfte weggefressene Öffnung zwischen ihren Beinen und bearbeiteten das zarte, weiße Fleisch ihrer Schenkel.

Meine Kehle schnürte sich zu, in meinem Mund sammelte sich warmes, bitter schmeckendes Lager. Auf den ersten Blick war nicht zu erkennen, wie Mrs. Kemble ums Leben gekommen sein mochte. Die Taschenkrebse hatten schon zuviel weggefressen. Noch während ich danebenstand, bahnte sich einer von ihnen den Weg aus ihrem Mund heraus, um sich mit zwei oder drei anderen um die gräuliche Haut ihres Zahnfleischs zu streiten.

Ich sah mich um. Die Flut hatte bereits eingesetzt, das Meer begann wieder, das Land für sich zu beanspruchen, und spülte Schaum und Treibholz und regenbogenfarbene Ölflecken an den Strand. Von Mrs. Kembles Kleidung war nichts zu sehen, auch nicht von ihrer Handtasche. Nichts, was der Polizei einen Hinweis darauf geben konnte, wie sie ums Leben gekommen war. Ich überlegte, ob ich ihre Leiche weiter auf den Strand ziehen sollte, aber ich wußte, daß ich mich nicht überwinden und sie anfassen konnte. Außerdem hätte ich auf diese Weise jede Spur verwischen können, die die Taschenkrebse vielleicht noch nicht vernichtet hatten. Jedenfalls redete ich mir das ein. In Wahrheit hatte ich nur panische Angst, daß bei dem Versuch, sie an Land zu ziehen, die Armknochen aus den Schultergelenken reißen konnten. So wie die Schenkel bei einem Hühnchen, das man zu lange kocht. Ich kehrte zum Strand zurück. Ich hatte vielleicht sechs oder sieben Schritte zurückgelegt, als mir der Geruch von Meerwasser, Öl und von einem gerade geöffneten menschlichen Körper entgegenschlug. Mein Magen verkrampfte sich und ich übergab mich lange und heftig. Es dauerte eine Weile, ehe ich mich soweit erholt hatte, daß ich wieder aufstehen konnte. Ich ging zurück zum Strandcafé.

Detective Sergeant Miller kam in die Küche und stellte sich in den kalten Lichtschein der Deckenlampe.
Er sah mich auf die gleiche Weise an, wie ich meinen zertrümmerten Wagen angestarrt hatte. Seine Augen vermittelten die Müdigkeit eines Mannes, der zu viele Dinge dieser Art gesehen hat, um noch schockiert zu reagieren.

Die Opferung

»Das schlägt einem so richtig auf den Magen«, sagte er schließlich.
»Ja«, erwiderte ich. »Einen Drink?«
»Nein, danke. Aber ich nehme eine Tasse Tee, wenn das keine große Mühe macht.«
Ich stand auf und stellte den Kessel auf den Herd. Miller zog sich einen Stuhl heran, setzte sich an den Küchentisch und holte seinen Notizblock hervor. Er hatte seine Notizen in einer winzigen Schrift verfaßt und dabei einen Füllfederhalter benutzt, der eine solche Seltenheit darstellte, daß er fast etwas Affektiertes an sich hatte.
»Zwei Todesfälle in zwei Tagen«, sagte er. »Zwei *häßliche* Todesfälle in zwei Tagen.«
»Ich weiß. Und bis vor zwei Tagen hatte ich noch nie einen Toten gesehen.«
»Sie Glücklicher«, meinte Miller. »Sie haben Mrs. Kemble zuletzt heute mittag gesehen?«
Ich nickte. »Sie machte einen ganz normalen Eindruck. Wir haben über Fortyfoot House gesprochen, über früher. Sie war ziemlich besessen davon. ... Nein, *besessen* ist das falsche Wort. Eher *verärgert*. Sie erzählte mir, daß ihre Mutter hier als Putzfrau gearbeitet hat, als sie noch ein kleines Mädchen war. Ihre Mutter hatte ihr immer irgendwelche Geschichten über das Haus erzählt. Aber sie wirkte gutgelaunt.«
»Haben Sie sonst noch jemanden gesehen? Jemanden, der irgendwie verdächtig ausgesehen haben könnte?«
Den jungen Mr. Billings, mit seinem schwarzen Hut und seinem bleichen Gesicht, wie er im Schatten der Bäume stand und zu ihr blickte. Aber wie sollte ich Miller erzählen, daß ich einen Geist gesehen hatte? Und daß der Geist möglicherweise Mrs. Kemble auf dem Gewissen hatte? Miller war sehr aufgeschlossen, er war sogar bereit, an das Übernatürliche zu glauben. Aber wenn ich ihm auch nur ein Wort von Halluzinationen und Erscheinungen erzählte, dann hätte er gar keine andere Wahl, als mich festzunehmen. *Mord in geistiger Umnachtung.* Für den Rest des Lebens nach Braodmoor eingewiesen, zusammen mit all den anderen Psychopathen und Mördern und sonstigen Gestörten.
»Es war völlig ruhig, außer uns war niemand da. Ach ja, und der Typ, der jeden Nachmittag an den Strand kommt, um seine Fischernetze vorzubereiten.«
»Ja, mit ihm habe ich schon gesprochen.«
Der Wasserkessel begann zu pfeifen. Ich warf einen Teebeutel in den Becher und goß das Brühwasser darüber. »Keinen Zucker«, sagte Miller, während er etwas aufschrieb.
»Wissen Sie, wie sie umgekommen ist?« fragte ich vorsichtig.

Er blickte nicht auf. »Noch nicht endgültig. Das ist immer so, wenn die Taschenkrebse sich an dem weichen Gewebe zu schaffen machen. Aber beide Ellbogen waren mehrfach gebrochen. Darum auch ihre Armhaltung. Wie ein Grashüpfer. Wir haben noch keine Ahnung, was diese Verletzungen hervorgerufen hat, aber ich kann mit Sicherheit sagen, daß sie angesichts der Umstände nicht auf natürliche Weise ums Leben gekommen ist.«

»Das klingt so richtig nach Polizeijargon«, sagte ich.

»Das lernt man in Mount Browne. Das war noch zu der Zeit, als ich bei der Polizei von Surrey war.«

»Warum haben Sie sich versetzen lassen?«

Er klappte das Notizbuch zu. »Ich dachte, hier werde es ruhiger zugehen. Meine Frau war der Meinung, daß es hier viel zu ruhig war, und hat mich verlassen. Und jetzt sitze ich hier und habe es mit zwei brutalen Todesfällen in nur zwei Tagen zu tun.«

»Stellen Sie mir keine weiteren Fragen?«

»Nicht nötig. Ein Nachbar von Mrs. Kemble hat sie noch lebend gesehen, nachdem Sie und Danny gegangen waren. Und Reverend Pickering hat Ihren Besuch bei ihm bestätigt. Wenn Sie nicht gerade in der Lage sind, sich an zwei Orten gleichzeitig aufzuhalten, dann ist es einfach unmöglich, daß Sie Mrs. Kemble etwas angetan haben.«

Miller trank seinen Tee in kleinen Schlucken aus, dann stand er auf, stellte den Becher ins Spülbecken und sagte: »Vielleicht komme ich noch mal wieder. Sie bleiben doch noch hier, oder?«

Ich war sicher, daß ich ein schwaches, pelziges Rascheln hinter der Fußleiste hörte. Hatte Detective Sergeant Miller es auch wahrgenommen?

»Ja«, antwortete ich. »Ich bin vorläufig noch hier. Sie haben ja bemerkt, wie mein Wagen aussieht.«

»Das wollte ich Sie ohnehin noch fragen«, sagte Miller, während ich ihn zur Haustür brachte.

»Höhere Gewalt.«

»Hmh«, machte er. Während er fortging, hörte ich hinter mir wieder dieses Scharren.

11. Der Garten von gestern

Um kurz vor acht rief Reverend Pickering an, um zu sagen, daß er sich ein wenig verspäten würde. Zwischen seinen Damen, die für die diesjährige Erntedankfeier die Kirche dekorierten, hatte es einen Streit gegeben. »Ich fürchte, einige meiner Frauen sind sehr entschlossen. Fast wie Walküren.«

Ich stand im Flur und blickte währenddessen auf das Foto ›Fortyfoot House, 1888‹. Der junge Mr. Billings hatte mittlerweile die halbe Strecke über den Rasen zurückgelegt und näherte sich der Stelle, an der sein Schatten auf ihn wartete. Neben ihm befand sich eine dunkle kleine Gestalt, die schlichtweg alles hätte sein können. Ein Fleck auf dem Negativ, ein Tintenklecks, ein Schatten. Oder Brown Jenkin, das Rattenwesen, das durch Fortyfoot House rannte und suchte ... aber nach *was*? Auf dem Dachboden gab es nichts zu essen, und es gab keine Anzeichen dafür, daß Ratten an den Möbelstücken genagt oder nach einem Weg in die Vorratskammer gesucht oder sich Nester aus alten Zeitungen gebaut hatten.

Falls Brown Jenkin eine Ratte war, dann eine verdammt seltsame. Wir hatten über Nacht in der Küche Käse offen herumliegen lassen, der nicht angerührt worden war. Es hatte auch keine Versuche gegeben, die Vorratskammer zu plündern. Allerdings fanden sich darin in erster Linie Corned Beef-Dosen und Spaghetti-Packungen. Entweder war Brown Jenkin gar keine Ratte, oder er bevorzugte anderes Essen.

Wir aßen Lasagne und Salat und tranken den Wein aus. Danny war schläfrig, so daß ich ihn gegen viertel nach neun Huckepack nahm und nach oben brachte. Nachdem ich ihn zugedeckt hatte, sagte er: »Diese Taschenkrebse können doch nicht an Land kommen, oder?«

Ich schüttelte den Kopf. »Ganz bestimmt nicht.«

»Kann ich das Licht anlassen?«

»Natürlich.«

»Die Taschenkrebse können nicht ins Haus kommen, oder?«

»Nein, das können sie nicht. Sie müssen im Wasser bleiben, sonst sterben sie. Hör mal, Danny, du hast heute etwas Schreckliches gesehen, aber die Taschenkrebse haben Mrs. Kemble nicht getötet. Sie hat sich das Genick gebrochen, vermutlich ist sie von den Felsen gestürzt. Die Taschenkrebse machen keinen Unterschied darin, welches Fleisch sie essen. Sie essen tote Vögel, Muscheln, eigentlich alles. Manchmal ist die Natur grausam.«

Ich strich sein Haar zurück und gab ihm einen Kuß auf die Stirn. »Schlaf gut«, sagte ich. »Und daß du mir ausschließlich von einer großen Tüte Lakritz träumst.«

»Lakritz mag ich nicht mehr.«

»Na, dann träum von etwas, was du *magst*.«

»Ich mag Frauen.«

»*Frauen?* Oh, du meinst sicher Mädchen?«

»Nein, Frauen. Ich hasse Mädchen.«

Oha, dachte ich, während ich die Tür leise zuzog. *Wie der Vater, so der Sohn.* Ich blieb einen Moment lang im Flur stehen und lauschte auf das verstohlene Scharren hinter den Fußleisten. Oder auf diese tiefen, unverständlichen Gesänge. Doch heute nacht schien Fortyfoot House besonders ruhig zu sein, als habe es sich heimlich in zwei Meter dicke Watte eingepackt.

Ich ging nach unten. Liz saß im Wohnzimmer im Schneidersitz auf dem Sofa und sah fern. »Haben wir noch Wein?« fragte sie.

Ich schüttelte den Kopf.

»Und was sollen wir dann Reverend Pickering anbieten?«

»Tee, dachte ich. Vikare trinken doch immer Tee, oder?«

»Nicht die, die ich kenne.«

»Na gut«, erwiderte ich. »Dann gehe ich noch mal zum Laden. Ich glaube, ich habe noch genug Geld für eine Magnumflasche Plonko de France.«

Der Abend war warm, also verzichtete ich auf einen Mantel. Ich zog die Haustür leise ins Schloß, damit Danny nicht hörte, daß ich wegging.

Wenn man den Großteil seines Lebens in dem 24stündigen Verkehrslärm von London oder Brighton verbracht hat, dann können Städtchen wie Bonchurch in der Nacht beunruhigend still sein. Auf der anderen Seite kann man aber auch höchst unerwartete Geräusche wahrnehmen, die so klingen, als stürze eine tote Eule durch die Zweige eines Baums zu Boden und reiße dabei vertrocknetes Laub mit. Ein Krachen und Knacken, Büschel von Federn und Fell.

Ich lief dicht an der Mauer entlang, die zum Dorfladen führte. Ich drehte mich nur einmal nach Fortyfoot House um, konnte aber hinter den Tannen nur die buckligen, verwinkelten Umrisse des Dachs sehen, das von hier aus wiederum völlig anders wirkte, fast so, als habe es mir den Rücken zugewandt. Ich hatte noch niemals ein Haus gesehen, das eine so düstere und wechselhafte Persönlichkeit besaß. Es kam nie zur Ruhe. Es war immer in Bewegung und – soweit man das von einem Haus denn behaupten konnte – zu den häßlichsten Dingen fähig. Manche Häuser sind angenehm und bequem und tun ihren Bewohnern nichts. Aber im Fortyfoot House blieb ich ständig am Treppengeländer hängen, ich riß mir die Haut an überstehenden Nägeln auf, ich stieß mir den Kopf an Tür- und Fensterrahmen. Selbst wenn Harry Martin durch einen Unfall ums Leben gekommen sein *sollte*, war das nur ein Beispiel für die Aggressivität des Hauses.

Ich versuchte mir einzureden, daß uns keine Gefahr drohe und daß Geister nicht gefährlicher seien als Erinnerungen. Aber eine tiefsitzende

Furcht sagte mir, daß ich mir etwas vormachte – oder daß eine finstere und übellaunige Macht *mir* etwas vormachte.

Der Dorfladen waren gerade im Begriff zu schließen, als ich ankam. Der Ladenbesitzer trug Kisten mit Gurken und neuen Kartoffeln in sein Geschäft und schien nicht besonders erfreut, mich zu sehen. Der Laden war nur schlecht beleuchtet und roch nach Waschpulver und Cheddar-Käse. Ich ging zum Weinregal und entschied mich für eine große Flasche Piat D'Or.

»Es geht also mal wieder los«, bemerkte der Besitzer, während er meinen Wein einpackte. Im Licht der Neonröhren glänzte sein mit Pomade zurückgekämmtes graues Haar.

»Bitte?«

»Sie sind doch der junge Mann, der im Fortyfoot House arbeitet, oder?« fragte er.

»Ja, das stimmt.«

»Das passiert immer, wenn die Leute versuchen, dem Haus beizukommen.«

»*Was* passiert immer?«

»Unfälle, Pechsträhnen. So wie beim armen alten Harry Martin.«

»Nun, ich muß zugeben, daß es eine gewisse ... Atmosphäre besitzt.«

»Atmosphäre?« erwiderte er. »Keine zehn Pferde würden mich in das Haus kriegen. Das kann ich Ihnen sagen. Nicht mal *hundert* Pferde.«

Während er den Preis in die Kasse tippte, warf ich einen Blick auf die Straße. Es war schwierig, klar und deutlich zu sehen, weil mein Abbild und das des Ladens sich in der Schaufensterscheibe spiegelten, aber ich glaubte, eine Gestalt in braunem Umhang und mit brauner Kapuze in Richtung Fortyfoot House eilen zu sehen. Der Vikar konnte es nicht sein, dafür war die Gestalt zu klein, außerdem hatte sie sich mehr wie eine Frau bewegt. Irgend etwas an ihr erinnerte mich auf eine unbehagliche Weise an Liz.

»Warten Sie einen Moment«, sagte ich zu dem Händler und ging nach draußen. Die Gestalt hatte sich bereits etliche Meter auf der Straße weiterbewegt und wurde fast von der Dunkelheit verschluckt. Doch als ich auf die Straße trat, drehte sie sich kurz um, und ich konnte ein blasses Gesicht sehen. Ich war nicht sicher, aber sie sah so sehr nach Liz aus, daß ich rief: »*Liz! Liz?*«

Doch die Gestalt drehte sich nicht noch einmal um, sondern lief weiter, bis sie mit der Dunkelheit eins wurde.

Ich ging zurück ins Geschäft, wo der Ladenbesitzer mit meinem Wechselgeld und völlig desinteressiertem Gesichtsausdruck auf mich wartete. »Kann ich jetzt schließen?« fragte er.

»Tut mir leid«, entschuldigte ich mich. »Ich dachte, ich hätte jemanden gesehen, den ich kenne.«

Er erwiderte nichts, folgte mir aber auf dem Fuß zur Tür und schloß sie ab, sobald ich das Geschäft verlassen hatte. Ich drehte mich im Weitergehen um und sah, wie er dastand und mich beobachtete. Sein Gesicht war zur Hälfte von einem Schild mit der Aufschrift *Sorry, wir haben geschlossen! Auch wenn Sie Brooke Bond Tea haben möchten!* Seine Augen glänzten hinter seinen Brillengläsern wie gerade geöffnete Austern.

Ich ging durch die Dunkelheit zurück, während die Steinmauern, die zu beiden Straßenseiten standen, ein lautes Echo meiner Schritte warfen. Je länger ich darüber nachdachte, um so sicherer war ich, daß ich Liz an dem Geschäft hatte vorbeilaufen sehen. Oder jemanden, der ihre Zwillingsschwester hätte sein können. Aber was sollte Liz hier auf der Straße gemacht haben, noch dazu in einem langen braunen Umhang? Und wie sollte sie mich überholt haben, während ich von Fortyfoot House zum Geschäft gegangen war? Daß sie mich nicht überholt hatte, war sicher.

Als ich die letzte Biegung der Straße erreicht hatte, tauchte hinter den Bäumen Fortyfoot House auf. Eine Ansammlung von Dreiecken, Buckeln und Vielecken, aus dem Schornsteine sich wie schwere, kopflastige Spitzen in den Himmel streckten. Während ich mich dem Haus näherte, stellte ich fest, daß ich immer intensiver auf das Muster starrte, zu dem sich das Dach formte. Allmählich erreichte es eine Form, die mir vertraut war. Und genauso allmählich wurde mir die Bedeutung dieses außergewöhnlichen und sonderbaren Designs bewußt. Ich blieb stehen und betrachtete das Dach, und mit einem Mal *wußte* ich, daß ich die Bedeutung von Fortyfoot House von Anfang an richtig eingeschätzt hatte, als sei ich auf meine Ankunft *vorbereitet* worden, lange bevor ich auch nur eine Ahnung hatte, daß ich herkommen würde.

Von hier aus bildete das Dach exakt die Form des sumerischen Tempels in der Ausgabe von *National Geographic*, jenes Tempels, den die Türken abgerissen hatten. Die gleichen Kanten, die gleichen Spitzen, die gleichen unmöglichen Perspektiven.

Wenn Kezia Mason wirklich selbst dieses Dach entworfen hatte, dann hatte der alte Mr. Billings viel mehr als nur ein verzogenes Mädchen aus dem East End ins Fortyfoot House gebracht. Er hatte einer jahrhundertealten Intelligenz Zutritt verschafft, die wußte, wie man Bauwerke errichtet, die auf eine übernatürliche Weise von den normalen Grenzen von Raum und Zeit befreit sind.

Ich stand wie erstarrt da und sah das zusammengekauerte Profil des

Hauses an, während ich das Gefühl hatte, entweder von einer genialen Erkenntnis oder vom Wahnsinn erfüllt zu sein. Saul auf dem Weg nach Tarsus. Es war ein *gewaltiges* Gefühl, ein Gefühl, das mir ein Rauschen in den Ohren bescherte, als würde ich ins Vakuum des Alls geschleudert und könnte plötzlich Gott verstehen.

Ich kehrte zum Haus zurück. Ein beiger Renault Kombi parkte gleich neben dem Wrack meines Audi. Reverend Pickering war also angekommen.

Liz öffnete die Haustür, während ich noch nach meinem Schlüssel suchte. »Der Vikar ist hier«, sagte sie. »Was ist?« fragte sie dann, als sie bemerkte, daß ich sie offenbar etwas seltsam ansah.

»Bist du noch mal rausgegangen?« fragte ich.

»Raus? Natürlich nicht. Ich habe darauf gewartet, daß du den Wein bringst. Wieso?«

Ich schüttelte den Kopf. »Ist nicht so wichtig.«

Sie nahm mir die Weinflasche ab, während ich ins Wohnzimmer ging. Dennis Pickering hatte in einem der alten Sessel Platz genommen und unterhielt sich mit Danny, der wieder aufgestanden war. Als ich hereinkam, erhob sich Pickering und gab mir die Hand. Er sah ein wenig müde aus, und auf dem Revers seiner grünen Tweed-Sportjacke war ein Fleck Tomatensuppe zu sehen.

»Wie wäre es mit einem Glas Wein?« fragte ich.

»Vielleicht später«, sagte er und sah sich um. »Ich muß gestehen, David, daß dieses Haus mich *unruhig* werden läßt. Reine Einbildung, aber in meiner Branche muß man sich schon eine Menge einbilden können. Vom Glauben mal ganz abgesehen.«

»Ich nehme an, Sie haben gehört, was Mrs. Kemble zugestoßen ist«, sagte ich.

Er nickte. »Bedauerlicherweise ja. Eine meiner Damen hat mich angerufen. Das ist schrecklich. Tragisch. Die Polizei scheint zu glauben, daß sie auf den Felsen spazierengegangen und dann ausgerutscht ist. Sie hat sich wohl den Kopf gestoßen und ist dann ertrunken. Das ist nicht besonders schwierig, vor allem für eine Frau in ihrem Alter. Außerdem kann man ohne weiteres in nur wenige Zentimeter hohem Wasser ertrinken. Ein kleiner Junge aus Shanklin ist letzten Sommer fast an derselben Stelle ertrunken.«

»Heute abend haben wir noch keine Geräusche gehört«, sagte ich. »Außer, es sind welche zu hören gewesen, als ich den Wein gekauft habe.«

Danny schüttelte den Kopf. »Ich bin nur aufgewacht, weil ich dachte, ich hätte die Ratte gehört. Sonst war nichts.«

»Und wo hast du sie gehört?«

»Oben auf dem Dachboden.«

»Vielleicht sollten wir auf dem Dachboden anfangen«, schlug ich Pickering vor.

»Ja, warum nicht?« sagte er und rieb sich die Hände. »Jede Reise beginnt mit dem ersten Schritt.«

»Ich wußte gar nicht, daß die anglikanische Kirche die Lehren des Vorsitzenden Mao verbreitet«, sagte ich lächelnd.

»Darf ich mitkommen?« bettelte Danny.

»Nein, das geht nicht«, erwiderte ich. »Ich glaube zwar nicht, daß es gefährlich wird, aber es könnte zu unheimlich sein.«

»Das macht mir nichts aus.«

»Aber mir macht es was aus, und jetzt ist Schluß.«

»Ich kann die Taschenlampe halten«, sagte Danny.

»Ich habe ›nein‹ gesagt. Du bleibst hier und kannst den Fernseher anmachen. Wir gehen nur nach oben auf den Speicher.«

»Vielleicht ein kurzes Gebet?« fragte Pickering.

Ich warf Liz einen unbehaglichen Blick zu. »Wenn Sie glauben, daß das hilft«, erwiderte ich.

Er lächelte mich an. »Auf jeden Fall kann es nicht *schaden*.«

Er faltete die Hände und schloß die Augen. »O Herr, beschütze uns in dieser Zeit des Unglücks. Beschütze uns vor dem Bösen, bekannt oder unbekannt. Und bring uns sicher aus der Dunkelheit, aus Furcht und Ungewißheit ins unfehlbare Licht deiner heiligen Wahrheit.«

»Amen«, murmelten wir.

Zunächst zeigte ich Pickering das Bild im Flur. Noch bevor wir uns genähert hatten, konnte ich erkennen, daß der junge Mr. Billings an seine ursprüngliche Position zurückgekehrt war. Die schattenhafte, haarige Kreatur, die ihn über den Rasen begleitet hatte, war verschwunden. *Fast* verschwunden, wie ich feststellen mußte. Denn als wir näherkamen, bemerkte ich, daß die hintere Tür von Fortyfoot House ein wenig geöffnet war, und daß der winzige Teil eines Schattens dort verschwand. Der Schwanz von Brown Jenkin?

Dennis Pickering beugte sich vor und betrachtete das Foto aufmerksam. »Ja«, sagte er, »das ist Billings der Jüngere. Ohne Zweifel.«

»Seit gestern hat er ständig seine Position gewechselt.«

Pickering sah mich fragend an. »Bitte? Sie meinen, das Foto hing woanders?«

»Nein, nein, der junge Mr. Billings hat seine Position verändert. Er bewegt sich in dem Foto hin und her. Gestern ging er da hinten über den Rasen und hielt die Hand oder Klaue von irgend etwas, das wie Brown Jenkin aussah.«

Pickering sah sich noch einmal das Foto an. »Sind Sie da ganz sicher?«

»Ganz sicher.«

»Und was ist mit Ihnen, Liz?« wollte er wissen. »Haben Sie das auch gesehen?«

»Ich bin nicht sicher«, antwortete sie.

Ich warf ihr einen ärgerlichen Blick zu: »*Du bist nicht sicher?*«

Sie sah fort. »Mir fällt es sehr schwer, das alles zu verstehen. Ich weiß nicht, ob ich meinen Augen glauben kann oder nicht.«

»Aber er war doch fast völlig aus dem Bild verschwunden!« protestierte ich.

»Ich weiß nicht, mir kommt das alles wie ein böser Traum vor«, sagte Liz.

»Schon gut, schon gut, wir brauchen nicht noch mehr Unruhe«, sagte Pickering beschwichtigend. »Ich schlage vor, daß wir nach oben gehen und uns umsehen.«

Ich versuchte, Liz' Hand zu nehmen, während wir durch den Flur zurückgingen, doch sie entzog sich meinem Griff.

»Stimmt was nicht?« flüsterte ich.

»Nein«, beteuerte sie.

»Irgend etwas stimmt doch nicht.«

»Es ist nichts. Ich möchte bloß nichts mehr mit all diesen Dingen zu tun haben. Und ich weiß auch nicht, warum du dich damit beschäftigen sollst. Es ist nicht dein Haus und damit nicht dein Problem.«

Ich blieb stehen. »Bist du *sicher*, daß du heute abend das Haus nicht verlassen hast?«

»Da bin ich verdammt sicher. Warum fängst du damit schon wieder an?«

»Können wir?« fragte Pickering ein wenig ungeduldig.

Wir stiegen die Stufen bis zum Treppenabsatz hinauf, dann öffnete ich die Tür zum Speicher. Wieder schlug mir dieser hartnäckige, abgestandene Luftzug entgegen. Ich schaltete die Taschenlampe ein und leuchtete nach oben, als ich bemerkte, daß der Dachboden bereits in eine schwaches, gräuliches Licht getaucht war. Ich sah zu Liz und sagte: »Sieh dir das an, da oben ist Licht. Vielleicht haben die elektrischen Leitungen beschlossen, sich selbst zu reparieren.«

Pickering ging vor mir die kurze Treppe hinauf, dann blieb er abrupt stehen, ohne etwas zu sagen und ohne sich zu bewegen. Schließlich sagte er: »Ich komme wieder nach unten.« Im nächsten Moment stand er neben mir auf dem Absatz und sah bleich aus.

»Was ist los? Was ...«

»Da oben *ist* ein Licht«, antwortete er, während sich seine Stimme fast überschlug.
»Und?«
»Ich befürchte, es ist Tageslicht.«
»Wieso Tageslicht? Draußen ist es stockfinster.«
»Es ist Tageslicht, glauben Sie mir. Sie sollten besser diese Tür verschließen. Ich werde mich sofort mit Stiftsherr Earwaker in Verbindung setzen.«
»Sie müssen sich irren. Da oben kann kein Tageslicht sein. Es gibt keine Fenster da oben, von dem Dachfenster abgesehen. Und das ist zugeklebt.«
Ich nahm die erste Stufe der Treppe, aber Pickering packte mich am Ärmel und schrie mich fast an: »*Nein!* Das dürfen Sie nicht!«
»Mr. Pickering, um Himmels willen. Da oben *kann* es kein Tageslicht geben!«
»Es ist Tageslicht«, wiederholte er nahezu außer sich, während er noch stärker an meinem Ärmel zerrte. »Das ist Teufelswerk, glauben Sie mir doch. Gehen Sie um keinen Preis nach oben.«
»Tut mir leid, aber das muß ich machen.«
»David!« mischte sich Liz ein. »Geh nicht!«
Diesen Gesichtsausdruck hatte ich bei ihr noch nicht gesehen. Er war sehr merkwürdig, und auch ihr Tonfall war ungewöhnlich. Sie hatte sich angehört, als habe sie eine sehr gute Vorstellung von dem, was Pickering solche Angst eingejagt hatte. Als *wisse* sie, warum der Speicher so aussah, als sei er in Tageslicht getaucht.
Ich schob Dennis Pickering behutsam zurück. »Es tut mir leid«, wiederholte ich, »aber ich *muß* da einfach raufgehen. Ich kann hier in Fortyfoot House nichts tun, wenn ich nicht ein für allemal diesen Lichtern und Geräuschen auf den Grund gehe.«
»Dann komme ich mit Ihnen«, beharrte Pickering, auch wenn er aufgeregt atmete und seine Hände zitterten.
»Sie müssen nicht, wenn es Ihnen Angst einjagt«, sagte ich.
»Es ist meine priesterliche Pflicht. Und es ist meine Pflicht als Mensch.«
»Glauben Sie *wirklich*, daß da oben der Teufel lauert?«
»Sie können es nennen, wie Sie wollen. Aber es ist dort. Und es ist so real wie Sie und ich. Können Sie nicht das Böse riechen? Es ist die Essenz des Bösen!«
Ich schnupperte.
»Ich kann einen schwefeligen Geruch feststellen, ein wenig verbrannt. Weiter nichts.«

Die Opferung 153

»Die Essenz des Bösen«, sagte Pickering, während er mit dem Kopf nickte. »Der Gestank der Hölle.«

»Egal«, entschied ich. »Ich gehe jetzt trotzdem nach oben.«

Liz warf mir einen geringschätzigen Blick zu, obwohl sie der Hauptgrund dafür war, daß ich auf den Speicher steigen wollte. Wenn ich nicht klärte, was es mit den Geräuschen und Lichtern im Fortyfoot House auf sich hatte, konnte ich nicht von ihr erwarten, daß sie blieb. Und außerdem hatte ich bei unserem Gespräch am Nachmittag, bevor wir Doris Kemble gefunden hatten, gemerkt, wie sehr ich wollte, daß sie blieb, und wie sehr ich sie *brauchte*.

Obwohl die Treppe von dem Licht auf dem Dachboden erhellt wurde, nahm ich die Taschenlampe mit. Wenn die Lampen sich aus eigener Kraft reparieren konnten, dann konnten sie auch wieder ausfallen, und ich wollte nicht noch einmal in völliger Dunkelheit auf dem Dachboden stehen. Früher hatte ich in der Dunkelheit keine Angst gehabt, aber Fortyfoot House hatte das grundlegend geändert.

Ich erreichte die oberste Stufe und sah mich um. Langsam wurde mir klar, daß Dennis Pickering recht hatte, so wenig ich das auch glauben wollte. Der Speicher war tatsächlich in Tageslicht getaucht. Kaltes, graues, herbstliches Licht, als hätten wir nicht Juli, sondern Mitte November. Aber nicht nur das – der Speicher war auch so gut wie leer. Kein Schaukelpferd, keine Möbel, keine zusammengerollten Teppiche, keine Bilder, über die man Tücher geworfen hatte. Nur ein paar staubige Bastkörbe und Hutschachteln, und eine altmodische Nähmaschine.

Das Dachfenster war nicht abgedeckt, zudem stand es offen. Daher kam also der modrige Luftzug, der sich auf dem Dachboden breitmachte – obwohl ich keine Ahnung hatte, wie der Zug hereinkommen sollte, wenn das Dachfenster doch eigentlich verschlossen und das Dach nach außen hin versiegelt worden war.

»Gleicher Ort, andere Zeit«, sagte ich. Es war furchterregend und verwirrend, aber der Gedanke, daß wir über die Treppe zum Speicher ins Fortyfoot House des Jahres 1880 gelangt waren, hatte auch etwas Aufregendes.

»Ich glaube nicht, daß wir noch weiter gehen sollten«, warnte Pickering mit düsterem Gesichtsausdruck, während er sich am Treppengeländer festhielt.

»Ich will nur aus dem Dachfenster sahen«, rief ich ihm zu. Ich bemerkte Wolken, die vorüberzogen, ich hörte die See und das leise Rascheln von trockenem Laub. Nicht nur das Jahr und die Tageszeit hatten sich geändert, es war auch eine andere Jahreszeit.

Pickering zitterte wie ein Mann, der eine schwere Grippe hatte, und obwohl er der anglikanischen Kirche angehörte, bekreuzigte er sich zweimal. »Das ist eindeutig Teufelswerk. Wenn Sie durch dieses Dachfenster blicken, David, dann werden Sie direkt in den Schlund der Hölle sehen.«

»Halten Sie bitte die Taschenlampe«, sagte ich und ging über den Speicherboden, bis ich unter dem Dachfenster stand. Der Himmel sah ganz normal aus. Es war ein windiger Tag an der Küste, ich sah ein paar Möwen vorüberziehen und einige braune Blätter, die vom Wind fortgetragen wurden. Was ich nicht entdecken konnte, waren die qualmenden Schlote der Hölle, Fledermäuse und Hexen auf ihren Besen.

»Ich flehe Sie an«, sagte Pickering.

»Nur ein Blick«, versicherte ich.

Er schüttelte ungläubig seinen Kopf.

So wie Harry Martin kurz vor seinem Tod zog ich eine schwarze hölzerne Kiste über den Boden, bis sie direkt unter dem Dachfenster stand. Dann stieg ich hinauf und sah vorsichtig aus dem offenen Fenster. Der Wind wehte mir kräftig ins Gesicht und ließ meine Augen tränen. Ich wandte mich ab und sah, daß Dennis Pickering sich mir angeschlossen hatte. Erstaunen und Neugier hatten über seine Angst gesiegt.

»Vielleicht ist es gar kein Teufelswerk«, sagte er. »Es ist so außergewöhnlich ... dann kann es eigentlich nur ein Werk des Herrn sein.«

»Vielleicht ist auch das Werk von Menschen«, gab ich zu bedenken und sagte ihm, wie ähnlich das Dach der sumerischen Zikkurat war. »Vielleicht ist es das Werk von Kezia Mason.«

»Ich weiß nicht«, sagte Pickering. »Zum ersten Mal in meinem Leben fühle ich Angst. ... Nein, keine Angst, eher *Unsicherheit*. Ich verstehe das nicht. Es ist so ... *fremd*. Wissen Sie ... mit jeder Minute, die verstreicht ... bin ich um so überzeugter, daß das hier etwas anderes ist. Keine Werk des Teufels oder des Herrn. Sondern etwas Anderes. Etwas völlig *Anderes*.«

Er dachte weiter laut nach, während ich noch einmal durch das Dachfenster sah. Ich konnte den Rosengarten an der Stelle stehen, an der er zur Sonnenuhr hin abfiel. Der Rasen war gründlich gemäht, die Rosen waren alle zurückgeschnitten worden. In der Ferne sah ich zwischen den Bäumen das Glitzern des Kanals im Sonnenschein.

»So wie die Zikkurat, sagten Sie?« fragte Pickering. »Was können Sie sehen? Die gleiche Aussicht? Den Garten?«

»Es ist der Garten«, erwiderte ich. »Aber er sieht etwas anders aus. Viel gepflegter. Und die Bäume unten am Bach sind noch viel kleiner. Einige sind nicht viel mehr als Schößlinge.«

»Dann sind wir in der Vergangenheit?« fragte Dennis Pickering.

Ich sah nach links zur Kapelle. Sie war in bester Verfassung, die Bleiglasfenster spiegelten das Licht, der Friedhof war gemäht. Ich konnte nur gut ein Dutzend Gräber erkennen, die erst vor kurzem ausgehoben worden waren und richtige Grabsteine aufwiesen, nicht nur einfache Holzkreuze.

»Ja«, sagte ich schließlich. »Ich glaube, wir sind in der Vergangenheit.«
»Glauben Sie, ich könnte es mir selbst ansehen?« fragte Pickering nervös. »Nur ein Blick ... es ist so bemerkenswert.«

»Aber sicher«, antwortete ich. Gerade wollte ich jedoch von der Kiste heruntersteigen, als ich zwei Schatten bemerkte, die durch den Rosengarten huschten. Es war schwierig, sie zu erkennen, weil sie sich so schnell bewegten, daß es aussah, wie etwas, das man an sich vorbeihuschen sieht, wenn man aus dem Fenster eines fahrenden Zugs blickt. Dann kamen sie aber auf den kreisförmig gemähten Rasen rund um die Sonnenuhr. Eine der Gestalten erkannte ich sofort. Sie war groß, mit buschigem Backenbart, einem schwarzen Frack und einem Zylinder. Der junge Mr. Billings, mit blassem Gesicht und erregtem Ausdruck, zu seiner Linken begleitet von einer kleineren Gestalt in braunem Umhang mit Kapuze, einer Gestalt, die geduckt umhersprang, als vollführe sie irgendeinen außergewöhnlichen Tanz.

Ich mußte mich daran erinnern, daß ich kein Foto sah, sondern einen realen Nachmittag beobachtete, auch wenn der vor über hundert Jahren stattgefunden hatte. Da war der junge Mr. Billings, lebendig und sehr verärgert. Und da war das kleine, haarige, schlurfende Ding, das Brown Jenkin sein mußte.

Hier vom Dach aus konnte ich kaum dahinterkommen, was der junge Mr. Billings tat oder sagte. Er gestikulierte mit seinem rechten Arm, als sei er ein Metzger, der einen Ochsenschwanz zerlegt. Er schien sehr wütend zu sein, doch die kleine, in braun gekleidete Gestalt schien nicht willens zu sein, ihm zuzuhören. Sie kreiste um ihn herum, eilte und rannte, sprang und duckte sich, womit sie es dem jungen Mr. Billings unmöglich machte, zu ihr aufzuschließen, außer er vollzog einen ähnlich wirren Tanz.

Zwischen dem Pfeifen des Windes und dem monotonen Kreischen der Möwen konnte ich nur Bruchstücke hören: » ... egal, was sie will ... vereinbart ... du kannst nur so viele nehmen, wie du ...«

»Bitte«, sagte Pickering, doch ich blieb, wo ich war, um zu hören, was der junge Mr. Billings und die in braun gehüllte Gestalt sprachen. Der junge Mr. Billings klang, als belle er einen Hund an, während die kleine Gestalt weiter umhertänzelte, als würde es sie nicht interessieren. Ab und zu ließ sie ein schrilles, abgehacktes Lachen erschallen. Es war wie ein Traum oder ein Alptraum, diesen großen Mann zu beobachten, wie er etwas anschrie, das weniger wie ein Mensch wirkte, sondern eher wie ein buckliges und viel zu großes Nagetier.

»Wir haben eine Vereinbarung, schlicht und einfach!« rief der Mann heiser.

In dem Moment tauchte direkt unter mir eine Frau auf. Sie mußte aus der Küche oder um das Haus herumgekommen sein. Ihr Gesicht konnte ich nicht erkennen, weil sie mit dem Rücken zu mir stand, doch ich erkannte das wallende rote Haar wieder. Es war die Frau, deren Bild man an die Wand in der Kapelle gemalt hatte. Sie trug ein dünnes weißes Kleid, das im Wind flatterte. Obwohl es kalt war, stand sie barfuß im Garten.

An der Hand hielt sie ein Mädchen von vielleicht zehn oder elf Jahren, das ebenfalls ein dünnes weißes Kleid trug. Das Mädchen trug einen Kranz aus Palmen- und Lorbeerblättern im Haar.

Es wurde geschrien, während das Rattending hin und her sprang. Wieder und wieder sagte der Mann: »Wir haben eine Vereinbarung, schlicht und einfach!« Die in weiß gekleidete Frau nahm ihn aber einfach nicht wahr.

Der Mann mit dem schwarzen Zylinder unternahm einen tolpatschigen Versuch, die Hand des Mädchens zu fassen zu bekommen, als versuche er, es der Frau zu entreißen. Das Rattending sprang ihn an, bleckte gleich mehrere Reihen geschwungener gelber Zähne und ließ seine lilafarbene Zunge hervorschießen.

Der Mann trat sofort einen Schritt zurück und hob seinen linken Arm, als wäre es ihm lieber, daß ihm seine Hand, nicht aber sein halbes Gesicht fortgerissen wurde.

Sofort drehte sich die Frau um und ging zurück zum Haus. Der Mann zögerte, versuchte dann aber, ihr zu folgen. Der Wind trug die gellenden Schreie des Kindes zu mir herauf.

»Was ist los?« wollte ein äußerst aufgeregter Reverend neben mir wissen.

»Sieht so aus, als hätte der junge Mr. Billings Streit mit Brown Jenkin«, antwortete ich und stieg von der Kiste herunter. Hastig nahm Pickering meinen Platz ein und sah hinaus in den Garten.

»Ja, Sie haben recht! Mein Gott, das ist der junge Mr. Billings! Und das ist zweifellos Brown Jenkin! Und die Frau muß Kezia Mason sein!«

»Aber was machen sie?« wollte ich von ihm wissen. Er streckte seine Hand aus und ich half ihm von der Kiste. »Kezia Mason nimmt das Mädchen mit. Gott weiß, warum sie das macht. Aber wenn dies das Jahr 1886 ist, in dem alle Kinder im Fortyfoot House starben oder verschwanden, dann können Sie sicher sein, daß diesem Mädchen etwas äußerst Unerfreuliches widerfahren wird.«

»Können wir es nicht retten?« überlegte ich.

Pickering sah wieder zum Dachfenster und wirkte unentschlossen. »Ich nehme an, daß wir es versuchen könnten. Aber an Ihrer Stelle würde ich mich von Brown Jenkin fernhalten.«

Ich ging rasch zur Treppe und sah nach unten, wo Liz noch immer auf uns wartete. Sie stand in der Dunkelheit da, womit klar war, daß wir auf *diesem* Weg nicht den Garten des Jahres 1886 erreichen konnten.

»Wir könnten aus dem Dachfenster klettern«, schlug Pickering vor, ohne allzu begeistert zu klingen.

»Das nützt nichts«, sagte ich ihm. »Von diesem Teil des Dachs aus geht es nirgendwo hin. Da geht es nur steil runter bis zur Veranda.«

»Warten Sie«, sagte er und berührte meinen Arm. »Ist das da im Boden nicht eine Klapptür?«

Ich drehte mich um und mußte ihm recht geben. Sie war fast völlig von einem staubigen Laken verdeckt, aber ich konnte ein Scharnier und eine Ecke des nicht richtig sitzenden Rahmens erkennen. Ich trat das Laken zur Seite und sah eine Klapptür, die groß genug für einen erwachsenen Menschen war. Es sah so aus, als habe man sie irgendwann nach der Fertigstellung des Hauses nachträglich in den Boden eingelassen. Handwerklich war es das Werk eines Amateurs, wenn man sie mit den anderen im Haus ausgeführten Arbeiten verglich. Die Nägel und Scharniere waren bereits verrostet.

Mir fiel auf, daß die Riegel, die die Klapptür geschlossen hielten, nicht zurückgezogen waren und sich auf *dieser* Seite befanden, anstatt auf der anderen, mir abgewandten Seite. Das konnte nur bedeuten, daß verhindert werden sollte, daß jemand heraufkommen konnte.

Jemand. Oder *etwas*.

Ich kniete nieder und preßte mein Ohr gegen die Klapptür. Aus einem der unter mir liegenden Räume konnte ich das Mädchen schreien hören.

»Sind Sie bereit dafür?« fragte ich den Reverend. Mein Herz raste wie wahnsinnig. »Es könnte sein, daß wir uns in etwas einmischen, obwohl wir das gar nicht sollten. Das ist Ihnen doch bewußt, oder?«

Dennis Pickering schluckte schwer. »Wenn die Unschuldigen um Hilfe rufen, müssen wir etwas unternehmen«, sagte er dann. »Da bedeutet es keinen Unterschied, ob es 1886 oder 1992 ist.«

»Amen«, sagte ich und öffnete die Klapptür.

Während ich in das winterliche Tageslicht spähte, wurde mir plötzlich klar, daß diese Klapptür in mein Schlafzimmer führte ... das jetzt ein

Zimmer war, bei dem die Decke nicht abgetrennt worden war. Das war mein Schlafzimmer, bevor man nahezu ein Drittel des Raums abgeteilt hatte. Das Zimmer war dementsprechend größer und luftiger, und es verfügte über ein zweites Fenster mit Blick auf die Erdbeerbeete. Direkt unter der Klapptür stand ein Stuhl, zu dem ich mich hinunterhangelte, um dann auf den nackten Fußboden hinabzusteigen. Ich rief leise nach Dennis Pickering, damit er mir folgte.

Es war faszinierend, wie mein Schlafzimmer ohne die schräg nach unten verlaufende Decke wirkte. Erst jetzt wurde mir bewußt, wie groß der Teil war, den man abgetrennt hatte. Am zweiten Fenster stand ein einfaches Metallbett, das olivgrün gestrichen war, sich aber in einem heruntergekommenen Zustand befand. Auf dem Metallgestell lagen eine unbequeme Roßhaarmatratze und ein gelbliches Bettlaken, weiter nichts. Ein Tablett aus verfärbtem Kupfer lag unter dem Bett, außerdem eine zusammengelegte Schürze, die mit rostigen Flecken übersät und mit ihren eigenen Schnüren fest zusammengebunden war.

»*Sehen Sie doch*«, sagte Pickering plötzlich und lenkte meine Aufmerksamkeit auf ein Kruzifix, das an der Wand vor dem Bett hing. Es war ein großes Kruzifix, mit großem Geschick aus dunkel lackiertem Holz geschnitzt, mit einer Christus-Figur aus Elfenbein und mattiertem Silber. Christus sah mit Augen voller Selbstaufopferung und Schmerz ins Nichts. Was aber so unangenehm an dem Kreuz war, das war die Tatsache, daß es auf dem Kopf hing und an einer verdrehten Kordel aus zerfasertem Hanf und vertrockneten Kastanienblüten befestigt war.

»Was bedeutet das?« fragte ich.

»Ich weiß nicht, vielleicht Satansjünger. Oder Anhänger des Anti-Christen. So etwas habe ich noch nie gesehen. Es könnte sich um irgendeinen Kult handeln, von dem wir noch nie etwas gehört haben. Ende des neunzehnten Jahrhunderts gab es viele Randgruppen, die sich mit Schwarzer Magie und Teufelsanbetung beschäftigten.«

»Hören Sie!«

Wieder waren die Schreie des kleinen Mädchens zu hören. Es klang danach, als habe man das Kind in den Raum gebracht, der heute das Wohnzimmer war. Die Schreie hörten sich nicht mehr so hysterisch an, dafür elender, als hätte sich das Mädchen in sein Schicksal ergeben, sei aber dennoch todunglücklich.

»Möge Gott uns die Kraft geben, die wir brauchen«, hauchte Dennis Pickering und ging vor mir zur Treppe.

Das Haus hatte sich zwischen 1886 und 1992 kaum verändert. Entlang der Treppe und im Flur war allerdings alles mit dunklem Holz vertäfelt, außerdem waren die Wände oberhalb der Vertäfelung tapeziert. Ein

Die Opferung 159

durchdringender Geruch von feuchtem Verputz, gekochtem Fisch und Lavendelbohnerwachs hing im Haus.

Im Flur hingen viel mehr Fotos und Zeichnungen an den Wänden, aber natürlich fehlte ›Fortyfoot House, 1888‹. Während Pickering und ich uns vorsichtig auf die geöffnete Tür zum Wohnzimmer zu bewegten, fiel mein Blick auf seltsame Stahlstiche von mysteriösen Gärten, die von Tieren bevölkert wurden, die die Größe von Wild mit Insektenbeinen und Panzern hatten. Es gab minutiös gezeichnete Darstellungen von mutierten Tieren und medizinische Darstellungen von schwangeren Frauen, die aus achteckigen Glasbehältern Chloroform einatmeten. Andere Bilder zeigten beunruhigend detaillierte Zeichnungen von Frauen, deren Inneres mit Lampen erhellt und untersucht wurde.

Ich konnte mir nicht jedes Bild ansehen, aber ich hätte mir keine Sammlung vorstellen können, die noch ungeeigneter für ein Waisenhaus gewesen wäre als diese hier. Jedes einzelne von ihnen war bizarr oder furchterregend oder schonungslos gynäkologisch. Es gab den furchteinflößenden Stich mit dem Titel ›Soldatenfrau, die ihrem Ehemann in die Schlacht folgt, von einer Kanonenkugel in zwei Hälften gespalten wird und noch im gleichen Moment ein lebendes Kind zur Welt bringt‹.

Der Reverend hob eine Hand, um mir zu bedeuten, daß ich stehenbleiben und mich ruhig verhalten solle. Wir waren noch etwa einen Meter von der Wohnzimmertür entfernt und konnten nun ganz genau das atemlose, hohe Jammern des Mädchens und das verzerrte Kichern von Brown Jenkin und die monotone Stimme des jungen Mr. Billings hören. Das graue Herbstlicht fiel auf den rot-braun gemusterten Teppich, der von Tausenden von Tritten lederbesohlter Schuhe glänzend geworden war. Irgendwo hinter uns, vielleicht aus der Küche, hörte ich klappernde Geräusche. Jemand sang *Two Little Girls In Blue*.

»Was sollen wir jetzt am besten machen?« zischte Pickering mir zu. Sein Atem roch nach zu vielen Tassen Tee. Soviel zu Liz' Äußerung, Vikare würden üblicherweise Alkohol trinken.

»Ich weiß nicht. Was *können* wir machen?« In diesem Moment mußte ich an das denken, was Liz gesagt hatte: ›Du kannst dich nie entscheiden. Gehen – bleiben – gehen – bleiben. David, um Himmels willen, entscheide dich doch endlich einmal‹.

Ich überlegte immer noch, wie wir vorgehen sollten, als ich eine schneidende, überhebliche Stimme hörte, die mich innehalten ließ. Es war die Stimme einer Frau, mit einem Cockney-Akzent, der mit dem heutigen genuschelten Cockney kaum etwas gemein hatte. Ohne jeden

Zweifel mußte das Kezia Mason sein – Schützling des alten Mr. Billings, Geliebte des jungen Mr. Billings.

»Na, komm schon, du kleines Luder. Der Alte Freund wartet auf dich.«

Wieder schrie das Kind auf, dann sagte der junge Mr. Billings: »Kezia, das war nicht vereinbart. Zwölf, hast du gesagt, mehr nicht. Zwölf würden genügen. Und bei Gott, zwölf waren schon schlimm genug. Aber nicht mehr als zwölf.«

»Wann habe ich etwas von zwölf gesagt, mein Liebster?«

»Du hast von zwölf gesprochen, als wir uns zuerst geeinigt hatten. Jenkin hat ebenfalls zwölf gesagt. Nicht mehr.«

»Ich sagte zwölf in den Tagen von Queen Dick.«

»Kezia, du kannst nicht noch mehr nehmen. Was wird Barnardo sagen?«

»Wir lassen Mazurewicz kommen. Er wird bestätigen, daß sie alle an der Reihe waren.«

»Verdammt, Kezia, du kannst sie nicht alle haben!«

»Der Alte Freund nimmt, was er braucht«, erwiderte Kezia. Das Kind schrie unterdessen, ohne Luft zu holen.

Ich flüsterte Pickering zu: »Klingt so, als ob sie auf uns zukommen. Ich schnappe mir das Kind, und Sie brüllen ihnen etwas entgegen, irgendwas, Gebete, Flüche, einfach genug, um sie aus der Fassung zu bringen.«

Überraschend griff der Reverend nach meiner Hand: »Wenn wir sie mit auf den Speicher nehmen ... in unsere Zeit ... glauben Sie, daß sie überleben wird?«

»Wie meinen Sie das?«

»Wir befinden uns im Jahr 1886, das Kind ist *jetzt und hier* zehn oder elf Jahre alt. Wenn wir es mit ins Jahr 1992 nehmen, wäre es dort über hundert Jahre alt. Vielleicht bringen wir es im Grunde ebenso um, wie Kezia Mason es macht! Vielleicht sogar auf noch grausamere Weise!«

Das Kind schrie inzwischen noch lauter, und ich wußte, daß wir irgend etwas unternehmen mußten. »Um Himmels willen, Dennis. Wir haben es hierher geschafft in eine Zeit, in der wir noch nicht auf der Welt sind! Dann wird das umgekehrt genauso funktionieren!«

Reverend Pickering legte kurz die Hände aneinander und sprach das schnellste Gebet in der Geschichte des Christentums. Dann öffnete er die Augen und sagte: »Also gut, David, wir werden es wenigstens versuchen. Möge Gott mit uns sein!«

Das Mädchen schrie und schrie. Ich gab Pickering mit der flachen Hand einen Stoß, und dann stürmten wir zusammen durch die Tür ins Wohnzimmer.

12. Der Teufelsdaumen

Niemals werde ich den alptraumhaften Anblick, der sich uns bot, als wir in das Zimmer stürzten, vergessen – vieles erinnert mich daran: meine Träume, Schatten, Spiegelbilder, die man nur flüchtig sieht, ein kaum hörbares Flüstern. Es genügt der Blick auf einen viktorianischen Stuhl mit hoher Rückenlehne bei einem Antiquitätenhändler, ein bestimmter graugetönter Herbsthimmel, ein brauner Teppich, der Geruch von Staub und Möbelpolitur aus Bienenwachs. In dem Moment, in dem Dennis Pickering und ich das Wohnzimmer betraten, wurde mir zum ersten Mal bewußt, daß wir in eine Zeit zurückgereist waren, in die wir nicht gehörten. Und ich erkannte, daß das Grauen, dem wir gegenüberstanden, keine Geister oder sich bewegende Fotos waren oder Produkte unserer überanstrengten Phantasie, sondern reale Personen, die *lebten* und atmeten und die vom Geruch der Hölle umgeben waren.

Der junge Mr. Billings stand am weitesten von uns entfernt, seinen Arm hatte er halb erhoben. Er war viel größer, als ich ihn mir vorgestellt hatte, und sein schwarzer Hut und sein schwarzer Frack waren viel besser gearbeitet. Doch seine Wangen waren faltig, seine Augen waren blutunterlaufen, und er sah aus wie ein Mann, dessen innerer Zusammenbruch sich unerbittlich auf seinem Gesicht manifestiert hatte.

Kezia Masons Bild an der Wand der Fortyfoot-Kapelle wurde ihr nicht gerecht. Sie war zierlich und zart, fast schon hübsch. Vielleicht sogar *mehr* als hübsch, auch wenn sich in ihren Augen eine sonderbare, deplaziert wirkende Wildheit zeigte, die sogar den forschesten Mann erschreckt hätte. Auf jeden Fall erschreckte sie *mich*. Ihre Haare waren unglaublich. Sie waren von einem leuchtenden Rot, und sie standen so ab, als wären sie elektrisch geladen. Um ihre Schultern hatte sie ein locker gewebtes Tuch aus ungebleichter Wolle gelegt, und sie trug ein weites Kleid aus sehr feinem weißem Schleier, der hier und da mit Augen, Händen und Sternen bestickt war. Das Kleid war so durchsichtig, daß ich ihren dünnen, fast schon magersüchtigen Körper sehen konnte, der stramm in Schnüre und Bandagen gewickelt war. Ihre Füße waren nackt und schmutzig, blaue Adern hoben sich deutlich von der fahlen Haut ab.

Sie *zischte*, als sie uns sah.

Was mich aber regelrecht erstarren ließ, war mein erster ungehinderter Blick auf Brown Jenkin. Er war das Rattending von unbekannter Herkunft, das in den Straßen der Londoner Docklands zur Welt gekommen sein konnte. Oder das ein verheerender genetischer Unfall von

Billings und Kezia Mason war. Oder einfach nur aus einer Ratte entstanden, und das jetzt als Monstrosität vor mir stand, bucklig, eine Parodie auf einen menschlichen Knaben, auf ein Tier, das ein wenig süßlich, aber nach Verwesung roch.

Brown Jenkin maß kaum 1,20 Meter, sein Kopf war schmal und lief spitz zu, so wie bei einem Nagetier, glich aber mehr einem grotesk in die Länge gezogenen menschlichen Gesicht als dem einer Ratte. Die Augen waren weiß, sogar die Iris war weiß. Die Nase war gespalten wie bei einer Ratte, doch ihre großen Nasenlöcher, die die Schleimhäute freilegten, machten sie einem Menschen ähnlicher als einem Tier. Sein Mund war geschlossen, die Lippen hatten eine gräulich-schwarze Färbung, und ich konnte zwei scharfe Zahnspitzen erkennen, die unter der Oberlippe hervorlugten.

Er trug ein schmutziges weißes Halsband, sein Hals war mit ebenso verdreckten Bandagen umwickelt. Sein mißgestalteter Körper war in einen langen Mantel oder eine Jacke aus abgewetztem braunem Samt gekleidet, dessen Vorderseite mit Suppe und Ei und unzähligen anderen Essensresten übersät war. Aus den viel zu langen Ärmeln ragten weiße Hände mit langen Fingern heraus, die zwar menschlich aussahen, deren Nägel aber schwarz und gekrümmt waren, so wie die Klauen einer Ratte. Unter dem Saum des Mantels, der auf dem Teppich hing, konnte ich ein Paar schmale Füße erkennen, die wie der Hals der Kreatur mit schmutzigen weißen Bandagen umwickelt waren.

Brown Jenkin hatte seine Klauen durch den Latz des kleinen Mädchens gebohrt und hielt es an seinem ausgestreckten Arm so in die Höhe, daß ihre Füße in der Luft baumelten. Das Mädchen selbst war starr vor Schreck, ihre Fäuste zusammengeballt, der Kopf eingezogen und das Gesicht bleich. Ihr kupferbraunes Haar war ordentlich geflochten worden, aber mittlerweile war einer der Zöpfe aufgegangen und bedeckte halb ihr Gesicht, was sie noch verrückter und verzweifelter aussehen ließ.

Einen Augenblick lang erstarrte die Szenerie und wirkte wie ein Foto, auf dem wir alle dastanden und uns einfach nur überrascht anstarrten.

Kezia Mason wich einen Schritt nach hinten, und zischte weiter. Der junge Mr. Billings brüllte: »Kezia! Wer sind diese Leute? Welches Spiel treibst du mit mir?« Er eilte quer durch das Zimmer und griff nach einem schwarzen Stock mit silbernem Griff, der an einen der Sessel gelehnt war. Im gleichen Augenblick hob Pickering seine Hände und schrie: »*Im Namen des Herrn!*«

»*Ein Priester!*« zischte Kezia Mason, als könne sie riechen, daß er ein Priester war.

»Im Namen des Herrn, lassen Sie das junge Mädchen in Ruhe!« herrschte Pickering sie an. Er ging mit erhobenen Händen einen Schritt nach vorn.

Der junge Mr. Billings ließ seinen Stock irritiert sinken, und sogar Kezia Mason schien zurückzuweichen.

»Derjenige, der diesem jungen Menschen auch nur ein Haar krümmt, wird sich vor mir rechtfertigen müssen, sagt der Herr!« rief Dennis so voller Eifer, daß er ein paar Speicheltropfen spuckte.

Ich war fast davon überzeugt, daß wir sie durch die schiere Autorität eingeschüchtert hatten, als Kezia Mason vortrat, den durchscheinenden Stoff ihres Kleids anhob und Dennis Pickering einen herausfordernden, stechenden Blick zuwarf.

»Vor dem Herrn rechtfertigen, was, Trottel?« äffte sie ihn nach. »Also, an deiner Stelle würde ich daran denken, daß mein Alter Freund Gevatter Tod das nicht so einfach hinnimmt. An deiner Stelle würde ich zum Haus des Heiligen Geistes zurückkehren!«

»*Ich befehle es!*« sagte der Reverend bebend. »*Im Namen des Vaters, des Sohnes und des Heiligen Geistes!*«

Ich versuchte, hinter Pickering in die Nähe des Mädchens zu kommen, um es Brown Jenkin zu entreißen. Doch als der das bemerkte, zog er das Kind hinter sich her in den Schutz des Sofas. Das Kind schrie nicht mehr, aber es war noch immer wie erstarrt und gab hin und wieder ein leises Wimmern von sich. Es schien nicht zu erkennen, daß Pickering und ich versuchten, es zu retten. Es ließ nicht mal erkennen, daß es uns überhaupt wahrgenommen hatte.

Der junge Mr. Billings hob seinen Stock, als wolle er Pickering damit auf den Kopf schlagen, doch Kezia Mason hielt ihn zurück und sagte: »*Nein!*« Dann legte sie eine Hand vor ihre Augen und sang mit schriller Stimme: »Du wirst sehen, was ich sehe! Alles, was ich sehe, sei deins! Sieh, was ich sehe!«

Dann richtete sie den rechten Zeigefinger auf Dennis Pickerings Gesicht und schrie: »*Sadapan, Quincan, Dapanaq, Can! Panaqan, Naqacan, Quacanac, Can!*«

In dem Moment begann auch Dennis zu schreien, allerdings nicht triumphierend. Seine Augen traten einen Moment lang aus ihren Höhlen hervor, und im Bruchteil einer Sekunde wurden sie ihm förmlich aus dem Kopf gerissen und flogen in hohem Bogen durch das Zimmer, während sich überall Blutspritzer verteilten. Ein Auge fiel in die Asche des Kamins, das andere kollidierte mit einem Stuhl und rutschte langsam an dessen Bein nach unten, so wie eine Schnecke, während es eine blutige Spur hinter sich herzog.

Ich war so sehr von Panik erfüllt, daß ich nicht wußte, was ich machen sollte.

Brown Jenkin kicherte und sang: »*Eyes, pies! Yeux, peur! Augen, Angst!*«

In dem Moment dachte ich: *David, wir stecken verdammt tief in der Scheiße.* Ich wollte Pickerings Hand ergreifen, um ihn aus dem Zimmer zu bringen, doch Kezia Mason teilte die Finger, die ihre Augen bedeckten, und zischte mich an: »*Nein, Kumpel, du faßt ihn nicht an. Nicht jetzt.*«

Ich machte einen weiteren vorsichtigen Schritt auf Pickering zu, der immer noch mit erhobenen Händen dastand und schwieg. Blind und stumm, schockiert über die Gewalt, die so plötzlich über ihn hereingebrochen war. Sein ganzes Leben lang wußte er von der Hölle, sprach über sie, kannte ihre Geschichte. Aber er hatte nicht wirklich gewußt, ob es die Hölle gab. Und jetzt war die Hölle auf ihn eingestürzt und hatte ihm die Augen herausgerissen.

Diesmal bleckte Kezia Mason ihre Zähne und warnte mich: »Noch ein Schritt, Mr. Tunichtgut, und deine Augen gehen auch auf Wanderschaft.«

Ich trat zurück und schluckte. Mein Versuch, mich aus dem Zimmer zu retten, wurde von Kezia Mason zu schnell erkannt, woraufhin sie schrie: »So auch nicht! Klappe zu!« Sie fuchtelte mit ihrer Hand, und gleichzeitig fiel die Tür mit einem lauten Knall ins Schloß. Ich versuchte, die Klinke herunterzudrücken, doch Kezia Mason schrie: »Davonstehlen willst du dich, stimmt's?« Aus dem Griff wurde eine Hand, die meine eigene Hand so kraftvoll umschloß und drückte, daß ich Schwierigkeiten hatten, mich zu befreien.

Ich wandte mich ihr wieder zu, während ich nach Luft schnappte und meine Hand massierte.

»Ich weiß, wer Sie sind«, warnte ich sie.

»Na, das ist ja eine Ehre, Trottel«, erwiderte sie, nickte mir zu und lächelte mich gefährlich an. Aus dem Augenwinkel sah ich, daß Pickerings Augapfel inzwischen an dem Stuhlbein bis auf den Teppich gerutscht war, doch ich konnte mich nicht überwinden, direkt dorthin zu sehen.

»Keiner von Ihnen kommt hier so ohne weiteres raus«, sagte ich mit hoher Stimme. »Oben warten Leute auf uns, und wenn wir nicht in ein paar Minuten zurück sind ...«

»Sie brauchen uns nicht zu *drohen*, mein Freund«, sagte der junge Mr. Billings. Er klang traurig und müde, als habe er früher einmal so gekämpft, wie ich es jetzt tat, das aber vor langer Zeit resigniert aufge-

Die Opferung

geben. »Meine Gefährten können von niemandem aufgehalten oder verhaftet werden. Wenn Sie sich mit dieser Tatsache erst einmal abgefunden haben, werden Sie merken, daß Sie mit ihnen viel besser zurechtkommen.«

»Gut gesprochen«, sagte Kezia Mason und schenkte mir ein Lächeln, das auf eine ironische Weise betörend sein sollte.

Das Mädchen begann wieder zu wimmern, dann stieß es kurzatmige, leise Schreie aus.

»Was haben Sie mit ihr vor?« fragte ich.

»Glauben Sie, daß Sie das irgend etwas angeht?« erwiderte der junge Mr. Billings.

»Ich lebe hier, ich soll auf dieses Haus aufpassen.«

»Aber dieses ... dieses Kind ... hat mit Ihnen überhaupt nichts zu tun.«

Plötzlich stöhnte Pickering: »Hilf mir, Gott! Oh, Gott! Hilf mir!« Dann sank er auf die Knie. Kezia Mason warf ihm einen desinteressierten Blick zu und wandte sich wieder mir zu.

»Nichts als Gossenschlampen hier, weißt du das nicht, Trottel? Nichts, worüber du dir den Kopf zerbrechen mußt.«

»Was haben Sie mit ihr vor?« wiederholte ich meine Frage, hörte aber, wie sehr meine Stimme zitterte.

»Sie geht zu einem Picknick«, sagte Kezia Mason. »Das ist alles. Nichts, worüber du dich aufregen mußt. Ein Picknick. Das ist die ganze Wahrheit.«

»Mr. Billings?« fragte ich.

Der junge Mr. Billings senkte den Kopf und vermied es, mir in die Augen zu sehen. »Ja, das ist korrekt. Sie geht zu einem ... *Picknick*.« Das letzte Wort spie er aus, als klebe es wie dreckiger Schlamm in seinem Mund. Er machte sich keine Mühe, sein Unbehagen zu verbergen, daß er an einer offensichtlichen Lüge beteiligt war.

Ich deutete wütend auf Brown Jenkin. »Und *das* da? Geht *das* da mit zum Picknick?«

Augenblicklich zuckte Brown Jenkins Nase, und er gab ein schreckliches Kreischen von sich. Er bohrte seine Klauen in die Rückenlehne eines Stuhls und riß den Stoff auf, so daß die Füllung herauskam. Einen entsetzlichen Moment lang dachte ich, er würde das Mädchen fallenlassen und sich auf mich stürzen.

»*Das* da?« fauchte er. »*Was denkst du, Dummkopf? Bastard-bastard parle comme ca!*«

Ich trat etwas zurück und sah, daß sich auch der junge Mr. Billings mit erhobenem Stock zurückzog. Doch Brown Jenkins Kreischen holte das Mädchen aus der Erstarrung, das mich ansah und mit einem Mal verstand. Es schrie los und streckte mir die Arme entgegen. Brown Jenkin, der bereits vor Wut kochte, schüttelte das Kind mit roher Gewalt und kreischte es an: »*Silenzio! Double-whore! Tais-toi!* Ich reiße dir die Speiseröhre raus!«

Ich kann nicht sagen, daß ich daran dachte, irgend etwas Mutiges zu tun. Ich dachte nicht mal: *Was soll's?* Ich stieß einfach nur Kezia Mason mit meiner Schulter aus dem Weg, sprang auf das Sofa und versetzte Brown Jenkin einen Tritt in die Gegend seines Schlüsselbeins.

Brown Jenkin ließ das Kind fallen und kreischte noch entsetzlicher, während er mich mit seinen völlig weißen Augen anstarrte. Seine Nasenlöcher blähten sich auf, er fletschte die Zähne. Ich sprang wieder auf den Fußboden und lief schweratmend um das Sofa. Ich wußte nicht, was ich als nächstes machen sollte, aber ich ging davon aus, daß Brown Jenkin eine sehr konkrete Vorstellung davon hatte, was er mit *mir* anstellen wollte. Er fletschte seine Zahnreihen, die lückenhaft und verfärbt, aber offensichtlich scharf genug waren, um sich durch Fleisch und Knochen zu beißen. Ich sprang von einem Fuß auf den anderen, während ich versuchte, das Sofa zwischen ihm und mir zu haben, was nicht so einfach war. Brown Jenkin bewegte sich so rasch von einer Seite des Sofas zur anderen, daß ich das Gefühl hatte, zu halluzinieren. Oder zu träumen.

»Bastard-bastard, rantipole-rider, oui? Paviansäugling! Ich reiße dir deine Speiseröhre raus, ja? Ja? I slice you, yes? Zerschneiden, ja?«

Dieses kaum verständliche, aber haßerfüllte Kauderwelsch wurde von einem plötzlichen Vorstürmen dieses entsetzlichen Brown Jenkin begleitet, das mich dazu veranlaßte, drei Schritte nach hinten zu machen. Dabei trat ich mit dem Absatz so gegen den Rand des Kamins, daß die Schüreisen mit einem verheerenden Lärm durch die Luft wirbelten.

»Zurück!« befahl Kezia Mason Brown Jenkin. »Er gehört mir, er gefällt mir.«

Doch Brown Jenkin schnaubte und kicherte und schlug nach mir. Seine Klauen bohrten sich durch meinen Pullover und rieben wie Stacheldraht über meine Haut. Der Schmerz war so durchdringend, daß ich dachte, er habe mir den Arm abgerissen. Als ich meine Hand hob und vor lauter Schmerzen nach Luft rang, erkannte ich, daß er aber gerade mal meine Haut angeritzt hatte.

»David?« stöhnte Reverend Pickering, der mit leeren Augenhöhlen noch immer auf dem Teppich kniete. »David, sind Sie verletzt?«

»Mir geht's gut, Dennis. Ich komme Ihnen gleich zu Hilfe.«

»Was passiert hier, David? Sie müssen uns hier rausbringen, hören Sie mich? Wir müssen hier weg! Das hier ist Teufelswerk!«

Die Opferung

»Ach, halt deine verdammte Klappe, du alter Klepper«, herrschte Kezia Mason ihn an. »Wie würde es dir gefallen, wenn dir dein Hirn aus den Ohren geschossen kommt?«

Trotz Kezias Warnung folgte Brown Jenkin mir kichernd und immer wieder nach mir schlagend. In meiner Panik griff ich hinter mich und bekam einen der schweren Schürhaken zu fassen, zog ihn aus dem Feuer und verbreitete einen Ascheregen auf dem Boden – und traf Brown Jenkin an der Schulter. Es gab einen dumpfen Aufprall, so als würde man ein dickes Samtkissen treffen, und ohne Vorwarnung rieselte ein Schauer aus gelblichweißen Läusen aus seinem Mantel auf den Teppich.

»*Aggh fucker-fucker!*« schrie Brown Jenkin, während er aufstampfte und umherwirbelte. »*Tu as my Schulterblatt gebroch'!*«

Ich holte noch einmal mit dem Schürhaken aus, doch in dem Moment, in dem sich das schwere Eisen über meinem Kopf befand, hob Kezia Mason eine Hand. Der Haken wurde mir aus den Fingern gerissen und quer durch das Zimmer geschleudert. Er bohrte sich tief in die Tür, wo er vibrierend steckenblieb.

»Du bist jetzt ruhig, Brown Jenkin«, warnte Kezia Mason ihn. »Sonst lasse ich meinem Arm freien Lauf, Versager. Dieser Gentleman gehört mir.«

Brown Jenkin reagierte mit einem abscheulichen Durcheinander aus Kichern, Schnaufen und Spucken, dann schleppte er sich widerwillig fort von mir, während er sich mit seinen entsetzlichen, klauenartigen Fingern hinter dem Ohr kratzte. »*Ich habe sore now, bellissima. Je suis malade. Show me pity, yes? Hah, hah, hah!*«

»Verzieh dich, du und deine kleinen Begleiter!« zischte Kezia Mason ihm zu. Sie *zischte* wie der Kessel einer Dampflok, und zum ersten Mal bemerkte ich, daß sich Brown Jenkin vor ihr fürchtete.

In genau diesem Augenblick machte ich etwas, was ich noch im gleichen Moment fast bedauerte. Ich warf mich mit aller Kraft gegen Brown Jenkin. Allmächtiger, zwanzig Jahre war es her, daß ich zum letzten Mal Rugby gespielt hatte, aber ich hatte es nicht verlernt. Mit einem unglaublich harten Rugbystoß brachte ich Brown Jenkin zu Fall und trat ihm in sein spitzes Gesicht, bis ich den Halt verlor, weitersprang und das Mädchen zu fassen bekam.

Es war wesentlich schwerer, als ich erwartet hatte. Ich verlor das Gleichgewicht und stolperte gegen die Vorhänge, dann fiel ich zu Boden. Dieser Sturz rettete mir wahrscheinlich das Leben, denn der junge Mr. Billings holte mit seinem Stock aus, schlug nach mir und traf die Wand nur wenige Zentimeter über meinem Kopf.

»*Bleib, wo du bist!*« gellte Kezia Masons Stimme durch das Zimmer.

Während sie auf mich zukam, wehte ihr weißes Kleid im Luftzug. Dennis Pickering schlug sich mit seinen Fäusten gegen die Brust und schrie: »Gott, warum hast du mich verlassen? *Warum nur?*«

Kezia Mason zögerte, und im gleichen Moment bekam Pickering ihr Kleid zu fassen, während er blindlings mit den Armen ruderte.

»Laß los, du Tölpel!« brüllte Kezia Mason ihn an. »Was willst du, das ich mit dir mache? Soll ich deine Pumpe zermatschen?«

»Du gottlose Kreatur!« Pickering holte nach ihr aus. Sein Gesicht sah schrecklich aus, grau, ausgezehrt, leere, dunkelrote Augenhöhlen und blutverschmierte Wangen. Aber er zerrte weiter an ihrem Kleid und robbte ihr auf den Knien nach, während sie versuchte, sich von ihm loszureißen.

»David!« rief er. »David, bringen Sie sich in Sicherheit! Und retten Sie das kleine Mädchen!«

»Gott steh mir bei, bist du nicht der heilige Märtyrer?« zog Kezia Mason ihn auf. »Jetzt laß mich los, Priester, bevor ich deine Eier losschicke, damit sie nach deinen Augen Ausschau halten!«

»Oh, Herr«, schrie Pickering. »Oh, Herr, laß das einen Alptraum sein!«

Mit diesen Worten erhob er sich und fiel gegen Kezia Mason, so daß beide den Halt verloren und zu Boden stürzten. Kezias Kleid riß vom Hals bis zum Saum auf, und als sie versuchte, wieder aufzustehen, und dabei Pickering ins Gesicht und gegen die Schultern trat, riß es immer weiter auf. In einem Wutanfall griff sie sich an den Kragen und riß das letzte Stück Stoff durch, um sich von Pickering zu befreien und aufzuspringen. Der Reverend blieb auf dem Fußboden liegen, umgeben von der wallenden, durchsichtigen Baumwolle, während er auf den Teppich schlug, um festzustellen, wohin sich Kezia zurückgezogen hatte. Verzweifelt schüttelte er seinen augenlosen, blutüberströmten Kopf.

Kezia Mason strich sich ihr feuriges Haar aus dem Gesicht. Sie trug jetzt nichts weiter als eine außergewöhnliche Anordnung aus Bandagen, Knoten und bestickten Schals, die kreuz und quer über ihre Brüste gebunden waren und so stramm ins Fleisch drückten, daß es völlig blutleer schien. Die Bandagen waren so fest um ihren erschreckend dünnen Körper gebunden, daß ihre Rippen hervortraten, während die Binden um ihren Bauch mit Metallstücken und dunklen Haarbüscheln und mit Dingen gespickt waren, die wie getrocknete Pilze aussahen, die aber genausogut menschliche Ohren hätten sein können. Zwischen ihren dünnen weißen Schenkeln trug sie nur einen gedrehten Schal, der tief ihre flachen Pobacken und ihr Schamhaar in zwei rote Flammenzungen zerteilte.

Sie versetzte Pickering einen weiteren Tritt, dann wandte sie sich wieder mir zu, während ich versuchte, mich mit dem kleinen Mädchen in Richtung Tür zu bewegen. Sie war vom Zorn entstellt. Ihre Augen starrten mich wie wahnsinnig an, ihre Mundwinkel waren vor Haß tief nach unten gezogen.

»Du hast keine Ahnung, mit wem du es zu tun hast, Trottel«, sagte sie verächtlich. »Du spielst mit den Zeiten, mit der Angst und mit deinem eigenen Leben.«

Das kleine Mädchen in meinen Armen begann zu zappeln und zu wimmern. Offensichtlich verstand es nicht, daß ich es retten wollte. Für das Kind war ich nur ein weiterer brüllender, lärmender Erwachsener, und einen Moment lang dachte ich, es könnte sich aus meinem Griff winden. »Nicht!« rief ich.

In diesem Augenblick stürzte sich ein haßerfüllter Dennis Pickering auf Kezia Mason. »*Hexe!*« brüllte er sie an. »*Ich weiß, was du bist! Eine Hexe! Die Braut des Satans!*«

»Narr!« schrie Kezia zurück. »Glaubst du, deinesgleichen könnte meinesgleichen einfach so beschimpfen? Du bekommt den Teufelsdaumen, du fetter Priester!«

Mit einer rasend schnellen Bewegung sprang Brown Jenkin über das Sofa und bewegte sich dann über den Teppich bis zu Pickering. Er packte ihn an seinem Hemd und riß den Stoff auf, um die haarlose Brust und den rundlichen weißen Bauch des Reverend freizulegen.

»Oh, Gott, beschütze mich!« schrie Pickering auf.

»*Dieu-dieu sauve-moi!*« äffte Brown Jenkin ihn nach.

»Laß ihn in Ruhe!« rief ich mit hoher Stimme.

Doch Brown Jenkin öffnete lüstern und begeistert den Gürtel von Pickerings Hose. Dann holte er ohne Zögern mit seinem rechten Arm aus und bohrte alle fünf Klauen so tief in das weiche Fleisch des Unterbauchs, daß Pickering laut schrie: »Nein! Oh, Gott, nein!« Er versuchte, Brown Jenkins Hand abzuschütteln, doch der holte erneut aus und schnitt ihm in Wange und Brust, wobei er eine Arterie zerfetzte. Das Blut spritzte durch das ganze Zimmer, ein regelrechter Wolkenbruch aus Blut, der sich über den Teppich und das Sofa ergoß und gegen die Fenster prasselte. Ich bekam einige Spritzer ins Gesicht, die mich unter anderen Umständen an einen warmen Sommerregen erinnert hätten.

»*Blut und Tränen!*« rief Brown Jenkin. »*Je sais qui my Redeemer liveth!*«

»Der Teufelsdaumen!« sagte Kezia Mason triumphierend. »Es wird blutig werden!«

Brown Jenkin erhob sich in eine halb stehende, halb kauernde Haltung. Er legte eine Klauenhand auf Pickerings Schulter, um Halt zu finden, dann zog er die andere Hand nach oben und öffnete den Bauch des Vikars mit fünf parallelen Schnitten. Pickering schrie weiter, während er den Kopf in unerträglichem Schmerz schüttelte. Brown Jenkin zischte ihn an: »*Was ist los, Pfarrer? Pourquoi-pourquoi crie-toi?*«

Mit Genuß drehte er seine blutige Klaue und zog die Innereien hervor, die zuvor von der Bauchdecke an ihrem Platz gehalten worden waren. Die Organe glitten mit einem plötzlichen Ruck aus der Bauchhöhle. Heiße, blutige, gelbliche Innereien, ein blutroter Magen, der sich weiter zusammenzog, eine dunkellila Leber und ein ganzer Berg von dampfenden, schwammigen Dingen, die ich nicht erkennen konnte. Das schlimmste war der intensive Geruch von Blut und menschlichen Innereien. Meine Kehle zog sich zusammen, während sich das Mädchen plötzlich an mich klammerte.

Mit einem Mal hörte Pickering auf zu schreien. Er griff nach unten und tastete seinen Bauch ab, unfähig zu verstehen, was mit ihm geschehen war. Seine Finger umschlossen seine eigenen Eingeweide. Einen schrecklichen Augenblick lang mußte ich an diese afrikanischen Medizinmänner denken, die aus den Eingeweiden menschlicher Opfer die Zukunft voraussagten. Dennis Pickering mußte in dem gleichen Augenblick seine Zukunft erkannt haben. Eigentlich war er schon tot. Er warf den Kopf nach hinten und stieß einen Schrei der Verzweiflung und Furcht aus, den ich so noch nie in meinem Leben gehört hatte.

»Halt die Klappe, Pfaffe!« brüllte Kezia Mason.

Brown Jenkins schmaler Kopf schoß nach vorne und biß Pickering in den Mund, um den Schrei auf der Stelle zu ersticken. Eine Sekunde lang sah es so aus, als tauschten Dennis und Brown Jenkin einen abscheulichen Kuß aus. Dann aber schüttelte Brown Jenkin seinen Kopf wie wild und riß dem Reverend, Lippen, Wangen und einen Großteil seiner Zähne und des Zahnfleischs fort. Ich konnte seinen blutverschmierten Kiefer sehen, aus dem noch Zähne herausragten.

Brown Jenkin wollte ihn erneut beißen, als der junge Mr. Billings rief: »Genug! Um Gottes willen, töte ihn, dann ist es endlich vorüber!«

Kezia Mason drehte sich um und sah ihn feindselig an. »Was hast du gegen ein wenig Blut, Mr. Langeweiler?«

Dennis Pickering stürzte zur Seite und lag zuckend auf dem Teppich, während sein Kopf zur Hälfte von einem der Sessel verdeckt wurde.

»Töte ihn doch, um Gottes willen«, wiederholte der junge Mr. Billings und trat vor. Aber Brown Jenkin wischte sich sein blutverschmiertes Gesicht mit einem verschmutzten Taschentuch ab, ohne etwas zu unternehmen.

In diesem Augenblick beschloß ich, die Flucht zu ergreifen.

Die Opferung

Ich wußte, daß sich Kezia in den nächsten Sekunden wieder mir zuwenden würde. Und wenn das der Fall war, war ein Entkommen für mich völlig unmöglich.

Ich legte das Mädchen so über meine Schulter, wie Feuerwehrleute das machen, und rannte zur Tür, um nach dem Griff zu fassen, bevor Kezia ihn wieder mit einem Fluch belegen konnte.

»Komm her!« kreischte sie. Die Tür schlug zu, aber diesmal einen Moment zu spät. Sie traf mich an der Schulter und brachte mich aus dem Gleichgewicht, doch ich konnte mich wieder fangen. Hinter mir hörte ich Kezia so schreien, daß meine Ohren schmerzten, während plötzlich das Mädchen zu heulen begann.

»Es regne Glas, es regne Scherben!« schrie Kezia Mason, und augenblicklich wurden alle Drucke und Gemälde von der Wand gerissen, um in einem Sperrfeuer aus scharfkantigen Rahmen und Glassplittern auf meinen Kopf, mein Gesicht und meine Schulter niederzuprasseln. Irgendwie gelang es mir, nur ein paar Schnitte abzubekommen, dann hatte ich das Ende des Flurs erreicht und stürmte mit einer Energie die Treppe hinauf, die mich selbst in Erstaunen versetzte.

Ich erreichte den Treppenabsatz und die Tür zum Dachboden. Einen Moment lang war ich versucht, gleich nach oben auf den Speicher zu rennen. Doch ich nahm an, daß ich damit immer noch in der Zeit von Brown Jenkin sein würde. Um in meine eigene Zeit zurückkehren zu können, mußte ich die Klapptür benutzen, durch die ich auch hergekommen war.

Ich hörte Brown Jenkin durch den Flur rennen, ich hörte Kezia Mason schreien. »Hol ihn zurück, Jenkin, du verdammter Tölpel, sonst hole ich mir dein Gekröse!«

Ich erreichte mein Schlafzimmer, schlug die Tür hinter mir zu und drehte den Schlüssel um. Das würde mir die ein oder zwei Minuten geben, die ich brauchte. Ich schnappte nach Luft und setzte das Mädchen ab, das mich mit aufgerissenen Augen zitternd ansah.

»Es ist alles in Ordnung«, sagte ich. »Du bist gleich in Sicherheit.«

Ich zog den Stuhl heran und stieg auf ihn, um dann das Mädchen hochzuheben. »Hier, versuch mal, die Klapptür zu fassen ... genau so ... halt dich fest.«

Das Mädchen wimmerte, während es versuchte, durch die Klapptür zu klettern. »Komm schon«, drängte ich. »Du mußt dich nur hochziehen.«

Das Kind bemühte sich noch immer, als ich im Korridor das laute Scharren von Klauen hörte, gefolgt von einem gewaltigen Knall, als sich Brown Jenkin mit aller Kraft gegen die Tür warf. Der Türrahmen bebte, und der Schlüssel fiel aus dem Schloß.

»*Ouvrez! Ouvrez!*« kreischte Brown Jenkin. »*Mach die Tür auf, fucker-fucker!*«

Das Mädchen verkrampfte sich und verlor den Halt, rutschte zu einer Seite weg und hätte mich fast vom Stuhl geworfen.

»*Open up bastard merde!*« tobte Brown Jenkin, während er brutal am Türgriff riß und gegen das Holz trat. Als eine der unteren Vertäfelungen zersplitterte und nachgab, trat Brown Jenkin noch einmal dagegen.

»Beeil dich!« trieb ich das Mädchen an und hob es wieder hoch. Das Kind war vielleicht zehn oder elf Jahre alt und ziemlich unterernährt, trotzdem war es schwer genug, um mich außer Atem zu bringen.

»*Ich reiße deine Speiseröhre raus, Bastard!*« Brown Jenkin bearbeitete mit brutaler Gewalt die Tür, bis auch eine der oberen Vertäfelungen zu splittern begann. In dem Augenblick dankte ich Gott dafür, daß er viktorianische Türen so stabil hatte konstruieren lassen.

Das Mädchen versuchte nochmals, sich durch die Klapptür nach oben zu ziehen. Ich hob es so hoch, wie ich konnte, während sein Unterrock mich fast erstickte, der süßlich-sauer nach Lavendel und angespitzten Bleistiften roch.

»Mach schon«, flehte ich das Kind an. »Du kannst es, wenn du dir wirklich Mühe gibst!«

Es schien aber völlig kraftlos und willenlos zu sein. Als Brown Jenkin dann die nächste Vertäfelung zerschmetterte, ließ das Mädchen die Arme schlaff herabhängen und senkte den Kopf, als habe es sich bereits damit abgefunden, in Stücke gerissen zu werden.

»*Versuch* es, um Gottes willen«, brüllte ich es an. »Sonst fängt er uns!«

Bauz! Da geht die Türe auf, Und herein in schnellem Lauf, Springt der Schneider in die Stub'.

Ich sah, daß Brown Jenkins Krallen sich durch das splitternde, berstende Holz bohrten. Er ging fast selbstmörderisch daran, uns einzuholen. Ich wußte, daß er uns noch schlimmer behandeln würde als Reverend Pickering. Er würde uns gnadenlos in Stücke reißen.

»Versuch es doch bitte!« sagte ich zu dem kleinen Mädchen, aber es reagierte nicht. Viel länger würde ich es nicht mehr halten können. Ich dachte an Danny, Janie und auch an Liz. Der unwürdige und feige Gedanke kam mir in den Sinn, daß ich das Kind würde zurücklassen müssen, um wenigstens mein eigenes Leben zu retten.

Immerhin: Was hatte Dennis Pickering noch gleich gesagt? ›Wenn wir es mit ins Jahr 1992 nehmen, wäre es dort über hundert Jahre alt. Vielleicht bringen wir es im Grunde ebenso um, wie Kezia Mason es macht! Vielleicht sogar auf noch grausamere Weise!‹‹

Ein Teil der Tür wurde herausgeschlagen, und als ich mich umdrehte, sah ich, wie Brown Jenkin aus der Dunkelheit des Korridors zu mir herüberblickte. Die Augen wie Pfeilspitzen, die Zähne wie zerbrochene Milchflaschen. Seine Klaue schob sich durch das Loch in der Tür und begann, nach dem Griff zu suchen. »Mach schon«, schrie ich das kleine Mädchen an. »*Um Himmels willen, mach endlich!*«

In dem Augenblick geschah ein Wunder. In der Klapptür über mir tauchte Liz' Gesicht auf. »David?« fragte sie. »Was ist los? Ich habe dich schreien gehört.«

»Hilf ihr rauf«, sagte ich, während Brown Jenkin wie wild an dem Türgriff riß.

»Was?«

»Sie kann nicht raufklettern, sie hat die Nerven verloren! Bitte, zieh sie rauf!«

Liz schob sich vor und bekam die Handgelenke des Mädchens zu fassen. »Na komm«, sagte sie aufmunternd. »Du kannst das.«

»Liz!« brüllte ich sie an. »Beeil dich doch!«

»Ich tue, was ich kann«, schrie sie zurück. »Ich bin nicht Arnold Schwarzenegger!«

Wie ein Sack Reis ließ sich das Mädchen von Liz hochziehen, während ich Liz die Arbeit ein wenig erleichterte, indem ich das Kind nach oben hob, um sein Gewicht zu verringern. Einen Moment lang befürchtete ich, Liz könnte es nicht schaffen, immerhin war sie selbst nicht viel größer und schwerer als das Kind. Aber dann ließ sie sich nach hinten fallen und zog das Mädchen nach oben, das sich zwar an der Klapptür die Knöchel abschürfte, aber in Sicherheit und am Leben war.

»*Bastard – cunt – ich – töte – dead – you – now!*« kreischte Brown Jenkin.

Ich sprang hoch und bekam den Rahmen zu fassen. Einige Sekunden lang schaukelte ich hin und her und fühlte mich zu alt und zu ungeübt, um mich nach oben zu ziehen. Als ich gerade meine Ellbogen auf dem Rahmen aufstützen konnte, gab die Tür mit einem gräßlichen Geräusch nach. Brown Jenkin stürmte in das Zimmer und schlug mit seinen Klauen nach mir. Ich hatte nichts gemerkt, aber als ich nach unten sah, bemerkte ich, daß seine Klauen sich seitlich durch meinen braunen Doc Marten's-Stiefel gebohrt hatte und mein Blut auf den Stuhl und auf Brown Jenkin tropfte.

Ich trat um mich, während Brown Jenkin auf den Stuhl sprang und versuchte, meine Beine aufzureißen. Wieder trat ich um mich, und diesmal verlor er das Gleichgewicht, um mit einem lauten Knall auf den Speicherboden zu stürzen.

»*Je tué you bastard have no Zweifel!*«

In der Zwischenzeit schaffte ich es, ein Knie auf den Speicherboden zu bekommen, und hatte endlich genug Halt, um mich seitlich wegrollen zu lassen. Sofort sprang ich auf und ließ die Klapptür zufallen, verriegelte sie, ohne noch einen Blick in das Zimmer darunter zu werfen.

Im gleichen Moment war der Speicher in Finsternis getaucht. Ich kniete noch immer neben der Klapptür, hatte aber bereits wahrgenommen, daß der Dachboden wieder mit allem Gerümpel vollgestellt war, das ich zuvor schon gesehen hatte. Vielleicht wurde die Tür ins Jahr 1886 nur geöffnet, wenn die Riegel der Klapptür zurückgezogen wurden, vielleicht auch erst, wenn man die Klapptür anhob. Was immer es auslösen mochte ... ich wollte es gar nicht wissen. Ein Besuch in der Welt von Brown Jenkin und Kezia Mason und Mr. Billings war mehr als genug gewesen.

Erschöpft stand ich auf, atmete einmal tief durch und schleppte mich dann zur Treppe. Zum Glück war es nicht völlig dunkel. Liz hatte die Tür zum Speicher aufgesperrt, doch nach dem hellen Tageslicht des Jahres 1886 fiel es mir schwer, mich an das schwache Licht zu gewöhnen. Ich trat hinaus auf den Treppenabsatz und schloß die Speichertür hinter mir. Liz stand dort und wartete auf mich. Sie hielt die Hand des kleinen Mädchens, während Danny ein Stück entfernt stand.

»Und?« sagte Liz zitternd.

»Und was?«

»Geht es dir gut? Bist du verletzt?«

»Nein, ich bin in Ordnung. Ach so, mein Fuß hat etwas abbekommen, aber das ist alles. Gut, daß ich Doc Marten's trage.«

»Wo ist der Vikar?«

»Bitte?«

»Der Vikar, Mr. Twittering oder wie er heißt.«

»Oh ... Pickering. Dennis Pickering.«

»Na gut, dann eben Dennis Pickering. Wo ist er? Und was war das für ein Ding da unten? Dieses schreckliche, kreischende Ding? War das Brown Jenkin?«

»Ja, das war Brown Jenkin. Er hat sich über mich geärgert, weiter nichts.«

»Jesus, wenn er da nur verärgert war, dann möchte ich ihn aber nicht erleben, wenn er wirklich sauer ist.«

»Es ist schon okay, ehrlich. Er ist wie ein Wachhund, ein wenig wild.«

»Du zitterst.«

»Nein, nein, es geht mir gut.«

»Also, wo ist Reverend Pickering?«

»Ihm geht's gut. Er ...«, begann ich, bemerkte dann aber, wie durchdringend Danny mich ansah und wie aufmerksam er zuhörte. Wenn ich ihm erzählt hätte, was wirklich geschehen war, dann wäre er für den Rest seines Lebens wahrscheinlich von Alpträumen verfolgt worden. So wie ich auch. Wie könnte ich jemals diesen unfaßbaren Anblick vergessen?

»... er wollte noch bleiben«, erklärte ich. »Er kann gut mit Kindern umgehen, weißt du?«

»Und wie lange wird er bleiben?«

»Ich ... ähm ... ich erzähle dir das gleich, wir sollten uns erst mal um die Kinder kümmern.«

»David«, fragte Liz. »War das wirklich Tageslicht?«

»Ja, das war Tageslicht. Und es war wirklich Herbst. Und soweit ich das sagen kann, war es wirklich das Jahr 1886. Es ist kein Trick, Liz. Man kann vielleicht unheimliche Geräusche verursachen, aber man kann weder die Tageszeit noch die *Jahreszeit* verändern.«

Sie sah nervös zur Speichertür. »Kann irgendwas von da nach hier kommen?«

»Ich weiß es nicht. Ich verstehe es ja nicht mal.«

Ich verschloß die Tür und schob den Riegel vor. Wahrscheinlich würde sich Brown Jenkin nicht davon aufhalten lassen, wenn er durch diese Tür wollte. Aber wenigstens würde uns der Lärm vorwarnen.

Ich kniete neben dem Mädchen nieder. Sein Gesicht war sehr bedrückt und seine Augen hatten die blasse Farbe von Achat. Dennis Pickering hatte sich geirrt. Die Reise vom Jahr 1886 ins Jahr 1992 hatte ihr nicht geschadet, jedenfalls konnte ich davon nichts feststellen. Aber es war schon ein außergewöhnliches Gefühl, mir vorzustellen, daß dieser Mensch eigentlich über achtzig Jahre älter war als ich. War das ein Werk Gottes oder des Teufels? Oder war es etwas völlig anderes?

»Wie heißt du?« fragte ich, bekam aber keine Antwort.

»Du kannst mir doch bestimmt sagen, wie du heißt.«

Noch immer keine Reaktion. Danny kam näher und betrachtete den Besucher. »Woher kommt sie?« fragte er. »Sie sieht eigenartig aus, so wie Sweet Emmeline.«

»Ich glaube, sie ist eine Freundin von Sweet Emmeline«, antwortete ich, dann fragte ich das Mädchen: »Kennst du Sweet Emmeline?«

Das Mädchen nickte. Na, wenigstens ein kleiner Fortschritt hatte sich eingestellt.

»Was ist mit Sweet Emmeline passiert?« fragte ich.

»*Brown Jenkin*«, kam eine geflüsterte Antwort, gefolgt von etwas, das ich nicht verstehen konnte.

»Brown Jenkin? Brown Jenkin hat etwas gemacht? Was denn?«

»Brown Jenkin hat sie mitgenommen.«

»Oh, mein Gott«, sagte Liz. »Ich glaube, wir sollten die Polizei anrufen.«

»Augenblick«, hielt ich sie zurück. »Wohin hat er sie denn mitgenommen?«

Das Mädchen bedeckte mit der linken Hand seine Augen, während es mit den Fingern der rechten Hand eine sonderbare Bewegung andeutete, so als würden die sich auf einer Treppe nach oben bewegen.

»Brown Jenkin hat sie mit nach oben genommen?« Das Mädchen nickte wieder, hielt sich aber immer noch die Augen zu.

»Also gut. Und was hat Brown Jenkin *dann* gemacht?«

»Sein Gebet gesprochen.«

»Ich verstehe.«

»Er hat sein Gebet gesprochen, dann ist er mit Sweet Emmeline nach oben gegangen, dann dort entlang, da durch und da runter.« Das Mädchen beschrieb etwas, das es vor seinem geistigen Auge sehen, das ich aber nicht nachvollziehen konnte.

»Mit ›nach oben‹, meinst du da den Dachboden?«

Wieder nickte das Kind.

»Und wohin dann?«

Es atmete rasch durch. »Dort entlang, da durch und da runter.«

»Ich verstehe«, sagte ich, obwohl ich es nicht tat. ›Dort entlang, da durch und da runter‹ konnte so ziemlich alles bedeuten, vor allem, da Brown Jenkin offenbar die Fähigkeit besaß, ohne Mühe von einem Jahr in ein anderes zu wechseln.

»Weißt du, *warum* er sie mitgenommen hat?« wollte ich wissen.

»Er hat sie zum Picknick mitgenommen.«

»Er wollte dich auch zum Picknick mitnehmen, richtig?«

Das Mädchen nickte.

»Hast du ihm das nicht geglaubt?«

»Ich weiß nicht. Edmond hat gesagt, daß Brown Jenkin einen mitnimmt und da versteckt, wo einen die Zeit nicht finden kann.«

Emmeline ... hat seit über einer Woche niemand gesehen ... .

»Und wo ist das?«

»Ich weiß es nicht.«

»Liebe Güte, David, wir sollten Sergeant Miller anrufen«, sagte Liz. »Ich weiß nicht, was diese Leute machen, aber wir können das nicht allein in die Hand nehmen.«

»Leute?« fragte ich und drehte mich zu ihr um.

»Geister, Ratten, was immer sie sind.«

Mit einem Mal sah ich wieder vor mir, wie Brown Jenkin Pickerings

Die Opferung

Bauch aufschlitzte. Ich glaubte nicht, daß das Mädchen davon etwas mitbekommen hatte. Und wenn doch, dann hatte es vielleicht nicht wirklich verstanden, was geschehen war. Es war zu plötzlich geschehen; in einem Moment sah man Pickerings plumpen weißen Bauch, im nächsten war daraus eine herausquellende Masse seiner Eingeweide geworden.

Ich sagte mir, daß er tot war. Er mußte tot sein. Aber wann? Wenn er noch im Jahr 1886 war, dann war er lange vor seiner Geburt gestorben, während dieses kleine Mädchen lebte, obwohl es schon längst hätte tot sein müssen. Als ich noch zur Schule ging, hatte ich in Science Fiction-Geschichten davon gelesen, daß die Zeitreise voller Paradoxa steckte, wenn Menschen in die Vergangenheit reisten und ihr jüngeres Ich trafen. Oder wenn sie ihre eigenen Eltern umbrachten oder an ihrem eigenen Grab standen. Doch bis zu diesem Augenblick hatte ich nie begriffen, wie verwirrend diese Dinge in Wirklichkeit waren.

Vom Dachboden hörte ich ein leises Kratzen, gefolgt von einem leisen Schleifen, dann wieder ein Kratzen. »Wir sollten besser nach unten gehen«, sagte ich, da mich der Gedanke an einen über den Speicherboden schleichenden Brown Jenkin mit Angst erfüllte.

Auf dem Weg in die Küche warf ich einen kurzen Blick auf das Foto, das wieder so aussah wie zuvor. Vorausgesetzt, es hatte sich überhaupt verändert. Alkohol und Streß können die seltsamsten Dinge hervorrufen.

Ich öffnete den Kühlschrank, nahm die Weinflasche und zog den Korken heraus. Erst als ich ein Glas eingoß, bemerkte ich, wie sehr meine Hände zitterten.

»Und dem Vikar geht es gut, meinst du?« fragte Liz.

»Ja, ja, natürlich.«

»Aber *was* macht er eigentlich genau dort? Ich meine, wie *ist* es dort überhaupt?«

Ich füllte ein Glas bis zur Hälfte und trank es aus, während meine Hände wie verrückt zitterten. »Eigentlich so wie hier. Nicht richtig anders. Andere Möbel, der Garten sieht gepflegter aus. Die Wände sind getäfelt, aber das ist es auch schon.«

»Bist du irgend jemandem begegnet, außer dem Mädchen? Und natürlich außer Brown Jenkin.«

»Dem jungen Mr. Billings.«

»Du hast ihn *getroffen*? Hast du dich mit ihm unterhalten?«

»Nur kurz. Er schien ... in Gedanken. Weißt du, nicht so ganz bei der Sache.«

»Aber du hast mit ihm gesprochen. Das ist unglaublich.«

»Ja, es ist unglaublich. Ich kann es selbst kaum glauben.«

Liz fragte das Mädchen, ob es Milch und ein paar Kekse haben wolle. Das Mädchen nickte, und Danny half ihm, am Tisch Platz zu nehmen.

»Was hast du gemacht, um Brown Jenkin so zu verärgern?« fragte Liz, während sie zwei Gläser Milch eingoß. Das Mädchen schien fasziniert von der Milch im Karton, und der Kühlschrank begeisterte es offenbar restlos. Mir wurde plötzlich klar, daß ich ein Kind aus einer Zeit mitgebracht hatte, in der Radio, Fernsehen, Autos, Flugzeuge, Plastik, umfassende elektrische Beleuchtung und all die anderen Dinge nicht existierten, die für uns selbstverständlich waren.

Ich saß am Küchentisch und sah dem Mädchen zu, wie es aß und trank. Der Schock über Pickerings Tod begann, mir ein taubes, dumpfes Gefühl zu geben, als wäre ich überhaupt nicht hier. Liz hörte sich an, als spreche sie aus einem anderen Zimmer zu mir.

»Ich möchte im Augenblick wirklich nicht über Brown Jenkin reden«, sagte ich. »Er ist nicht gerade der Typ, der für schöne Träume sorgt.«

»Ist er eine Ratte?« fragte Danny.

Ich schüttelte den Kopf und wünschte mir, mich nicht so taub zu fühlen. »Er *sieht* aus wie eine Ratte, aber er ist wie ein Junge angezogen. Er ist schmutzig, er stinkt, und er ist ziemlich abscheulich. Ich bin nicht sicher, *was* er ist. Aber er redet ein Mischmasch aus Englisch, Französisch und Deutsch. Also muß er ein Mensch sein.«

»Ich wollte nicht zum Picknick gehen«, sagte das Mädchen nachdrücklich.

»Warum nicht?« fragte Danny. »Ich mag Picknicks.«

Das Mädchen schüttelte den Kopf. »Wenn du mit Brown Jenkin zum Picknick gehst, kommst du niemals zurück. Und dann schaufeln sie dir ein Grab aus.«

»Ich habe doch gesagt, daß wir mit dem Sergeant reden sollten«, sagte Liz. »Wenn sie Kinder entführen, dann müssen wir sie aufhalten.«

»Stimmt«, sagte ich. »Stimmt vollkommen. Aber *wann* entführen sie die Kinder? Heute? Gestern? Morgen? Vor hundert Jahren?«

»Was ist mit dem kleinen Mädchen, das in Ryde verschwunden ist? Was ist mit dem Bruder von Harry Martin?«

»Und was ist damit, Detective Sergeant Miller davon zu überzeugen, daß ich nicht völlig übergeschnappt bin? Es gibt keinen *Beweis*, oder? Und solange wir keinen Beweis haben, wird die Polizei als erstes glauben, daß *ich* diese Kinder entführt habe. Ich habe hier ja schon ein unbekanntes Mädchen. Ich kann nicht erklären, woher es kommt und was es hier macht. Ich weiß ja nicht mal, wie es heißt.«

»Charity«, sagte das Mädchen laut und deutlich. »Charity Welbeck.«

»Na, das ist ja schon mal was«, sagte ich. »Hallo und willkommen,

Charity Welbeck. Darf ich dich mit der zweiten Hälfte des zwanzigsten Jahrhunderts bekannt machen.«
»Bleibt sie bei uns?« fragte Danny.
»Ich weiß nicht. Ich glaube schon, ich wüßte nicht, wo sie hin sollte.«
»Ich kann ihr beibringen, wie man fischt. Wir könnten Taschenkrebs-Rennen veranstalten.«
»Warum denken wir darüber nicht morgen früh nach?« schlug ich vor. »Es ist jetzt Zeit, ins Bett zu gehen.«
Liz stand auf. »Ich lasse ihnen ein Bad einlaufen. Charity kann eine von meinen Blusen als Nachthemd nehmen.«
Danny kam um den Küchentisch herum und gab mir einen Kuß. »Gute Nacht, Zacko McWhacko«, sagte ich zu ihm. Normalerweise hätte ich gelächelt, aber ich war nicht in der Stimmung dazu. Dennis Pickering war ermordet worden, und ich hatte Charity nur um Haaresbreite retten können. Und mir selbst hatte eine Kreatur im Nacken gesessen, die abscheulicher war als jeder Alptraum.
Ich saß mit verkrampften Muskeln am Küchentisch und wußte einfach nicht, was ich machen sollte.

13. Die Erscheinung

Ich klebte gerade das größte Pflaster, das ich hatte finden können, auf meinen Fuß, als Liz ins Badezimmer kam. Sie trug einen Schlafanzug von Marks & Spencer mit Minnie Mouse auf der Vorderseite.
»Das sieht nicht gut aus«, sagte sie.
Ich zog das Pflaster noch einmal ab, um ihr die Verletzung zu zeigen. Zwei von Brown Jenkins klauenartigen Fingernägeln hatten sich wie Kreissägen durch meinen Stiefel gebohrt und mir zwei Schnittwunden zugefügt, die knapp einen Zentimeter lang waren. Die Wunden brannten, und ich hatte fast eine Stunde benötigt, um die Blutung zu stoppen.
»Du solltest dir eine Tetanusspritze geben lassen«, sagte Liz. »Wenn Brown Jenkin so dreckig ist, wie du gesagt hast, dann könnte sich das entzünden.«
»Ich sehe es mir morgen früh an«, versprach ich.
Sie zog ihr Nachthemd aus und beugte sich über die Badewanne. »Das kocht ja fast«, sagte sie. »Du mußt eine Haut aus Leder haben.«
»Die Japaner baden immer in kochendheißem Wasser.«
»Ja, und sie essen auch rohen Tintenfisch. Aber das heißt noch lange nicht, daß *ich* das auch machen muß.«
Sie ließ kaltes Wasser nachlaufen, dann stieg sie in die Wanne.

»Schlafen die Kinder?« fragte ich sie.

»Wie tot. Die arme Charity ist sofort eingeschlafen, als ihr Kopf das Kissen berührte.«

»Ich wünschte, ich wüßte, was ich mit ihr machen soll.«

Liz seifte sich Schultern und Nacken ein. »Ich weiß nicht, warum du sie überhaupt erst mitgebracht hast. Sie gehört doch gar nicht hierher.«

»Brown Jenkin wollte sie mit zum Picknick nehmen, darum habe ich sie mitgebracht.«

»David, du kannst doch nicht in Raum und Zeit eingreifen. Du kannst nicht Gott spielen. Ich weiß nicht, *wie* du das gemacht hast und ob du es überhaupt gemacht hast, aber du hast ein Mädchen aus der viktorianischen Zeit ins Jahr 1992 gebracht. Wie soll Charity damit zurechtkommen? Im Moment geht es ihr gut, aber sie hat noch keinen Fernseher gesehen. Und was glaubst du, was sie denken wird, wenn ein Jumbo-Jet übers Haus fliegt?«

Ich stand auf und humpelte zum Waschbecken. Im beschlagenen Spiegel sah ich nicht ganz so müde aus, wie ich mich fühlte. Mit dem Finger malte ich meinem Spiegelbild eine Brille auf das Glas.

»Wie lange wird Reverend Pickering dort bleiben?«

Zuerst antwortete ich nicht, sondern starrte weiter mein Spiegelbild an, während ich dem Plätschern des Badewassers lauschte.

»Ich habe gelogen«, räumte ich schließlich ein. »Dennis Pickering ist tot.«

»Was? David! David, sieh mich an! Was soll das heißen? Er ist tot?«

»Es heißt genau das. Er ist tot. Brown Jenkin hat ihn umgebracht. Er hat ihn regelrecht aufgeschlitzt, es war entsetzlich.«

»Oh, mein Gott, David! Das sind ja schon *drei* Tote!«

»Ich habe immer wieder versucht, mir einzureden, daß Harry Martin und Doris Kemble durch einen Unfall ums Leben gekommen sind. Aber ich habe mit meinen eigenen Augen gesehen, wie Brown Jenkin Dennis Pickering getötet hat. Und ich glaube, daß er auch Harry Martin und Doris Kemble ermordet hat. Harrys Gesicht, das ihm vom Kopf gerissen wurde ... Das waren keine *Haken*. Doris Kemble, die aufgeschlitzt war wie eine Weihnachtsgans. Sie ist nicht einfach von einem Felsen gestürzt. Und jetzt Reverend Pickering ... Gott stehe ihm bei.«

»Rufst du die Polizei an?«

Ich drehte mich um zu ihr. »Warum? Was soll ich denn erzählen? Der Vikar ist vor über hundert Jahren ermordet worden!«

»Dann werde *ich* es ihnen erzählen.«

»Ach, ja? Und dann fragen sie dich, wo er denn ermordet wurde.«

»Und *wo* wurde er ermordet?«

Die Opferung

»Im Wohnzimmer. Danach fragen sie dich, *wer* ihn ermordet hat. Und du sagst, daß es ein Rattending war. Und dann fragen sie, *wann* er ermordet wurde. Und dann erklärst du ihnen, daß es 1886 geschehen ist. Ach, übrigens. Wir haben auch ein Waisenkind aus dem Jahr 1886 mitgebracht, das noch nie ein Flugzeug gesehen hat und das nicht weiß, wer die Teenage Mutant Ninja Turtles sind.«

Liz seifte langsam ihre Brüste ein. Sie hielt inne und sah mich wortlos an.

»Tut mir leid«, sagte ich. »Aber wenn *ich* schon nicht glauben kann, was passiert ist, wie sollen wir dann die Polizei davon überzeugen? Wir können keinen einzigen Blutfleck auf dem Teppich vorweisen, von der Leiche ganz zu schweigen.«

»Auch nicht, wenn wir noch mal durch die Klapptür hinuntersteigen?«

»Oh, nein!« sagte ich entschieden. »Durch diese Klapptür werden wir niemals wieder steigen. Die ist zu und bleibt zu.«

»Aber vielleicht könnten wir den Leichnam holen. Sie können ihn doch noch nicht beerdigt haben. Dann können wir *beweisen*, daß er tot ist. Und daß er ermordet wurde. Und daß wir es nicht waren.«

»Nein, wir gehen nicht wieder durch diese Klapptür. Ende der Diskussion.«

Viel mehr gab es nicht zu sagen. Das Erlebnis hatte mich endgültig davon überzeugt, daß wir Fortyfoot House schon längst hätten verlassen müssen. Was immer hier geschah, es entzog sich meiner Kontrolle, und es ging mich auch nichts an, auch wenn ein Vikar, ein Rattenfänger und eine Cafébesitzerin *tatsächlich* ermordet worden waren. Und auch wenn Charity und die anderen Waisenkinder im Fortyfoot House *tatsächlich* in Lebensgefahr waren.

Ich zog meine Pyjamahose an und öffnete leise die Schlafzimmertür. Aus Dannys Zimmer waren Stimmen zu hören – er und Charity unterhielten sich. Ich schlich mich durch den Korridor und drückte mein Ohr an die Tür.

»... in Whitechapel, als ich noch ganz klein war. Dann hat mich Mrs. Leyton gefunden und zu Dr. Barnardo gebracht. Der hat mich dann hierher geschickt.«

»Keine ... Eltern?« hörte ich Danny fragen.

»Ich hab sie nie gekannt. Manchmal meine ich, daß ich mich daran erinnern kann, wie meine Mutter für mich ein Lied singt. Und ich kann ihre schwarzen Stiefel sehen. Aber dann kann ich sie wieder nicht hören und auch nicht sehen. Ich glaube, daß ich das nur träume.«

»Mußt du wieder zurückgehen?«

»Ich weiß nicht. Ich verstehe nicht, was los ist. Ich dachte, ich wäre immer noch hier. Aber ich bin nicht mehr hier. Ich meine, es ist dasselbe Haus, aber meine Freunde sind nicht da und alles ist irgendwie anders.«

Ich hörte den beiden noch eine Weile zu und stellte erstaunt fest, wie schnell sie auf Spiele und Spielzeug zu sprechen kamen. Danny versuchte, ihr zu erklären, was ein Transformer ist. »Das ist ein Roboter, nur daß er ein Raumschiff ist.«

»Was ist ein roh Botter?«

»Das ist ein Mann aus Metall. Und wenn du klick-klick-klick machst, dann verwandelt er sich in einen intergalaktischen Sternenkreuzer.«

»Einen was?« kicherte Charity. Als ich sie dann richtig lachen hörte, wußte ich, daß es richtig war, sie zu retten. Außerdem war ich der festen Überzeugung, daß ich sie um jeden Preis hierbehalten und beschützen mußte.

Liz war schon im Bett, als ich zurückkam. Sie saß da und las *Narziß und Goldmund* von Hermann Hesse. Ich legte mich zu ihr und sah ihr eine Weile zu.

»Liest du das wirklich mit Vergnügen?« fragte ich schließlich.

Sie lächelte, ohne aufzublicken. »Hör dir das an: ›Glaub mir, ich würde zehntausendmal lieber deinen Fuß streicheln als ihren. Dein Fuß hat mich nie unter dem Tisch gefragt, ob ich lieben könnte.‹ Weißt du, wovon er redet? Fußfetischismus!«

»Die Kinder sind noch wach«, sagte ich. »Sie reden. Sie scheinen sich gut zu verstehen.«

Eine Zeitlang schwieg Liz, dann klappte sie ihr Buch zu. »Was wirst du machen, David? Du wirst doch nicht länger hierbleiben, oder? Wenn dieser Brown Jenkin Menschen *töten* kann ...«

»Keine Sorge«, erwiderte ich. »Ich habe mich schon entschieden.«

»Das ist ja mal was anderes.«

»Ich habe mir deine Kritik zu Herzen genommen, darum. Du hattest völlig recht, ich habe die Dinge vor mir hergeschoben. Ich nehme an, daß ich geglaubt habe, durch eine positive Entscheidung mich immer weiter von der Zeit mit Janie zu entfernen. Inzwischen ist mir klar, daß diese Zeit schon hinter mir liegt, auch wenn ich keinen Entschluß fasse. Auch wenn ich den ganzen Tag im Bett liege und gar nichts mache.«

»Und was wirst du machen?«

»Ich bringe Danny und Charity zu meiner Mutter nach Horley, und dann komme ich zurück und brenne dieses Haus nieder.«

Liz starrte mich fassungslos an: »Du willst *was* machen? Das kannst du nicht!«

»Das kann ich und das werde ich. Dieses Haus ist besessen oder verflucht. Ich weiß nicht, was der junge Mr. Billings und Kezia Mason vor-

Die Opferung 183

hatten, ich weiß nicht, wer oder was Brown Jenkin ist oder wer Mazurewicz war. Ich weiß nicht, was dem *alten* Mr. Billings zugestoßen ist, außer, daß er vom Blitz getroffen wurde. Aber dieser Ort steckt voller Geister und Unrast und Geräuschen und Gottweißwas noch alles. Jetzt ist Reverend Pickering tot, und jetzt reicht es. Es muß Schluß sein.«

»Und wenn man dich schnappt?«

»Man wird mich nicht schnappen. Ich werde nicht mal meine Bezahlung einbüßen. Ich werde einfach sagen, daß meine Lötlampe einen Fensterrahmen in Brand gesetzt hat und dann das ganze Haus abgebrannt ist. Großer Gott, das hätte man schon vor Jahren machen sollen.«

»David, das ist ein historisches Bauwerk – du kannst es doch nicht einfach niederbrennen.«

»Das Leben von Menschen ist wichtiger als ein historisches Haus. Und Leute, die tot sein sollten, aber nicht tot sind ... die sind auch wichtiger als dieses Haus.«

Liz legte ihr Buch auf die Decke und ließ sich nach hinten auf ihr Kissen sinken. Ich fand sie mit jedem Augenblick, der verstrich, immer attraktiver. Ich liebte die Art, wie sie aussah, ihre üppigen Brüste, ihren sauberen, seifigen Geruch. Das einzige, was mir noch immer nicht ganz klar war, betraf die Frage, wie sie wirklich über mich dachte und warum sie hierblieb. Manchmal war sie unnahbar und ungeduldig, dann wieder rücksichtslos kritisch, mal witzig, mal leidenschaftlich. Aber stets kam es mir so vor, als würde sie über einen Witz lachen, den ich nicht richtig verstanden hatte. Und als würde sie Sex nur in ihrem eigenen Kopf erleben, ohne ihre Gefühle mit mir zu teilen. Sie hatte mir inzwischen einmal einen geblasen, als ich noch im Halbschlaf war. Sie hatte dabei den Kopf weggedreht und alles geschluckt, ohne eine Spur von Lust oder wenigstens Vergnügen zu zeigen.

»Denk morgen drüber nach«, sagte sie.

»Ich habe darüber nachgedacht, und außerdem *ist* es bereits morgen.«

»Und was wird aus mir?«

»Ich finde schon eine Unterkunft für dich.«

»Und aus uns?«

»Ich weiß nicht. Wir sollten uns damit beschäftigen, wenn es soweit ist. Ich möchte erst Fortyfoot House hinter mich bringen.«

Sie drehte sich um und sah mich ohne zu blinzeln an. In der Iris ihres linken Auges bemerkte ich einen winzigen orangenen Funken. »Ich bin nicht sicher, daß ich das so gemeint habe, als ich dir gesagt habe, du solltest entschlußfreudiger sein.«

»Unangenehme Probleme machen unangenehme Lösungen notwendig.«

»Hmm«, sagte sie und wandte mir demonstrativ den Rücken zu.

Ich griff nach ihrem Buch und las laut vor: »Eines Tages zeigte sie ihm ihre Brüste. Schüchtern öffnete sie ihr Mieder, um ihn die kleine weiße Frucht sehen zu lassen, die darunter verborgen war.«

»Ich wußte, daß du die versauten Stellen sofort finden würdest«, sagte Liz.

Sie drehte sich wieder um zu mir. Der orangene Punkt in ihrer Iris funkelte wie ein Feuer. »Überstürz nichts, David. Ich mache mir etwas aus dir.«

»Wenn das so ist, dann wirst du mir helfen.«

Ich träumte einen finsteren, anziehenden Traum, in dem ich wie ein Drache über einen abfallenden Strand glitt. Das Meer unter mir war schwarz und gallertartig, eher ein Sirup als ein Meer. Ich wußte, daß das Meer voller Taschenkrebse war, Millionen und Abermillionen, die unablässig umherkrabbelten. Der Himmel war schwarzbraun, und ein dröhnender Gong ließ mich fast taub werden.

Die Welt, wie sie war; die Welt, wie sie ist; die Welt, wie sie sein wird.

Ich war noch nicht allzu weit auf die offene See geweht worden, als ich erkannte, daß ich allmählich an Höhe verlor. Ich versuchte, die Beine anzuziehen, damit meine Füße nicht das Wasser berührten, aber der Wind wurde immer schwächer, während ich ständig tiefer sank. Schließlich tauchten meine Füße ins Wasser ein, dann meine Beine, bis ich bis zu meiner Leistengegend eingetaucht war. Das Wasser war eisigkalt, und ich konnte die Taschenkrebse spüren, die auf meinen Füßen, meinen Beinen und meinem Bauch umherkrabbelten.

Ich schrie auf, und im nächsten Moment war ich wach. Mir wurde plötzlich klar, daß ich mir in meine Pyjamahose gemacht hatte, aber zum Glück nicht ins Bett. Schwitzend und zitternd kletterte ich aus dem Bett, um ins Badezimmer zu gehen, wo ich mich auszog und wusch. Im Spiegel sah mein Gesicht verzerrt und hager aus, als habe jemand das Glas zerschlagen.

Während ich mich abtrocknete, vernahm ich wieder das schlurfende, kratzende Geräusch in den Wänden, und dann über den Boden des Speichers. Ich hielt inne, um das Geräusch genauer hören zu können, doch im gleichen Augenblick war es schon wieder verstummt. Nur noch das leise Pfeifen des Windes, das Rascheln der Bäume und das mürrische Rauschen der See waren zu hören.

Ich trank zwei Gläser kaltes Wasser und verließ das Badezimmer. Danny und Charity waren inzwischen wohl eingeschlafen, jedenfalls konnte ich sie nicht reden hören. Ich wollte eigentlich nach ihnen sehen, doch die Tür zu ihrem Zimmer knarrte so laut, daß ich sie vermutlich aufgeweckt hätte.

Gerade wollte ich die Tür zu *meinem* Schlafzimmer öffnen, als ich bemerkte, daß unter dem Türspalt ein bläuliches Licht flackerte. Ich blieb stehen und wunderte mich. Es war ganz sicher nicht die Nachttischlampe, sondern wirkte mehr wie das Flackern eines Fernsehers in einem sonst völlig dunklen Zimmer. Bloß ... im Schlafzimmer stand kein Fernseher. Vielleicht waren es Blitze, die durch die Vorhänge leuchteten. Das Wetter war in den letzten Tagen ungewöhnlich unbeständig gewesen, und wiederholt hatte ich fernes Donnergrollen gehört, das vom Kanal herüberkam. Es hatte mich an die Berichte erinnert, die besagten, daß die Urlauber an der Südküste Englands im Ersten Weltkrieg das Artilleriefeuer aus Frankreich hatten hören können. Das hatte ich immer als sehr beunruhigend empfunden.

Wieder hörte ich ein Kratzen und Schlurfen, woraufhin mir ein Schauder über den nackten Rücken lief, der mir wie ein leichter Stromschlag vorkam.

Anstatt ins Schlafzimmer zu gehen, kniete ich mich vor die Tür und warf einen Blick durch das Schlüsselloch. Der Luftzug ließ mein Auge tränen, aber trotzdem konnte ich die dunklen Umrisse des Betts erkennen, Liz' Kopf auf dem Kissen und einen Teil des Fensters.

Erneut flackerte das Licht, aber es war ganz sicher kein Blitz. Die Lichtquelle befand sich *im* Raum, in der gegenüberliegenden oberen Ecke. Das Flackern wurde heller, und jetzt konnte ich Liz deutlich erkennen. Gleichzeitig ertönte ein tiefes, verzerrtes Singen – so tief, daß ich die Vibrationen in meinem Kiefer fühlen konnte. *Ygggaaa sothoth nggaaa.* Auch wenn es tief und verschwommen war und mehr an eine Orgelpfeife als an eine menschliche Stimme erinnerte, fielen mir Ähnlichkeiten zu den Worten auf, die der alte Mr. Billings im Garten geschrien hatte, als er von der Sonnenuhr mit einem Stromschlag getötet wurde. *Nnggg-nggyyaaa nnggg sothoth.*

Ich wußte nicht, was diese Worte bedeuten sollten, aber sie wurden auf eine so beharrliche, beschwörende Weise gesungen, daß sie in mir eine irrationale Furcht auslösten, die fast an Panik grenzte. Jemand oder etwas wurde ins Fortyfoot House gerufen – aber wer oder was, das konnte ich mir nicht vorstellen. Ich war nicht mal sicher, ob ich es mir überhaupt vorstellen *wollte*.

Diesmal flackerte das Licht sehr grell. Ich war erstaunt, daß es Liz noch nicht geweckt hatte. Ich beschloß, die Tür zu öffnen, doch als ich meine Hand um den Türgriff legte, kam die Lichtquelle in mein Blickfeld, und ich blieb wie erstarrt stehen.

Die Schwester oder Nonne, die ich über mir hatte schweben sehen, hatte mitten im Raum Form angenommen. Eine große, schimmernde Gestalt mit einem weiten Schleier und gehüllt in ein blaues Licht, das sich wie eine phosphoreszierende Reihe verblassender Eindrücke auf- und abbewegte.

Der Gesang hielt an. *NggGGGaa – sothoth – gnoph-hek – nggaaAA ...* Obwohl diese Worte keinerlei Ähnlichkeit zu irgendeiner mir bekannten Sprache aufwiesen, hatte ich das Gefühl, nahe daran zu sein, ihren Sinn zu verstehen. Ihre Bedeutung lag mir förmlich auf der Zunge, nur konnte ich sie nicht in Worte fassen.

Die Nonne glitt über den Fuß des Bettes, hielt einige Zeit inne, und schien die schlafende Liz zu beobachten. Dann lehnte sie sich über das Bett. Sie beugte sich nicht vor, sondern *veränderte* ihre Position zu einem unmöglichen Winkel, bis sie nur noch wenige Zentimeter von der Decke entfernt war,

Ich sah, daß Liz sich umherwälzte. Ich wußte nicht, wie gefährlich diese Erscheinung war und was sie wollte, aber mir war klar, daß ich nicht länger untätig zusehen konnte. Ich riß die Tür mit solcher Gewalt auf, daß sie mit Wucht gegen die Wand schlug – nicht so sehr, um die Gestalt zu erschrecken, sondern um mir selbst Mut zu machen. Als ich dann aber splitternackt vor dem Bett stand, zog sich meine Kehle zusammen und erlaubte mir nicht mehr als ein heiseres, hohes: »Aaahh!«

Mit einem donnernden Getöse begann sich die Gestalt über dem Bett umzudrehen, und unter dem Schleier konnte ich ein *Gesicht* erkennen, eine Totenmaske mit leeren Augenhöhlen, eingefallenen Wangen und bösartig aussehenden Zähnen. Meine Kehle schnürte sich völlig zu, und ich konnte nichts anderes machen, als dazustehen und die Gestalt entsetzt anzustarren.

Ich hörte ein Geräusch, das so klang, also würden sich tausende Liter Wasser auf einmal aus einer riesigen Zisterne ergießen, ein rauschendes, donnerndes, *wegtreibendes* Geräusch. Die Erscheinung schien in der Decke aufzugehen, die Arme verschmolzen mit Liz' Armen, das abscheuliche Gesicht glitt in Liz' Gesicht. Einen Moment lang richteten sich Liz' Haare auf und waren von winzigen Funken umgeben. Sie öffnete die Augen, die für den Bruchteil einer Sekunde rot aufflackerten.

Dann kehrte Ruhe ein, unheimliche Stille. Sogar der Wind gab keinen Laut mehr von sich, und das Meer flüsterte nicht mehr. Liz sah mich mit weitaufgerissenen Augen an, während ich sie anstarrte.

»Was ist los?« fragte sie schließlich. »Warum stehst du da?«

»Ich ... habe was getrunken.«

»Wo ist dein Schlafanzug, dir muß eiskalt sein.«

Die Opferung

»So kalt ist es nicht.«

»Na gut, aber würdest du wieder ins Bett kommen oder willst du die ganze Nacht dastehen und mir Angst einjagen?«

»Ich ... ja, natürlich«, sagte ich, während ich sie immer noch durchdringend ansah. »Geht es dir gut?«

»Sicher, warum sollte es mir nicht gutgehen?«

»Ich meine, *fühlst* du dich gut?« fragte ich.

Sie lachte mit einem ungeduldigen Unterton. »Natürlich. Warum auch nicht?«

Ich legte mich wieder ins Bett, und sofort legte sie ihren Arm um mich und preßte sich an mich. Ihre Brüste an meiner Seite, ihre Hüften gegen meine Waden. Sie nahm meine rechte Brustwarze zwischen Finger und Daumen.

»Ich dachte, dir wäre nicht kalt«, sagte sie spielerisch.

»Ist es auch nicht. Ich war mich nur erschrocken, weiter nichts.«

»Erschrocken? Wieso?«

»Dieses Ding, das ich schon mal gesehen hatte ... diese Nonne. Ich sah sie im Zimmer, als du geschlafen hast. Sie hatte sich irgendwie über dich gebeugt.«

»Was meinst du damit?« fragte sie lächelnd.

»Ich weiß nicht, ich habe es einfach nur gesehen. Sie beugte sich über dich, und dann verschwand sie.«

Sie ließ ihre Finger an meiner Seite nach unten wandern und traf einen Nerv, der mich aufzucken ließ. »Ich glaube, du hast zuviel getrunken.«

»Liz, ich habe es gesehen. Es war direkt hier über dem Bett.«

Sie streichelte und kniff mich und fuhr mit ihren Nägeln über meine Schenkel, und dann begann sie, meinen Penis zu massieren. Ich griff nach ihrer Hand und stoppte sie. »Nicht. Mir ist jetzt nicht danach.«

Sie küßte mich, wollte aber nicht aufhören. Sobald ich ihr Handgelenk losließ, begann sie wieder, mich zu massieren. Heftig anstatt leidenschaftlich bohrte sie ihre Fingernägel tief in meine Haut.

»Das tut weh«, protestierte ich.

»Ach, Liebster«, zog sie mich auf. »Kannst du nicht ein klein wenig Schmerz ertragen? Ich dachte, Männer lieben den Schmerz.«

Sie machte weiter und wurde dabei immer gröber, bis ich schließlich erneut ihre Hand nahm und festhielt. »Liz, es tut mir weh. Genug ist genug.«

»Sag mir nicht, daß es dir nicht gefällt. Du hast einen Ständer wie ein Besenstiel.«

»Es tut mir weh, und ich bin nicht in der Stimmung dafür.«

Sie stieß einen Lacher aus, der so schrill war, daß er sich fast wie ein

Schrei anhörte. Ich hatte sie noch nie so lachen hören und spürte, wie eine Gänsehaut meinen Körper überzog. Sie zog die Decke fort und hockte sich auf meinen Oberkörper, ihre Knie preßte sie gegen meine Rippen, und ihre Hände drückten meine flach auf das Bett. Auch wenn sie so zierlich war, fühlte sie sich doch kraftvoll an. Es war so dunkel, daß ich kaum ihr Gesicht sehen konnte, aber ich erkannte ihre strahlenden Zähne und ihre leuchtenden Augen. Sie atmete schwer und tief, ihr Brustkorb hob und senkte sich, und mit ihm ihre vollen Brüste.

»Liz?« rief ich vorsichtig. Ich hatte das Gefühl, sie nicht mehr zu kennen.

»Warum bist du geblieben?« fragte sie außer Atem.

»Was? Wovon redest du?«

»Warum bist du geblieben? Warum bist du nicht abgereist, als du gemerkt hast, daß etwas nicht stimmt?«

Ich versuchte, mich aufzurichten, doch sie drückte mich zurück auf das Kissen.

»Liz«, sagte ich. »Bist *du* das, oder ist das jemand anderes?«

Erneut lachte sie so schrecklich. »Nach wem sehe ich denn aus? Mein Gott, David, du bist so ein Dummkopf!«

Ich atmete tief ein und bemühte mich, ruhig und vernünftig zu bleiben. Es fiel mir schwer, weil ich schon immer dazu geneigt hatte, mit der Tür ins Haus zu fallen. »Liz ...«, begann ich, aber sie drückte ihre Fingerspitzen auf meine Lippen und sagte: »Psscht, du verstehst das nicht, und du mußt es auch nicht verstehen.«

»Verstehen? Was muß ich nicht verstehen? Liz, das ist ja lächerlich!«

Aber sie beugte sich vor und küßte mich einfach, auf meine Augenlider, auf den Mund, dann fuhr sie mit ihrer Zunge an meinen Lippen entlang. Aus irgendeinem Grund war ich mit einem Mal ruhig, als sei es egal, was sie sagte oder tat. Als sei es einfacher, liegenzubleiben und das zu tun, was sie von mir verlangte. Ihre Zunge erkundete meine Zähne, und dann berührten sich unsere Zungenspitzen. Im gleichen Moment fühlte ich, daß etwas Unbeschreibliches zwischen uns ausgetauscht wurde, so wie ein tiefes Geheimnis, das man mit einem anderen Menschen teilt.

Für einen Moment sah ich in ihren Augen das rötliche Leuchten, und ich verstand Dinge, die ich niemals hätte verstehen sollen. *Es gibt keinen Gott, es hat ihn nie gegeben, es wird ihn nie geben, aber es gab immer die Großen ... einige strahlend in ihrer Güte, einige zurückgezogen und distanziert, einige zu abscheulich und furchterregend, als daß ein menschliches Wesen sie verstehen könnte.* Liz richtete sich auf, und im gleichen Augenblick verschwand dieses Verstehen. Aber ich hatte das

Gefühl, daß etwas Gewaltiges und Dramatisches geschehen und daß ich Teil davon sein würde.

Liz rutschte weiter nach oben, bis ihre Knie zu beiden Seiten meines Kopfs ruhten und ihre Scham nur ein paar Zentimeter von meinem Mund entfernt war. Sie verströmte das starke, unverkennbare Aroma von Sex. Ich sah zu ihr hinauf. Mit beiden Händen hatte sie sich am Kopf des Betts aufgestützt, und aus meiner Blickrichtung war ihr Gesicht von dem v-förmigen Tal ihrer Brüste und dem glänzenden Dreieck ihres Schamhaars eingerahmt.

»Du zögerst, David«, sagte sie in einem ungewöhnlichen Tonfall. »Warum? Magst du den Geschmack nicht?«

»Liz«, setzte ich an, doch mein Verstand war in einem langsamen Wirbel aus Gefühlen, Angst und Verlangen gefangen. *Stell dir vor, du würdest eine Frau treffen, die alles machen würde, was du möchtest ... absolut alles.* Hatte ich das gesagt? Oder Liz? Ich war nicht sicher. Doch wie sie da über meinem Gesicht hockte, sah ich mich selbst, wie ich mit ihr Dinge tat, die Janie niemals zugelassen hätte. Ich sah schwarze Nylonstrümpfe, weiße Schenkel, feuchte Lippen, volle Brüste, durchnäßte Seide.

Mit einer unerträglich langsamen, rotierenden Bewegung senkte sich Liz auf meinem Mund herab. Ich erlebte eine warmen, triefendnassen Kuß, der mich fast erstickte. Meine Zunge erkundete langsam ihre Schamlippen, spielte mit ihrem Kitzler und glitt dann tief in ihre Vagina. Lippen wurden gegen Lippen gedrückt, der Kuß war vollkommen. Während sie sich noch heftiger auf mich drückte, kreiste meine Zunge tief in ihrem Unterleib.

Obwohl Liz ekstatische Schreie ausstieß und obwohl ich in Speichel und Gleitflüssigkeit fast ertrank, hatte das hier mit Sex oder Liebe nichts zu tun. Das geschah nicht um der Liebe willen, nicht mal um der Lust willen. Es war etwas anderes. Auch wenn ich es nicht wirklich verstand, kam es mir vor wie die Zeugung eines Kindes.

Oder die Zeugung von etwas ... *etwas anderem.*

Ich erinnere mich, daß sich Liz schließlich von meinem Gesicht erhob. Sie kniete lange Zeit auf dem Bett und beobachtete mich, während mein Kopf auf dem Kissen ruhte und die warme Nachtluft meine Lippen trocknete. Ab und zu berührte sie meine Brust und zeichnete irgendwelche Muster, die mir wie Blumen oder Kleeblätter oder Sterne vorkamen.

»Weißt du was?« sagte sie leise. »Als ich noch klein war, hat mich meine Mutter immer zu meinem Bruder in die Schule geschickt, damit ich ihm das Essen brachte. Draußen sah ich stets die kleinen Kinder spielen, und ich stellte mir immer vor, daß ich selbst gerne ein Baby hätte.«

Ich schloß die Augen, weil ich mich unerträglich müde fühlte. Auch wenn Fortyfoot House es nicht geschafft hatte, mich umzubringen, so hatte es mir doch alle Kräfte geraubt. »Ich muß einfach schlafen, ich kann nicht mehr«, murmelte ich.

Liz machte unterdessen mit diesem Muster weiter: »Ich habe immer meinen Bruder gehört, wenn er sang: ›Tu, ta, ti; bu, ba, bi ... ubanu, ammatu, ganu, ashlu‹.«

Ich schlief, aber ich hörte noch immer ihre Stimme. Es war, als könnte sie ihre Stimme in meinem Kopf ertönen lassen, ob ich nun schlief oder wach war. Ich träumte, daß ich wieder an einem düsteren und windstillen Tag über den Ozean glitt. Liz stand am Strand, und obwohl ich ziemlich schnell flog, blieb sie immer gleich weit von mir entfernt und redete weiter, während ihr Gesicht halb unter Verbänden verdeckt war. »Tu, ta, ti; bu, ba, bi ...«

Dann – ohne Vorwarnung – war es Morgen, die Sonne schien unbarmherzig grell ins Zimmer. Liz schlief noch, sie hatte den Mund geöffnet, ihr Haar war zerzaust. Ich verließ vorsichtig das Bett und ging zum Fenster. Die See glitzerte im Schein der Sonne.

Während ich dastand und aus dem Fenster sah, war ich fast im Begriff, mir einzureden, daß es ein Verbrechen wäre, Fortyfoot House niederzubrennen. Aber so schön es auch gelegen war, so war das Haus selbst bösartig und beunruhigend. Und es hatte die entsetzlichsten Folgen für jeden, der versuchte, etwas dagegen zu unternehmen. Ich war sicher, daß ich das nächste Opfer sein würde, wenn ich es nicht in Brand steckte.

14. Unter dem Fußboden

Nach einer Portion Müsli und einem Becher unglaublich schwarzem Kaffee ging ich nach draußen, um zu sehen, ob ich den Wagen vielleicht doch irgendwie zum Laufen kriegen konnte. Obwohl er nicht mal richtig *laufen* mußte. Es hätte schon genügt, wenn er gehumpelt wäre. Liz hatte sich bereits auf den Weg zum Tropical Bird Park gemacht. Sie trug ein sehr enges schwarzes T-Shirt, dazu einen äußerst kurzen, kanariengelben Rock und gelbe, hohe Stiefel. Ich wußte nicht, ob sie mich scharf machen oder ob sie mir zeigen wollte, daß ich mindestens zehn Jahre älter war als sie. Vielleicht war sie auch einfach nur pervers.

An der Küchentür hatte sie mir dann aber einen Kuß gegeben, ohne die Augen zu schließen, und mir in den Schritt gegriffen, während sie ›danke‹ hauchte. Ich blieb mit dem Gefühl zurück, daß ich ihr irgend etwas gegeben hatte, was sie hatte haben wollen.

Die Opferung

Ich sah nach Danny und Charity. Beide schliefen immer noch fest. Nachdem ich Charity gebadet und ihr die Haare gewaschen hatte und sie eine Bluse von Liz trug, sah sie nicht mehr wie aus einem anderen Jahrhundert aus. Fast kam es mir unmöglich vor, daß ich sie aus dem Jahr 1886 hergeholt hatte.

Ich ging aus dem Haus, und das erste, was mir in die Augen fiel, war der Renault von Dennis Pickering, der neben meinem demolierten Audi geparkt war. Oh, Gott! Ich hatte seinen Wagen völlig vergessen! Ich fühlte mich schrecklich schuldig und entsetzt. Schuldig, weil seine Frau längst außer sich sein mußte, da er noch nicht nach Hause gekommen war. Entsetzt, weil die Polizei unweigerlich den vor Fortyfoot House geparkten Wagen sehen und zwangsläufig (und in gewisser Weise sogar zu Recht) auf den Gedanken kommen würde, daß Liz und ich etwas mit seinem Verschwinden zu tun haben könnten.

Ich ging um den Wagen und stellte fest, daß er nicht abgeschlossen war. Die Schlüssel hatte Pickering aber nicht stecken lassen. Ich hätte die Handbremse lösen und den Wagen außer Sichtweite schieben können, aber was hätte ich dann mit ihm anfangen sollen? Ich hatte keine Ahnung, wie man einen Wagen kurzschließt. Und abgesehen davon mußte die gesamte Bevölkerung von Bonchurch und Ventnor den Wagen kennen. Ich hätte keine hundert Meter mit ihm fahren können, ohne von irgendeinem Aufpasser gesehen zu werden.

Ich versuchte noch immer, eine Lösung für das Problem zu finden, als überraschend der Rover von Detective Sergeant Miller in der Einfahrt auftauchte. Miller stieg aus. Er hatte ein Hemd mit kurzen Ärmeln an und trug eine Sonnenbrille. Als er sie abnahm, wirkte er so erschöpft wie nach drei Tagen ohne Schlaf. Detective Constable Jones folgte ihm auf dem Fuß und wirkte munter. Er roch intensiv nach Brut-33.

»Aha, *hier* hält sich also der vermißte Mr. Pickering auf«, sagte Miller, ging zum Renault und trat gegen das Hinterrad.

»Tja, also ... genaugenommen ist er nicht hier«, erwiderte ich. Ich wußte, daß ich meine Worte sorgfältig wählen mußte.

»Wie bitte?« fragte Miller in einem seltsamen Tonfall.

»Er kam her, das ist richtig. Aber er ist jetzt nicht hier.«

»Sein Wagen ist aber noch hier«, bemerkte Jones.

»Ja«, erwiderte ich.

»Aber er nicht?«

»Nein, er hatte gestern abend ... ein paar Gläser getrunken. Er wollte zu Fuß nach Hause gehen.«

»Wieviel sind ›ein paar Gläser‹?« hakte Miller nach.

»Vielleicht sechs oder sieben Gläser Wein. Wir haben uns unterhalten, wir haben alle etwas zuviel getrunken. Ich glaube, keiner von uns hat wirklich mitgezählt.«

»Oh«, sagte Miller. »Das ist schade. Wann ist er denn aufgebrochen?«

»Schwer zu sagen. Vielleicht um halb elf.«

Miller setzte seine Sonnenbrille wieder auf und stand da, die Arme in die Hüften gestemmt, und schien Löcher in die Luft zu starren. Obwohl die Sonne schien, wirkte Fortyfoot House hinter ihm kalt und dunkel und in sich gekehrt, so wie ein alter Verwandter, der bei einer Familienfeier wortlos dasitzt und nur an früher und an die denkt, die damals lebten, die er kannte und die ihn liebten und die alle seit langer Zeit tot waren.

»Mr. Pickering hatte seiner Frau versprochen, daß er sie gegen elf Uhr anrufen wollte«, sagte Miller.

»Tatsächlich?«

»Er hatte ihr gesagt, daß er erst hierherkommt und dann nach Shanklin Old Village gehen wollte, um Mrs. Martin zu besuchen.«

»Davon hat er mir nichts gesagt.«

Miller nickte, sagte aber weiter nichts. Jones versetzte dem Reifen des Renault noch einen Tritt, was Miller mit einem mißbilligenden Blick konterte. »Sieht ein bißchen platt aus«, erklärte Jones und errötete ein wenig.

In dem Moment tauchten Danny und Charity an der Tür auf. Danny trug seinen Schlafanzug, Charity hatte Liz' Bluse an.

»Daddy!« rief Danny. »Charity möchte wissen, was sie anziehen soll.«

»Einen Augenblick bitte«, sagte ich zu Miller.

»Keine Ursache. Sie haben ja wohl alle Hände voll zu tun. Wer ist denn die Kleine?«

»Meine Nichte«, log ich. »Die jüngste Tochter meiner Schwester.«

»Tja, es geht nichts über einen Urlaub am Meer mit einem Onkel«, sagte Miller und wandte sich ab. »Sie melden sich doch, wenn Mr. Pickering kommt, um seinen Wagen abzuholen? Ich vermute, er ist einfach abhanden gekommen. Offenbar hat er das schon früher gemacht. Mrs. Pickering sagt, er hätte schon mal Schwierigkeiten mit seiner sexuellen Identität.«

»Ein heimlicher Transvestit, mit anderen Worten«, warf Jones ein.

Miller warf ihm einen flüchtigen verärgerten Blick zu. »Mrs. Pickering sagte uns, er spaziere am Strand auf und ab und rede mit Gott.«

»Und dabei versucht er, nicht an die knackigen Ärsche seiner Chorknaben zu denken«, sagte Jones und ergab sich ganz seinen Vorurteilen.

»Würden Sie die Klappe halten, Jones?« forderte Miller ihn auf.

»Tschuldigung«, erwiderte dieser grinsend.

Die beiden kehrten zum Rover zurück und waren nur noch Sekunden davon entfernt, die Türen zuzuschlagen, als Charity mit durchdringender Stimme rief: »Sir! Sir! Können wir wirklich *zwei* Eier zum Frühstück haben? Danny sagt, das geht!«

Miller zögerte einen Moment lang, dann stieg er aus, nahm erneut seine Sonnenbrille ab und fragte mich mit der Gelassenheit eines erfahrenen Polizisten: »Wie heißt das Mädchen?«

»Charity«, antwortete ich. »Wieso?«

Ohne auf meine Frage zu reagieren, rief Miller: »Charity? Komm doch mal bitte her, Charity!«

Charity eilte barfuß über den Kies, ohne einen Augenblick zu zögern. Sie war es gewohnt, auf der Stelle zu reagieren, wenn Erwachsene etwas von ihr wollten. Sie lief zu Miller und machten einen Knicks.

Miller sah Charity mit offensichtlicher Irritation an.

»Ist er dein Onkel?« fragte er und deutete mit der Brille auf mich.

Charity sah mich ängstlich an, woraufhin ich versuchte, ihr ein ›ja‹ zu suggerieren, ohne dabei meinen gelassenen Gesichtsausdruck zu verändern, den ich angenommen hatte, als Miller noch einmal aus dem Wagen gestiegen war. Ich weiß nicht, wie mein Gesicht in jenem Moment aussah, auf jeden Fall mußte es sonderbar genug sein, damit Charity mich perplex ansah und schließlich sagte: »Nein, Sir, er ist nicht mein Onkel.«

»Ooh«, brachte Miller nachdenklich heraus. »Er ist *nicht* dein Onkel?«

»Aber er ist ein mutiger Gentleman. Er hat mich gerettet, bei sich aufgenommen und mich gebadet.«

»Ach, er hat dich gebadet?«

»Oh, um Gottes willen, Sergeant«, warf ich ein. »Liz hat sie gebadet.«

»Aber Sie sind nicht ihr Onkel.«

»Ich benutze lieber das Wort Onkel.«

»Aber Sie sind es nicht.«

»Nein.«

»Na gut«, sagte Miller mit dieser schrecklichen, unerträglichen Geduld in seinem Tonfall, den die Polizei anwandte, um Verdächtige so sehr zu langweilen, daß sie schließlich ein Geständnis ablegten. »Wenn er nicht dein Onkel ist, wer ist er dann?«

»Er ist Dannys Papa. Er hat mich gerettet und bei sich aufgenommen. Der Gentleman Reverend wurde getötet, aber er hat mich gerettet.«

»Der Gentleman Reverend wurde *getötet*?«

»Hören Sie nicht auf sie«, sagte ich und machte eine abfällige Handbewegung. »Sie hat eine zu rege Phantasie. Geburtsfehler, um ehrlich zu sein.«

Miller blieb aber hartnäckig: »Und wer hat den Gentleman Reverend umgebracht, mein Liebling?«

»Sie sollten wirklich nicht auf sie hören«, warf ich ein.

Charity machte einen besorgten Gesichtsausdruck. »Der Gentleman hat ihn nicht umgebracht, Sir. Der Gentleman hat mich gerettet. Umgebracht hat ihn ...«

Sie legte die Hände so vor ihr Gesicht, daß nur noch ihre Augen unbedeckt waren, um verstohlene, umherhuschende Blicke anzudeuten. Dann krümmte sie ihre Fingerspitzen, bis sie aussahen wie Zähne, und machte einen Buckel, der auf eine abscheulich beschwörende Weise an Brown Jenkin erinnerte. Schließlich hüpfte sie vor dem Detective Sergeant so hin und her, daß er vor Beunruhigung regelrecht erstarrte.

»Sir«, flüsterte Jones. »Was in drei Teufels Namen soll denn *das* sein?«

»Brown Jenkin«, sagte Miller, dessen Gesicht kreidebleich geworden war.

»Was, Sir?«

»Ich sagte: Ich denke nach.«

»Oh, gut, Sir. Sehr gut, Sir.«

Miller bückte sich zu Charity hinab, faßte sie an den Händen und sah ihr direkt in die Augen. »Charity, *wo* wurde der Gentleman Reverend ermordet?«

»Im Wohnzimmer, Sir.«

»Er ist aber nicht mehr dort, oder?«

»Nicht *jetzt*, Sir.«

Miller war aufmerksam genug, um die ungewöhnliche Betonung des Wortes ›jetzt‹ zu bemerken, aber offenbar verstand er nicht dessen wirkliche Bedeutung. Wer hätte das auch schon gekonnt? Selbst Charitys altmodisches Benehmen hätte keinen halbwegs vernünftigen Polizisten auf den Gedanken bringen können, daß ich sie erst vor kurzem aus dem Jahr 1886 mitgebracht hatte. Ich konnte es ja selbst kaum glauben. Es war wie ein Traum, oder wie ein Film.

Miller richtete sich wieder auf und sah mich geduldig an. »Ich glaube, Sie sollten mir besser erzählen, was geschehen ist«, sagte er, während er so dicht neben mir stand, daß Jones ihn nicht verstehen konnte. »Meine Vorgesetzten werden es wohl kaum glauben, ebenso Jones. Aber *ich* glaube es, und ich sage Ihnen, daß dem Ganzen ein Ende gesetzt wird, bevor noch mehr Menschenleben zu beklagen sind.«

»Ich bin nicht sicher, ob ich Ihnen helfen kann«, erwiderte ich.

Ich hatte meine eigenen Pläne für Fortyfoot House, ich wollte nicht, daß Detective Sergeant Miller alles nur noch komplizierter machte.

»Warum sollte mir dieses Mädchen wohl erzählen, daß Mr. Pickering umgebracht wurde?« fragte er.

»Lebhafte Phantasie, würde ich sagen.«

»Aber ... wir könnten uns ja mal im Haus umsehen, oder?«

»Natürlich. Wenn Sie das möchten.«

Miller drehte sich um und nahm Charity an die Hand. »Warum zeigst du mir nicht, wo der Gentleman Reverend ermordet wurde, Charity?«

Sie führte ihn gehorsam zum Haus. Jones und ich folgten den beiden.

»Kinder«, sagte Jones. »Ich hasse Ermittlungen mit Kindern. Man weiß nie, wieviel wahr ist, wieviel sie dazudichten und wieviel sie aus dem Fernsehen haben.«

Ich sagte nichts. Mir schien es am sichersten, den Mund zu halten.

Miller ging bis ins Wohnzimmer und schlich herum. Natürlich sah der Raum anders aus als 1886. Die Holzvertäfelung war verschwunden, die Möbel waren durch moderneres Mobiliar ersetzt worden. Der Kamin war noch an seinem Platz, doch den viktorianischen Stil hatte man in den dreißiger Jahren mit beigefarbe Kacheln modernisiert.

»Also ... Zeichen für einen Kampf kann ich nicht sehen«, sagte Miller. »Wo genau wurde der Gentleman Reverend denn umgebracht?«

Charity deutete auf die Stelle, wo gestern vor 106 Jahren Brown Jenkin Dennis Pickering auf unglaublich brutale Weise getötet hatte.

»Aha«, machte Miller. »Und wie wurde er umgebracht?«

Charity formte aus ihrer Hand eine Kralle und deutete eine aufwärts gerichtete, aufreißende Bewegung an.

»Er hat sich zu Tode gekratzt«, meinte Jones.

Miller sagte nichts, kreiste aber weiter durch den Raum und inspizierte jeden Quadratzentimeter. Dann wandte er sich wieder Charity zu und fragte: »Was hat man denn mit dem Gentleman Reverend gemacht, nachdem er tot war?«

Charity schüttelte den Kopf. »Ich weiß nicht. Wir sind weggelaufen. Dannys Papa hat mich nach oben gebracht und mich gerettet.«

Jones warf Miller einen geringschätzigen Blick zu. »Um ehrlich zu sein, Sir, klingt das für mich schwer nach einem Märchen.«

»Hier müßte literweise Blut zu finden sein«, sagte Miller.

»Literweise«, stimmte ich ihm zu. Ich begann zu schwitzen, obwohl ich nicht wußte, warum. Miller schaffte es, daß ich mich schuldig fühlte, dabei hatte ich überhaupt nichts getan.

»Es macht Ihnen doch nichts aus, wenn ich einen Blick unter den Teppich werfe?« fragte Miller.

»Fühlen Sie sich wie zu Hause«, erwiderte ich.

Jones kippte den Sessel ein wenig, so daß Miller den Teppich darunter fortziehen konnte, um ihn dann ordentlich aufzurollen, damit er die Dielenbretter in der Mitte des Raums begutachten konnte. Er hatte ja eigentlich recht, der ganze Boden *war* mit Pickerings Blut bedeckt worden, aber im Lauf von hundert Jahren war das zu einem dunklen, rostigen Rorschach-Muster geworden.

Miller kniete nieder und strich über den Boden. »Hier ist zwar etwas verschüttet worden, aber nicht in jüngerer Zeit.« Jones gesellte sich zu ihm: »Sehen Sie hier, Sir. Der Boden ist irgendwann mal geöffnet worden. Das ist allerdings auch schon sehr lange her, aber es ist nicht ordentlich ausgeführt worden ...«

Millers Blick war so giftig, als wolle er mich auf der Stelle umbringen. Er machte kein Hehl daraus, daß ich seiner Ansicht nach mehr über Pickerings Verschwinden wußte, als ich ihm verriet. Dennoch war ich ziemlich sicher, daß er mich nicht für einen Mörder hielt. Anders als seine Kollegen war er bereit, an die Geräusche und die Lichter und die übernatürlichen Kräfte zu glauben, die den Frieden in Fortyfoot House störten. Sein einziges Problem war, Beweise zu erbringen.

»Würde es Ihnen etwas ausmachen, wenn wir ein paar Bohlen herausnehmen, um zu sehen, was sich darunter befindet?« fragte er mich.

»Es ist nicht mein Haus, da sollten Sie besser mit den Maklern sprechen.«

»Wir werden auch nichts beschädigen.«

»Trotzdem sollten Sie erst mit den Maklern reden. Dunn & Michael in Ventnor.«

Miller zuckte mit den Schultern. »Na gut, Mr. Williams. Wenn Sie das für erforderlich halten, werden wir das machen.«

»Ich will Sie nicht in Ihrer Arbeit behindern. Aber wenn irgend etwas beschädigt wird ... na ja, dann trage ich die Verantwortung.«

»Ich verstehe«, sagte Miller beschwichtigend. »Wir sind ungefähr in einer halben Stunde wieder da. Können wir den Teppich so liegen lassen?«

»Aber natürlich.«

Miller und Jones verließen Fortyfoot House ohne ein weiteres Wort. Ich stand vor der Tür und sah zu, wie sie abfuhren, dann wandte ich mich an Danny und Charity und sagte: »Warum geht ihr nicht runter zum Strand und spielt dort eine Weile? Danny, du kannst Charity zeigen, wie man ein Taschenkrebs-Rennen veranstaltet. Danach mache ich euch Frühstück.«

»Aber ich habe *jetzt* Hunger«, beschwerte sich Danny.

»Danny, bitte. Du weißt, daß es im Moment nicht ganz einfach für

Die Opferung

mich ist. Kommt in ... na, sagen wir, in zwanzig Minuten zurück. Komm, ich leihe dir auch meine Uhr.«

Ich nahm meine durchsichtige Swatch ab und legte sie um Dannys dünnes Handgelenk. Seit fast sechs Monaten hatte er mich bearbeitet, damit er so eine Uhr bekam, wie ich sie hatte, und jetzt war er so begeistert, daß er sein Grinsen gar nicht mehr abstellen konnte. Charity sah fasziniert auf die Uhr, aber Danny legte seinen Arm um ihre Schultern und sagte: »Komm, Charity! Laß uns Taschenkrebse suchen.« Dann rannten sie aus der Küche nach draußen in den Garten.

Während ich den beiden nachsah, wünschte ich mir die Unschuld dieser Zeit zurück. Für mich und Janie. Und für mich und Liz.

Ich nahm das kurze Stemmeisen aus meiner Werkzeugkiste und brachte es ins Wohnzimmer. Wenn irgend jemand oder irgend etwas unter diesen Dielen versteckt worden war, dann wollte ich es als erster finden. Ich steckte das flache Ende des Stemmeisens zwischen zwei Bretter und bewegte es vorsichtig nach oben, um nicht zu deutliche Spuren zu hinterlassen. Zunächst wollten die Bretter aber nicht nachgeben. Sie saßen zwar locker und rutschten hin und her, wenn man auf sie trat, doch die Nägel, mit denen man sie befestigt hatte, waren mit großer Kraft eingeschlagen worden. Es würde erhebliche Mühen kosten, sie zu lockern.

Ich begann vorsichtig, doch nach sechs oder sieben erfolglosen Versuchen gab ich diesen Plan fast auf. Was sollte es auch? Ich sollte Fortyfoot House renovieren, und wenn ich dabei den Fußboden im Wohnzimmer aufreißen wollte, dann konnte ich das verdammt noch mal auch machen. Ich konnte immer noch sagen, daß ich Trockenfäule gerochen hätte.

Schließlich gelang es mir, von einem gequälten Knarren begleitet, einen der längsten Nägel aus dem Holz zu ziehen. Und mit ein wenig Anstrengung gab dann auch noch das Brett seinen Widerstand auf.

Darunter war es finster, aber trocken. Ich hatte meine Taschenlampe auf dem Treppenabsatz gelassen, aber ich wußte auch ohne sie, daß sich etwas unter diesem Fußboden befand.

Als ich ein weiteres Brett entfernte, sah ich, was Fortyfoot House seit Jahren unter seinem Fußboden verbarg: einen aschfahlen mumifizierten Körper, sorgfältig zwischen den Querbalken des Bodens verstaut. Die Haut war völlig trocken und hatte die Farbe von Mahagoni, die Arme waren wie Hühnerklauen angewinkelt, die Augenhöhlen waren leer, der Bauch war geöffnet worden und sah, nachdem er über viele Jahre hinweg getrocknet war, eher wie ein Wespennest aus.

Trotz des Mumifizierungsprozesses war sofort zu erkennen, um wen es sich handelte: Dennis Pickering, den man vor über 100 Jahren getötet und unter dem Fußboden begraben hatte. Die trockene Luft unter dem Fußboden hatte seinen Körper und seine Kleidung weitestgehend konserviert, und das, was von ihm übrig war, genügte für Detective Sergeant Miller, um ihn zu identifizieren. Wie Miller allerdings eine gut hundert Jahre alte Mumie in Hush Puppies und Unterwäsche von Marks & Spencer erklären wollte, war mir nicht klar, und ich wollte es auch nicht wissen. Sobald Miller mit Fortyfoot House fertig war, würde ich das Haus bis auf die Grundmauern abbrennen. Mit ein wenig Glück würde es uns alle von Brown Jenkin, vom jungen Mr. Billings und von Kezia Mason sowie von allen anderen Geistern befreien, die Bonchurch seit dem Tag heimgesucht hatten, an dem Fortyfoot House erbaut wurde.

Lange Zeit starrte ich Pickerings geschrumpften Leichnam an. Es war unvorstellbar, daß ich erst gestern noch mit ihm gesprochen hatte, und jetzt lag er dort vor mir wie ein Ausstellungsstück aus dem British Museum.

»Armes Schwein«, sagte ich tonlos. Noch nie hatte mir ein Mensch so leid getan. Und das schlimmste war, daß ich seiner Frau nicht mal sagen konnte, was ihm wirklich zugestoßen und wo er abgeblieben war.

Ich mußte die Mumie loswerden, bevor Miller zurückkehrte, wußte aber nicht, wie ich das anstellen sollte. In der Gartenlaube gab es eine große, altmodische Schubkarre, mit der ich ihn in den Garten hätte bringen und unter einem Komposthaufen verstecken können. Aber abgesehen von der Tatsache, daß er zu Staub zerfallen konnte, sobald ich ihn berührte, war das Risiko immens. Wenn Miller mich dabei erwischte, wie ich Pickerings Leiche beerdigte, würde er sofort und zu Recht annehmen, daß ich etwas über seinen Tod wußte. Dabei genügte es schon, daß er mir den Tod von Harry Martin und das unerklärliche Auftauchen von Charity hätte anhängen können.

Ich ging durch die Küche zurück. Ich wollte einen kurzen Blick auf den Komposthaufen werfen, um zu prüfen, ob ich Pickering darin verstecken konnte. Als ich aber die Haustür öffnete, sah ich, wie ein Streifenwagen neben meinem Audi hielt. Ein uniformierter Polizist stieg aus und setzte seine Mütze auf, um sich dann mit hinter dem Rücken verschränkten Armen neben seinen Wagen zu stellen. Miller hatte offensichtlich den Mann herbestellt, damit er ein Auge auf mich hatte.

Verdammt, was sollte ich jetzt tun? Die Situation wurde mit jeder Sekunde komplizierter. Wenn ich sicher gewesen wäre, daß Miller mir jedes Wort geglaubt hätte, dann hätte ich ihm die Wahrheit erzählt. Aber so sehr er auch an Geister, an Brown Jenkin und an die übernatürlichen Mächte in Fortyfoot House glauben mochte, mußte er doch seinen Vorgesetzten einen Bericht vorlegen. Und wenn Pickerings Leiche gefunden wurde, dann mußte er mich unter Mordverdacht festnehmen. Dennis Pickering war immerhin der Vikar, nicht irgendein Penner oder ein besoffener Tourist. Natürlich konnte er nicht beweisen, daß ich etwas getan hatte, weil dem einfach nicht so war. Aber er konnte mich für Monate hinter Gitter und Danny zurück zu Janie oder zu einer Pflegefamilie bringen. Und Liz würde ich auch nie wiedersehen.

Ich ging zurück ins Wohnzimmer und betrachtete die mumifizierte Leiche. Ich konnte sie nicht hier und jetzt aus dem Haus schleppen, selbst wenn ich den Mut gefunden hätte, sie anzufassen. Aber was war, wenn ich sie *damals*, 1886, aus dem Haus brachte, nachdem Kezia Mason und Brown Jenkin Pickering begraben hatten?

Wenn ich es damals machte, dann würde der Tote jetzt nicht hier sein. Allerdings ging mir der Gedanke durch den Kopf, daß er möglicherweise aus dem Grund hier war, daß ich es 1886 nicht geschafft hatte, ihn aus dem Haus zu bringen. Könnte ich wirklich die Geschichte ändern? Könnte ich zurückreisen und dafür sorgen, daß man Pickerings Leiche niemals fand? Könnte ich vielleicht sogar verhindern, daß er überhaupt getötet wurde? Die Möglichkeiten erschienen mir unendlich. Vielleicht konnte ich ja dafür sorgen, daß Kezia Mason gar nicht erst ins Fortyfoot House gebracht wurde, daß der alte Mr. Billings nicht von einem Blitz getroffen wurde. Vielleicht konnte ich die Geschichte sogar dahingehend verändern, daß Brown Jenkin nie gezeugt wurde.

Ich setzte die Dielenbretter wieder ein und trat sie fest, dann schlug ich die Nägel wieder ein und nahm eine Handvoll Staub und Asche aus dem Kamin, um sie in die Spalten zwischen den Brettern zu reiben, damit sie so aussahen, als hätte sie seit hundert Jahren niemand mehr angerührt. Sehr überzeugend sah meine Arbeit nicht aus, aber falls Miller die Bretter schnell genug herausheben ließ, ohne sie erst gründlich zu studieren, dann war es denkbar, daß ihm nichts auffiel.

Ich sah aus dem Fenster nach Danny und Charity, die bei der Sonnenuhr spielten. Charity saß auf dem Gras und flocht ein Stirnband aus Gänseblümchen, während Danny auf einem Bein um sie herumhüpfte. Es sprach nichts dagegen, sie ein paar Minuten unbeobachtet zu lassen, damit ich über den Speicher gehen und Dennis Pickerings Leiche wegschaffen konnte.

Ich lief natürlich Gefahr, Brown Jenkin oder Kezia Mason zu begegnen, aber wenn ich vorsichtig war und ihnen aus dem Weg ging oder wenn ich wenigstens schnell genug rennen konnte, dann hatte ich durchaus eine Chance. Immerhin war ich diesmal auf das vorbereitet, was mich erwartete. Ich nahm mein Stemmeisen, ging auf den Speicher und lauschte. Einen Moment lang glaubte ich, Stimmen zu hören, aber dann wurde mir klar, daß es nur der Wind war, der sich am Dach fing. Ich hatte gehofft, daß noch immer Tageslicht zu sehen sein würde, doch es war stockfinster. Ich schaltete meine Taschenlampe an und suchte den Speicher ab ... aber nach *was*?

Zwar war es auf dem Speicher dunkel, aber ein ganz schwacher bläulicher Lichtschein fiel durch das Fenster herein. Es war noch immer der Dachboden des Jahres 1886. Nur war es diesmal mitten in der Nacht. Ich ging an dem Dachfenster vorüber und warf einen Blick nach draußen. Ich konnte die Sterne am Himmel und davor eine dünne Schicht grauer Wolken sehen.

Ich richtete den Strahl der Taschenlampe auf die Klapptür. Sie war nach wie vor von der Speicherseite aus verriegelt, aber einer der Bolzen hatte sich gelockert, als hätte jemand von unten mit unvorstellbarer Kraft immer und immer wieder dagegengeschlagen. Ich zögerte einen Augenblick, doch dann ging ich hinüber und schob die Riegel vorsichtig zurück. Als ich soweit war, hielt ich den Atem an und lauschte bestimmt eine halbe Minute lang, ob ich unter mir jemanden hören konnte. Wenn ich eines nicht wollte, dann war das, von Brown Jenkin die Beine zerfetzt zu bekommen, während ich mich in mein Schlafzimmer hangelte.

Ich öffnete die Klapptür und sah vorsichtig nach unten. Der Raum war dunkel, aber ich konnte die fahlen Umrisse des bezogenen Betts erkennen. Brown Jenkin mußte den Stuhl weggetreten haben, da ich nur eines der Stuhlbeine erkennen konnte. Ich würde also direkt auf den Boden springen müssen, ohne zuviel Lärm zu machen. Ich lauschte wieder, konnte aber keine Stimmen hören. Das einzige, was an meine Ohren drang, war das *Schlagen* einer Tür. Natürlich hatte ich keine Ahnung, welche Tageszeit es 1886 war. Ich wußte ja nicht einmal, ob ich an den selben Tag des Jahres 1886 zurückgekehrt war. Vielleicht war es jetzt eine Woche früher oder eine Woche später, oder sogar das Jahr 1885 oder 1887. Es gab keinen Anhaltspunkt dafür, daß Brown Jenkin vor ein paar Stunden gegen den Stuhl getreten hatte. Er konnte genausogut seit Monaten dort liegen, Fortyfoot House mochte längst verlassen sein.

Ich konnte nur darauf hoffen, daß die beiden Zeiten parallel verliefen, während ich mich in das Schlafzimmer hinabließ und das letzte Stück sprang. Nachdem ich gelandet war, stand ich eine Weile wie erstarrt da und horchte, um sicher zu sein, daß niemand mich gehört hatte. Das Schlafzimmer *sah* noch genauso aus wie bei meinem letzten Besuch. Von unten hörte ich die Standuhr elf Uhr schlagen.

Die Schlafzimmertür stand einen Spalt offen. Ich schlich langsam weiter, stets darauf bedacht, möglichst keine Geräusche zu verursachen.

Eines der Bretter knarrte leise unter meinem Gewicht, aber insgesamt war der Fußboden recht stabil. Mein Herz raste und ich atmete so heftig wie ein Seiltänzer. Es konnte durchaus sein, daß Brown Jenkin im Korridor nur auf mich wartete oder daß Kezia Mason meine Anwesenheit spüren konnte.

Die Wände mit Samt bespannt, so schwarz wie Sünde und so fein, hörte ich mich im Geiste sagen. *Und kleine Zwerge kriechen raus ...*

Ich zog die Schlafzimmertür auf und blickte in den Korridor, in dem es noch viel dunkler war. Ich wartete und lauschte, bis meine Ohren vor Anstrengung schmerzten.

In diesem Moment schälten sich aus der Dunkelheit erst eine kleine weiße Gestalt und dann weitere. Ich war so in Panik, daß ich mich nicht bewegen konnte. Ich schaffte es nicht mal, mein Stemmeisen zu heben. Die Gestalten kamen immer näher, verursachten aber fast keine Geräusche.

Zwerge, die aus dem Schrank entkommen waren, Geister, die ihrem Grab entstiegen waren. Oder ...

15. Die Warnung

Die kleinen Gestalten kamen mir immer näher, und im fahlen Schein aus dem Schlafzimmer konnte ich erkennen, daß es sich um Kinder handelte, die lange, weiße Nachthemden trugen. Ihre Augen waren von Erschöpfung und Unterernährung gezeichnet, ihre Haare waren zerzaust, aber sie waren weder Zwerge noch Geister, sondern einfach nur Kinder – zwei Mädchen und ein Junge.

»Wer sind Sie?« fragte eines der Mädchen mit dem gleichen Akzent wie Kezia Mason. Es war recht hübsch, aber so dünn, daß es schmerzte, das Kind anzusehen. »Ich habe Sie hier noch nicht gesehen. Weiß der Leiter, daß Sie hier sind?«

Ich schüttelte den Kopf. »Nein. Und ich *möchte* auch nicht, daß er es weiß.«

»Woher kommen Sie?« wollte der kleine Junge wissen.

»Brighton.«

»Meine Mama ist mal mit mir im Zug nach Brighton gefahren.«

»Du hast gar keine Mama«, warf das andere Mädchen ein.

»Hab ich wohl. Sie ist mit mir mal nach Brighton gefahren. Dann bekam sie noch ein Kind und ist gestorben.«

»Pscht!« machte ich. »Wir wollen doch niemanden aufwecken, nicht wahr?«

»Was machen Sie dann hier?« fragte das erste Mädchen. »Sie sind doch kein Skinner, oder? Brown Jenkin mag keine Skinner.«

»Was ist ein Skinner?« erwiderte ich.

»Sie wissen schon. Einer von den Ärzten oder Reverends, vor denen man sich ausziehen muß, damit sie einen angucken können.«

»Nein, nein, ich bin kein Skinner. Ich suche nur einen Freund.«

»Sie müssen aufpassen, damit Brown Jenkin Sie nicht erwischt«, warnte mich das zweite Mädchen.

»Ich kenne Brown Jenkin«, erklärte ich ihr. »Ich kenne auch Kezia Mason.«

»Wenn Sie Ihren Freund gefunden haben, werden Sie dann wieder fortgehen?« wollte der kleine Junge wissen.

»Oh, ja, ich werde mich direkt wieder auf den Weg machen.«

»Würden Sie uns mitnehmen?«

»Euch mitnehmen? Euch *alle*? Ich weiß nicht, aber ich glaube nicht, daß das geht. Warum eigentlich?«

»Weil viele von uns sterben. Darum. Mr. Billings guckt dich an und sagt, daß du krank bist und daß du behandelt werden mußt. Dann nimmt dich Brown Jenkin mit zum Picknick, und danach sieht dich niemand wieder, bevor du begraben wirst.«

»Aber wir sind nicht krank«, erklärte das erste kleine Mädchen. »Mr. Billings gibt uns nicht viel Essen, immer nur Brot und Reste. Darum haben wir alle Hunger. Aber wir sind nicht krank. Nur Billy ist krank. Er hat Keuchhusten. Er hat *immer* Keuchhusten.«

»Wie viele Kinder sind noch hier?« fragte ich ihn.

»Einunddreißig, aber Charity fehlt. Niemand weiß, was mit *ihr* passiert ist.«

Ich wußte natürlich, wo Charity war, sagte aber nichts davon. Ich war nicht hergekommen, um all diese East End-Gören aus Mr. Billings' Waisenhaus zu holen. Ich hatte weder Zeit noch die selbstlose Opferbereitschaft, das zu tun. Was als Versuch begonnen hatte, mehr über die Vorgänge in Fortyfoot House zu erfahren, entwickelte nun alle Kennzeichen der *Herberge zur sechsten Glückseligkeit*. Wenn ich nicht aufpaßte, hätte ich bald einen Treck von Waisenkindern hinter mir und würde durch das Jahr 1886 ziehen.

Im Augenblick ging es mir nur darum, Pickerings Leichnam unter den Fußboden hervorzuholen und fortzuschaffen.

»Hört mal«, sagte ich zu den drei Kindern. »Ich muß unten etwas Wichtiges erledigen. Wenn ich damit fertig bin, komme ich wieder rauf und spreche mit euch. Wo schlaft ihr?«

Das erste kleine Mädchen deutete auf die nächste Tür im Flur. Das

Zimmer, in dem in meiner Zeit nur kaputte Stühle, Kisten und Bücher untergebracht waren.

»Also gut«, flüsterte ich, »ich bin in zwanzig Minuten zurück. Versucht, wachzubleiben.«

»Das werden wir.« Die drei drehten sich um und begannen, wieder in der Dunkelheit zu verschwinden, als das erste Mädchen noch mal zu mir zurückkam und wisperte: »Kommen Sie mit.«

Ihre eiskalten und dünnen Finger umschlossen meine Hand, während sie mich zu dem Zimmer führte, in dem Liz geschlafen hatte, bevor sie in mein Zimmer gezogen war. Sehr vorsichtig drückte das Mädchen die Klinke herunter und öffnete leise die Tür.

»Wessen Zimmer ist das?« fragte ich.

»Pschht«, zischte das Mädchen nur.

Als die Tür weit genug geöffnet war, spürte ich, wie mir eine eisiger Schauder über den Rücken lief. Ein Teil des Zimmers wurde von einem hohen Holzbett dominiert, auf dem drei oder vier Wolldecken lagen. Auf der linken, vom Fenster abgewandten Seite lag Mr. Billings auf dem Rücken, die Augen geschlossen, den Mund weit geöffnet und die Arme an seinen Körper gelegt. Er schnarchte sehr laut und hörte sich so an, als würde er sich jeden Augenblick verschlucken. Neben ihm lag Kezia Mason, deren rotes Haar wie eine sich ausbreitende Flamme auf dem Kissen verteilt war. Zu meinem Entsetzen hatte sie die Augen geöffnet und starrte zur Decke.

Das Mädchen spürte, wie sich meine Finger versteiften. »Alles in Ordnung«, flüsterte sie. »Sie ist nicht wach. Sie schläft immer mit offenen Augen.«

»Jesus«, sagte ich. Es war ein erschreckender Anblick, Kezia Mason so starr und mit offenen Augen daliegen zu sehen. Ich wollte fast nicht glauben, daß sie schlief und uns nicht sehen konnte.

Das kleine Mädchen zog die Tür wieder zu.

»Wo ist Brown Jenkin?« fragte ich.

»Ich weiß nicht. Bestimmt irgendwo draußen.«

»Draußen?«

»Er schläft nie. Ich sehe ihn nie schlafen. Er rast immer hierhin und dahin. Ich hasse ihn.«

»Wer ist er eigentlich genau? Er sieht mehr nach einer Ratte als nach einem Jungen aus.«

»Ja, aber er ist mehr ein Junge als eine Ratte.«

Das kleine Mädchen ging zurück zum Schlafzimmer und öffnete die Tür. »Übrigens, mein Name ist Molly.«

Ich mußte sofort an einen der Grabsteine denken, die ich rund um die Kapelle gesehen hatte. Ein einfacher Stein mit der Inschrift ›Molly Bennett, 11 Jahre alt, Zur rechten Hand von Christus‹. Ich konnte Molly einfach nicht fragen, ob sie mit Nachnamen möglicherweise Bennett hieß. Die Vorstellung, daß Brown Jenkin dieses kleine Mädchen in Kürze zu einem seiner üblen ›Picknicks‹ mitnehmen würde ... Ich strich über ihr zerzaustes Haar. Sie war völlig real, auch wenn zwischen uns über hundert Jahre lagen. Wenn ich in den letzten Tagen eines gelernt hatte, dann war es die Tatsache, daß die Zeit auf die Realität der menschlichen Existenz keinen Einfluß hatte. Wenn wir einmal da sind, sind wir immer da. Es war ein seltsamer Gedanke, der mich ein wenig traurig stimmte, aber auch tröstete.

»Ich bin in ein paar Minuten zurück«, sagte ich zu Molly. Dann ging ich die Treppe hinunter und durch den Flur, vorbei an den sonderbaren Aquarellen und Stichen. Ich konnte sie in dem schwachen Lichtschein, der durch das Oberlicht der Haustür fiel, schwach erkennen. Jetzt wirkten sie allerdings noch obszöner und mysteriöser, ein Bildkatalog gynäkologischer Gräßlichkeiten. Ich sah verzweifelte Gesichter und entsetzliche Chirurgeninstrumente, sterbende Mütter, die in Stücke geschnitten wurden, um ihre lebenden Kinder zu retten. So schnell ich konnte, lief ich an diesen Bildern vorbei.

Die Tür zum Wohnzimmer stand offen. Es gab keine Lampen, und es war niemand da. Aber an der Art, wie die Möbel im Raum standen, konnte ich erkennen, daß seit meinem ersten Besuch nur wenige Stunden vergangen waren. Der Kamin war saubergemacht worden, der Teppich war wieder geradegerückt worden, aber das waren auch schon die einzigen Hinweise darauf, daß jemand begonnen hatte, hier aufzuräumen.

Ich ging bis zur Mitte des Zimmers und erreichte die Stelle, an der Dennis Pickering ermordet worden war. Der Boden war feucht und roch streng nach Seife. Offenbar hatte ihn jemand gewischt. Aber Seife und Wasser hatte nicht ausgereicht, um den großen dunklen Blutfleck zu entfernen. 106 Jahre später war er immer noch da, wie ich vor gerade mal einer halben Stunde festgestellt hatte.

Ich kniete nieder und begann, mit meinem Stemmeisen die Dielenbretter zu lösen, mußte dabei aber äußerst vorsichtig vorgehen, da die Nägel ein lautendes, quietschendes Geräusch machten.

Dennis Pickering war erst an diesem Nachmittag getötet worden, aber schon jetzt war der Verwesungsgeruch unerträglich. Ich verstand nicht, warum der junge Mr. Billings und Kezia Mason ihn nicht irgendwo draußen begraben hatten, aber vielleicht hatten sie das gleiche Problem wie ich. Vielleicht wurden sie von der Polizei oder eher von aufmerksamen Nachbarn beobachtet. Bonchurch war 1992 eine eng verbundene

Die Opferung

Gemeinde, das mußte 1886 noch viel schlimmer gewesen sein: Immerhin war die Einwohnerzahl damals nur halb so groß.

Ich löste erst ein Brett, dann ein zweites. Der arme Pickering lag zusammengekauert in der Position da, in der ich ihn hundert Jahre später vorfinden sollte. Ich spürte, wie sich der Inhalt meines Magens in meiner Speiseröhre nach oben schob, doch ich wußte, daß ich den Leichnam hier rausschaffen mußte. Ich mußte es für mich tun, für Danny und vielleicht auch für Pickerings eigene unsterbliche Seele. Niemand verdiente es, ohne eine Totenmesse unter einem Fußboden verscharrt zu werden.

Eine Sache machte mir allerdings zu schaffen: die Frage, ob ich in die Geschichte eingriff. Es erschien mir völlig paradox, daß er hier tot vor mir lag, obwohl er eigentlich nicht mal gezeugt worden war. Wenn die Zeit aber mehr wie in einer Geschichte oder in einem Film verlief, dann gab es vielleicht kein echtes Paradox. Nur, wer war der wirkliche Dennis Pickering? Der, der hier tot lag, oder der, der erst noch geboren werden würde?

Mir begann schwindlig zu werden – aus Angst und Verwirrung. Ich mußte die Augen schließen und mir befehlen, nicht darüber nachzudenken, sondern einen Schritt nach dem anderen zu tun.

Schließlich fand ich die Kraft, um mich nach vorne zu beugen und meine Hände unter Pickerings Schultern zu schieben. Schweratmend zog ich ihn an den Schultern und seinem linken Arm aus dem Loch im Boden, bis ich ihn in eine halb sitzende Position gebracht hatte. Seine Hand schlug laut auf den Boden, seine leeren Augenhöhlen waren schwarz von getrocknetem Blut, das auch auf seinen Wangen klebte. Vielleicht war das Blut, das auf dem Wandgemälde aus dem Maul von Brown Jenkin getropft war, so etwas wie eine Warnung gewesen, daß ich mich nicht einmischen sollte.

Ich richtete mich auf und griff unter Pickerings Arme, um ihn aus seinem Grab zu ziehen und auf den Boden zu legen. Zu meinem Glück hatte Brown Jenkin Pickerings innere Organe wieder zurück in die Bauchhöhle geschoben und sein blutgetränktes Hemd zugeknöpft, so daß seine Innereien einigermaßen zurückgehalten wurden. Doch allein der Gedanke ließ mich wieder und wieder schlucken, während ich versuchte, meinen Geist mit irgend etwas anderem zu beschäftigen.

Ich zog ihn hinüber bis zum Fenster, dann ging ich zurück und legte die Dielenbretter wieder an ihren Platz. Nachdem ich die Tür geschlossen hatte, benutzte ich einen Hammer, den ich am Kamin entdeckt hatte, um die Nägel wieder einzuschlagen. Ich legte ein Kissen vom Sofa dazwischen, um das Geräusch zu dämpfen. Zwar hörte es sich in meinen

Ohren an, als klopfe Satan an die Tore zur Hölle, aber ich nahm an, daß es nicht allzu laut war.

Halb trug ich Pickering nach draußen, halb zog ich ihn hinter mir her, während ich ihn aus dem Haus schaffte und über die Veranda brachte. Seine Fersen rutschten holpernd über die Steinstufen. Dann zog ich ihn über den Rasen, vorbei am Teich, über die Brücke und zwischen den Bäumen hindurch, die den Weg zum hinteren Gartentor säumten.

Ich wollte ihn hinunter zum Strand bringen und soweit wie möglich ins Meer schleppen, damit ihn die Taschenkrebse zu fassen bekamen. Jeder, der ihn am nächsten Morgen finden würde, sollte denken, daß es sich bei ihm einfach nur um einen ertrunkenen Fischer handelte. Obwohl das im Jahr 1886 eigentlich völlig egal war, schließlich *kannte* hier niemanden einen Dennis Pickering.

Die Mauer am Strand war anders, als ich sie kannte. Es gab eine Reihe von Holzstufen, die zu den Felsen hinunterführten. Mir fielen die Stahlstifte auf, mit denen man diese Stufen an den Felsen befestigt hatte. Sie waren mir vertraut, nur daß im Jahr 1992 nichts mehr von den Stufen übrig war. Ich hatte mich immer gewundert, welchem Zweck diese Stifte gedient hatten – jetzt wußte ich es.

Ich schleppte Pickering zum Strand. Es war gerade Ebbe, so daß ich gut zweihundert Meter auf einem schmalen sandigen Pfad zwischen den Felsen zurücklegen mußte. Schließlich hatte ich die ersten Wellen erreicht. Sie umspülten meine Hosenbeine und drangen in meine Schuhe ein. Pickerings Leichnam begann allmählich zu treiben, doch ich zog ihn weiter, bis ich bis zur Hüfte im Wasser watete. Ich versetzte ihm einen Stoß und sah zu, wie er davontrieb, bis nur sein heller Kragen in der Dunkelheit zu sehen war. Ich kannte kein Gebet, sondern dachte mir einfach eines aus. Unter diesem viktorianischen Himmel, in einer Welt, in der Großbritannien immer noch über Indien herrschte, in der die Zaren in Moskau das Sagen hatten, in der Präsident Cleveland in Washington an der Macht war ... in dieser Zeit schickte ich einen Mann aus einer anderen Zeit auf seine letzte Reise, auf daß er seinem Schöpfer begegnete. Ich watete zurück ans Ufer.

1886 gab es noch kein Strandcafé, sondern eine Reihe von Cottages, die genauso peinlich sauber und gepflegt wirkten wie 1992. Ich ging den steilen Pfad hinauf, der zurück zum Fortyfoot House führte. Er war nicht geteert, statt dessen knirschten unter meinen Schuhsohlen kleine Steine und lockerer Kies. In der Ferne hörte ich einen Hund bellen, und als ich Lichter blinken sah, wurde ich fast von der Unwirklichkeit meiner Situation überwältigt.

Die Opferung

Ich näherte mich dem Gartentor, als ich eine düstere Gestalt bemerkte, die nahe der Hecke stand. Ihr Gesicht war hinter dem überhängenden Efeu verborgen. Ich blieb stehen und starrte in die Finsternis, um festzustellen, ob es sich vielleicht um Brown Jenkin handelte. Wenn er es wirklich war, konnte ich nur die Flucht ergreifen und versuchen, auf einem anderen Weg ins Fortyfoot House zurückzukehren.

Aber die Gestalt wirkte größer und massiger als Brown Jenkin. Sie gab keinen Laut von sich, während sie da im Schatten des Efeus stand, und hielt die Hände in einer Geste größter Geduld verschränkt.

»Wer ist da?« fragte ich schließlich.

Die Gestalt trat einen Schritt nach vorn, ihr Gesicht wurde von einer Kapuze verdeckt, die der einer Mönchskutte glich. Ich war bereit, sofort loszurennen, als mein Gegenüber die Kapuze nach hinten schob. Es war der junge Mr. Billings, seine Wangen ein wenig narbig. Er roch nach Gin und irgendeinem süßlichen Rasierwasser. Nach einem Moment räusperte er sich. »Erkennen Sie mich nicht?« fragte er ruhig.

»Natürlich«, sagte ich.

»Ich habe Sie beobachtet«, fuhr er fort. »Ich habe gesehen, was Sie da unten am Strand gemacht haben. Indem Sie hergekommen sind, Sir, sind Sie ein großes Risiko eingegangen. Indem Sie zurückgekommen sind, haben Sie das Risiko nur noch größer werden lassen.«

»Sie und Kezia Mason haben ihn ermordet«, sagte ich mit etwas zittriger Stimme. »Er hatte etwas Besseres verdient, als unter dem Fußboden begraben zu werden.«

»Oh ... etwas Besseres, sagen Sie? Sie meinen, von Taschenkrebsen gefressen zu werden?«

»Taschenkrebse, Würmer, was macht das schon? Wenigstens habe ich für ihn gebetet.«

»Gut für Sie«, sagte der junge Mr. Billings, während er langsam um mich herumging und mich von oben bis unten ansah. »Natürlich hat Ihre barmherzige Tat nichts damit zu tun, daß die Polizei nicht die Leiche von Reverend Pickering in dem Haus finden soll, in dem *Sie* der einzige denkbare Verdächtige wären.«

»Das vielleicht auch.«

Der junge Mr. Billings hielt inne und sah mich an. »Ich habe zwar meine Seele verkauft, Sir, aber ich bin kein Narr.«

»Das habe ich auch nicht gesagt.«

Eine Weile dachte er nach, dann sagte er: »Was soll ich Ihrer Meinung nach mit Ihnen machen?«

»Mein Sohn wartet auf mich«, erwiderte ich.

»Natürlich. Und Charity wartet auch auf Sie.«

»Brown Jenkin wollte sie töten.«

»Sie müssen *mir* nicht sagen, was Brown Jenkin will.«

»Haben Sie sich deswegen mit ihm im Garten gestritten?«

Er senkte den Blick. »Sie haben schon so viele genommen. Vermutlich werden Sie es mir nicht glauben, aber es bricht mir das Herz.«

Dieses plötzliche Bedauern kam für mich völlig überraschend. Bislang hatte ich geglaubt, daß der junge Mr. Billings und Brown – auch wenn sie vielleicht gar nicht miteinander verwandt waren – Hand in Hand gearbeitet hatten.

»Was haben Sie mit den Kindern gemacht?« fragte ich ihn. »Doch sicher nicht einfach nur getötet?«

»Natürlich nicht«, entgegnete Billings. »Aber es ist nicht so einfach zu erklären. Es hat mit Dingen zu tun, die die meisten Menschen nur schwer verstehen können. Wie Zeit und Realität. Und auch Moral. Und ob ein Menschenleben mehr wert ist als ein anderes.«

Ich warf einen Blick in Richtung Fortyfoot House. »Kann uns Brown Jenkin hier nicht finden?«

»Warum? Beunruhigt er Sie so sehr?«

»Es wäre eine Untertreibung, wenn ich sagen würde, er verfolgt mich in meinen schlimmsten Alpträumen.«

»Nun, vielleicht wird er uns hier finden. Vielleicht auch nicht. Vielleicht muß ich auch nach ihm pfeifen.«

»Was *ist* er?« fragte ich.

»Brown Jenkin ist alles, was er zu sein scheint. Ein boshafter kleiner Kerl, ein von Ungeziefer geplagter Nager, ein entsetzlicher Junge. Was Sie in ihm sehen, ist er auch.«

»Woher kommt er? Jemand hat mir erzählt, er sei Ihr Sohn.«

»Mein Sohn? Brown Jenkin? Ich würde mich gekränkt fühlen, wenn es nicht so albern wäre. Nein, Sir, er ist nicht mein Sohn. Er ist irgendwie Kezias Nachkomme, nachdem sie zurückgegangen war zu dieser ... dieser *Kreatur* Mazurewicz.« Nach dem letzten Wort spuckte er aus und wischte sich mit dem Handrücken den Mund ab.

»Was um alles in der Welt geht in diesem Haus vor sich?« wollte ich wissen. »Seit meiner Ankunft habe ich Geräusche gehört und Lichter gesehen, ich habe Stöhnen gehört, ich habe Brown Jenkin herumlaufen gesehen, zwei unschuldige Menschen sind ermordet worden.«

Billings dachte einen Augenblick lang nach, dann sagte er: »Nein, Sie würden es nicht verstehen.«

»Versuchen Sie es.«

Er begann, hin- und herzulaufen. »Ich soll es versuchen? Na gut, wie Sie wollen.« Er blieb abrupt stehen, holte eine Taschenuhr hervor und hielt sie dicht vor sein linkes Auge, um in der Dunkelheit die Zeit erkennen zu können. Auf der Uhr konnte ich für einen Moment eine Gravur sehen, die an einen Tintenfisch erinnerte. »Es ist schon spät. Für den Fall, daß wir gestört werden, möchte ich Ihnen zuerst eine Warnung mit auf den Weg geben.«

»Eine Warnung?«

»Es geht um Ihre Liz. Ihr Mädchen ... das Mädchen, das einmal Ihr Mädchen *war*.«

»Erzählen Sie«, forderte ich ihn auf. »Was ist mit ihr?«

»Wenn Sie nicht aufpassen, Sir, wird Ihre Liz Ihnen drei Söhne schenken, einen vom Blut, einen von der Saat und einen vom Speichel.«

»Was?« sagte ich ungläubig. »Wovon reden Sie? Wir wollen überhaupt keine Kinder haben, außerdem nimmt sie die Pille. Sie wissen, was die Pille ist?«

Billings nickte: »Ich weiß einiges über Ihre Zeit.«

»Zumindest *hoffe* ich, daß sie die Pille nimmt. Ich habe gesehen, wie sie sie schluckt.«

»Es würde nichts ändern«, sagte Billings. »Keine Pille auf der ganzen Welt kann die Zeugung *dieser* drei Söhne verhindern, mein Freund. Denn diese drei Söhne werden drei in einem sein, die *verkehrten* drei in einem, die Unselige Dreifaltigkeit. Wenn sie gewachsen sind, werden sie gemeinsam die große Bestie zeugen, und dann wird die Tür zu der Welt geöffnet werden, die einmal war. Alle Vorstellungen der Menschheit von der Hölle werden dann Wirklichkeit werden, hier auf der Erde. In unseren Städten, in unseren Meeren.«

Er klammerte sich an das Geländer, das entlang des Pfads verlief, während ich zu glauben begann, daß er völlig wahnsinnig sei. Aber er sprach ganz ruhig und gleichmäßig, ohne ein Anzeichen für Hysterie. Außerdem hatte ich schon genug Wahnsinniges in Fortyfoot House erlebt, daß ich wenigstens an ein gewisses Maß Wahrheit in seinen Worten glauben konnte. Wenn ich mit Kindern sprechen konnte, die seit hundert Jahren tot waren, wenn ich eine Ratte gesehen hatte, die sich benahm wie ein Mensch, wenn ich eine Erscheinung sehen konnte, die in den Körper einer schlafenden Frau eindringen konnte – dann konnte ich mir auch anhören, was der junge Mr. Billings zu sagen hatte.

»Was wissen Sie über Frauen, die man *Hexen* nennt?« fragte er.

»Hexen?« Ich schüttelte den Kopf. »Nicht viel. Nur das, was ich aus Märchen kenne. Ich glaube, ich habe mal auf BBC 2 eine Sendung zu dem Thema gesehen. Es ging um weiße Hexen, die Torten schweben lassen und Warzen heilen konnten. Aber das ist auch schon alles. Sie konnten nicht auf einem Besen reiten.«

»Ich möchte Ihnen etwas sagen, was Sie glauben können, wenn Sie wollen«, sagte Billings. »Kezia Mason ist das, was Sie als Hexe bezeichnen würden.«

»Ich schätze, daß ich Ihnen das ohne Weiteres glauben kann. Ich habe gesehen, wie sie die Wohnzimmertür geschlossen hat, ohne sie anzufassen. Und ich habe gesehen, wie sie Reverend Pickering das Augenlicht geraubt hat.«

»Das war nur ein Bruchteil dessen, wozu sie fähig ist«, erklärte Billings. »Sie ist kein lebendes Wesen so wie wir. Sie ist nicht mal ein Mensch. So wie alle Hexen ist sie ein Wesen aus einer Zeit lange vor der Existenz der Menschheit. Aus den Tagen, als die Erde von einer anderen Zivilisation bevölkert wurde. Sie ist ein uralter Geist, wenn das verständlicher ist.«

»Ein Geist? Ein Gespenst?«

»Nein, nein, kein Gespenst. Nicht in dem Sinn, wie Sie es meinen. Mehr wie eine ... eine Seele.«

»Aber ich habe sie gesehen und gespürt. Sie war aus Fleisch und Blut.«

»Das ist richtig. Aber es ist nicht ihr Fleisch und Blut. Nicht mal der Name Kezia Mason gehört ihr. Sie lebt im Körper von Kezia Mason, aber sie ist so etwas wie ein Kuckuck, sie sitzt in einem angenehm warmen Nest aus menschlichem Fleisch. Alles, was einmal Kezia Mason war – ihre Erinnerungen, ihre Gedanken, ihre Persönlichkeit –, wurde aus dem Nest geschmissen wie ein junger Vogel. Wenn Kezia Mason stirbt oder zu alt wird, wird sie sie töten und einen anderen Körper übernehmen. Sie ist ein Parasit, wenn man so will.«

»Wissen Sie was?« sagte ich kopfschüttelnd. »Ich glaube, einer von uns beiden ist verrückt.«

Billings war nicht verärgert, sondern sprach weiter: »Wieso glauben Sie das? Sie sind nicht verrückt, und *ich* kann nicht verrückt sein, weil ich die Wahrheit sage. Ich muß die Wahrheit sagen, sonst wüßte ich nicht, wer Sie sind. Und ich wüßte nichts über Ihren kleinen Jungen. Dies ist das Jahr 1886, und keiner von Ihnen beiden ist geboren. Es wird noch lange dauern, ehe das geschieht.«

»Na gut«, sagte ich schließlich. »Sie sagen die Wahrheit. Aber können Sie mir bitte erklären, was hier los ist?«

»Nun denn«, stimmte der junge Mr. Billings zu. »Um es so kurz zu machen, wie es mir nur möglich ist: Es war zunächst einmal der Fehler meines Vaters. Er verbrachte viele Jahre im Londoner East End, in den Slums, um verlassenen Kindern zu helfen. Er hat viele wunderbare Dinge geleistet, glauben Sie mir. Aber es erfüllt mich mit Schande, sagen zu müssen, daß er nicht aus reiner Menschenliebe handelte.«

Die Opferung

»War er ein Skinner?« fragte ich.

Billings warf mir einen bohrenden Blick zu: »Mit wem haben Sie sich unterhalten? Charity?«

»Ist nicht so wichtig. Erzählen Sie weiter.«

»Sie haben nicht ganz Unrecht. Er hatte eine Vorliebe für sehr junge Mädchen. Als er Kezia Mason zum ersten Mal im Haus von Dr. Barnardo sah, war er völlig hingerissen von ihr. Er wollte Kezia sofort mit in sein Waisenhaus nehmen, aber der Doktor war sehr vorsichtig im Umgang mit Männern seiner Art. Außerdem war Dr. Barnardo offenbar der Ansicht, daß Kezia nicht das war, was sie zu sein schien. Soweit er das beurteilen konnte, hatte sie Körper und Seele einem Geschöpf namens Mazurewicz versprochen, das in einem riesigen Rattennest unter einer der heruntergekommensten Londoner Kaianlagen lebte. Unter größter Gefahr für sein eigenes Leben hatte Dr. Barnardo Kezia Mason wieder und wieder von Mazurewicz weggeholt, aber sie war immer wieder geflohen und zu diesem ... diesem *Ding* zurückgekehrt. Dr. Barnardo sagte, das sei die unheiligste Beziehung, die er jemals erlebt habe. Ein Geschöpf, das wie der König der Ratten lebte und aussah, und das hübscheste Cockney-Mädchen, das ihm je begegnet sei.«

Obwohl ich alles dafür gegeben hätte, so schnell wie möglich ins Fortyfoot House und damit ins Jahr 1992 zurückzukehren, wo Danny und Charity immer noch im Garten spielten und auf ihr Frühstück warteten, konnte ich nicht anders, als noch eine Weile zu bleiben. Billings war erwacht, hatte sein Bett verlassen und war mir zum Strand gefolgt, um mir alles zu erzählen. Wie hätte ich da aufbrechen können?

Er hustete einmal, nahm sein Taschentuch und wischte sich den Mund. »Was aber weder Dr. Barnardo noch mein armer Vater zu irgendeiner Zeit erkannt hatten, war die Tatsache, daß Kezia Mason nichts weiter war als das sterbliche Abbild eines hübschen Cockney-Mädchens. Äußerlich war sie dieses Mädchen, doch in ihrem Inneren war sie ein Wesen, das zehntausendmal seltsamer und gefährlicher war als Mazurewicz. Viel später – als es schon zu spät war – kam ich dahinter, daß es in Wahrheit Mazurewicz war, der *ihr* diente, nicht umgekehrt. Jedesmal, wenn sie zu ihm zurückkehrte, verfolgte sie eine bestimmte Absicht. Die Geschichte von Mazurewicz ist sehr unzusammenhängend und abstrus. Von meinem Vater habe ich gehört, daß er um 1850 aus den Slums von Danzig nach London gekommen sein soll. Angeblich war seine Mutter eine hübsche polnische Primaballerina, die sehr sonderbare sexuelle Neigungen gehabt haben soll. Mit wem oder was sie es getrieben hatte, konnte niemand sagen. Aber es gibt Fälle von Kreuzungen zwischen Mensch und Tier, so sehr Wissenschaftler und

Theologen das auch bestreiten. Frauen haben Hunde und Schweine und sogar Ponys zur Welt gebracht. Es gibt Dutzende Fälle, die bekannt sind, und vermutlich Tausende von unbekannten Fällen, von denen niemand etwas weiß, weil sie sich irgendwo auf dem Land abspielten und die Monstrosität bei der Geburt ums Leben kam.«

»Und was geschah?« fragte ich. »Brachte Ihr Vater Kezia Mason ins Fortyfoot House?«

»Ja. Ganz plötzlich willigte sie ein. Mein Vater war begeistert. Er kaufte ihr Kleider und lehrte sie lesen, er behandelte sie wie eine Prinzessin. Er überredete sie, für ihn Modell zu stehen, damit er sie malen und fotografieren konnte. Rückblickend war *sie* wahrscheinlich diejenige, die *ihn* in Versuchung führte. Im Gegenzug für ihre Dienste kaufte mein armer Vater ihr Schmuck und Pelze, Brandy, Morphium – alles, was sie haben wollte. Natürlich beklagte er sich nicht, er vergötterte sie nach wie vor. Allmächtiger Gott, er hatte nicht die mindeste Ahnung, was sie war!«

»Wie kamen *Sie* dahinter?« fragte ich mißtrauisch.

»Ich? Ich erwischte sie dabei, wie sie in der Bibliothek meines Vaters die Figuren in einem Ölgemälde dazu brachte, sich zu bewegen. Sie ließ die Wolken weiterziehen, die Windmühlen drehten sich. Das ganze Bild war mit Leben erfüllt. Von dem Moment an war ich davon überzeugt, daß sie eine Hexe war.«

»Und was haben Sie dann gemacht?«

»Das gleiche wie Sie, als Sie mehr über Fortyfoot House erfahren wollten. Ich ging in die Bibliothek. Damals war das noch anders, es war eine private Bibliothek, und sie war sehr klein. Aber der alte Mr. Bacon konnte alles finden, was man suchte. Ich las über die wahre Geschichte der Hexen, und sie hat mich zutiefst beunruhigt. Das können Sie mir glauben, Sir. Ich hatte sie nie für real gehalten, ganz gleich in welcher Form. Ich meine, jeder von uns kennt irgendeine alte Schachtel, eine arme alte Frau, der man die Schuld gibt, wenn die Hennen keine Eier legen oder die Milch sauer wird. Aber hier ging es um wahre Hexen, ein Wort, das es mehr als 3500 Jahre vor Christus bereits gegeben hatte.« Billings machte eine kurze Pause, als wolle er seine Worte wirken lassen.

»Die alten Ägypter haben ihre Pyramiden nach hochentwickelten mathematischen Berechnungen gebaut, so daß sie in der Lage waren, die Zeit langsamer verlaufen zu lassen, damit die Körper ihrer heiligen Pharaonen niemals zerfielen. Die Macht der Pyramiden ist ja weithin bekannt. Viele angesehene Winzer lagern ihre Weine in pyramidenförmigen Kisten, um den Reifeprozeß zu verlangsamen. Die Sumerer benutzten die gleichen Berechnungen, um etwas zu erreichen, was die Ägypter nie gewagt hatten. Sie entwickelten Zikkurats, mit denen sie soweit in der

Die Opferung

Zeit zurückreisen konnten, daß sie die Erde in einer Epoche besuchen konnten, bevor die Menschheit existierte. Einer Epoche, in der die Welt von einer Art bevölkert wurde, die als die Großen Alten bezeichnet wurde. Es handelte sich um eine Zeit, in der gewaltige mysteriöse Städte den Nahen Osten prägten. Es gibt zahlreiche Aufzeichnungen darüber, daß diese Städte existierten. Sie müssen sich nur einmal im British Museum umsehen. Dem Anschein nach wurden sie von Bestien bewohnt, deren Gesichter wie Rauch aussahen und aus denen sonderbare Tentakel herausragten. Und von Wesen aus Schaum. Und von unbeschreiblichen, bösartigen Organismen, die wie strahlenden Lichtkugeln aussahen. Es gab Wesen, die aus der ursprünglichen Finsternis erschaffen worden waren, aus der auch das Universum besteht. Sie waren fremdartiger und bedrohlicher als alles, was man sich vorstellen kann.«

»Und Sie wollen mir sagen, daß Kezia Mason eines von diesen Wesen ist?«

Billings nickte.

»Niemand weiß, wie viele Hexen es gibt, es könnten Tausende sein, vielleicht aber auch nur zwei- bis dreihundert. Wenn ein menschlicher Wirt stirbt oder erhängt, ertränkt oder gepfählt wird, dann bleibt dieses Wesen an der Stelle zurück, an der der Wirt ums Leben gekommen ist, tarnt sich und wartet auf den nächsten Wirt. Auf diese Weise werden dieselben Hexen immer und immer wieder zum Leben erweckt.«

Plötzlich mußte ich an die flackernde Vision der Nonne denken, die ich in meinem Schlafzimmer gesehen hatte. Ein düsteres Gefühl von Furcht und Mißtrauen begann von mir Besitz zu ergreifen, so wie eiskaltes Wasser, das sich in einen Teppich saugt.

»Soweit ich weiß«, fuhr der junge Mr. Billings fort, »entkamen diese Wesen aus dem Pleistozän, als die sumerischen Priester sie besuchten. Die Priester reisten in der Zeit zurück, um Sarnath zu besuchen, eine der größten Städte der Alten. Es gibt sechs oder sieben voneinander unabhängige Berichte darüber, wie ihnen das gelang. Es war ein unglaublicher Triumph der Mathematik. Von dem immensen Wagemut will ich gar nicht erst sprechen. Aber die Priester machten einen grundlegenden und schrecklichen Fehler. Als sie Sarnath erreichten, glaubten sie, eine Zivilisation in ihrer Blütezeit zu erblicken. Ich nehme an, das war verständlich, wenn man bedenkt, wie primitiv ihnen im Vergleich ihre eigenen Städte vorkommen mußten. Tatsächlich aber waren die Alten vom Aussterben bedroht. Sie hatten versäumt, sich an die Veränderungen des Erdklimas anzupassen, und jeder einzelne von ihnen hatte so lange existiert, daß sie viele ihrer Überlebenstechniken vergessen hatten. Schlimmer aber war noch, daß sie sich gegenseitig seit so langer

Zeit bekämpft hatten, daß sie niemandem vertrauten, um gemeinsam am Akt der Erneuerung teilzuhaben. Das ist ein Akt, bei dem in gewissen zeitlichen Abständen alle drei Hauptspezies der Alten im Wirtskörper eines Tieres, das auf dem Planeten Erde heimisch ist, wieder gezeugt und ausgetragen werden müssen.«

»Ich glaube nicht, daß ich das wirklich verstehe«, gab ich zu.

»Nun ... ich auch nicht, wenn ich ehrlich sein soll«, sagte Billings. »Ich konnte Kezia nie dazu bewegen, klar und deutlich über diese Dinge zu sprechen. Aber es scheint, daß die Alten überhaupt nicht von dieser Welt stammten und daß sie sich durch regelmäßige Erneuerungsakte nach und nach an die Erde anpassen mußten. Ein Wirt wurde ausgesucht und von jeder der drei Hauptspezies befruchtet ... den Tentakelwesen, den Schaumwesen und den Wesen, die als Kugeln aus strahlendem Protoplasma erscheinen. In der Geschichte der Menschheit muß es unzählige Fälle gegeben haben, in denen Frauenkörper gefunden wurden, die auf entsetzliche Weise zerrissen worden waren. Es sind Fälle, die den Eindruck erwecken, daß ein *Ding* oder *Dinge aus ihnen heraus*platzten. 1801 entdeckten Förster in Sibirien den gefrorenen, aufgeplatzten Kadaver eines weiblichen Mastodons. Es bestand kein Zweifel daran, daß das Tier *von innen* auf das heftigste attackiert worden war. Sie sagten, es habe ausgesehen, als hätte das Tier Dynamit gefressen. 1823 wurde eine Bäuerin auf einem Weingut in der Nähe von Epernay gefunden. Ihr Körper war in Stücke zerrissen worden – und über fast einen Hektar Land verstreut. Ein kleiner Junge, der ihren Tod mitangesehen hatte, berichtete von tiefen Stimmen und grellen Lichtern. 1857 wurde eine siebzehnjährige Frau in Nightmute in Alaska von ihrem Ehemann entdeckt. Sie sah aus, als wäre sie explodiert. Der Verschlag, in dem sie gefunden wurde, war dabei mit solcher Heftigkeit durchgeschüttelt worden, daß er sich über fünf Meter von seinem Fundament fortbewegt hatte. Mazurewicz zeigte mir Bücher, in denen diese Berichte festgehalten worden waren. Es gab auch Zeichnungen der Augenzeugen. Glauben Sie mir, Sir, ich hatte danach wochenlang Alpträume.«

»Und Sie meinen, das wird auch Liz widerfahren?« fragte ich entsetzt.

Der junge Mr. Billings nickte. »Ja, ich fürchte, das wird geschehen.«

»Sie wird *sterben* müssen?«

»Es tut mir leid, aber ich konnte dagegen nichts unternehmen.«

»*Aber wieso?*« fragte ich.

Billings sah mich ernst an. »Ich bedaure, daß ich Ihnen das sagen muß, aber die Hexen-Wesenheit hat bereits von Liz Besitz ergriffen.«

Oh, Gott! Die Nonne!

Die Opferung

»Das habe ich mitangesehen«, sagte ich. »Das glaube ich jedenfalls. Es war eine flackernde Gestalt, sie sah aus wie eine Nonne.«

»Ja«, stimmte er mir zu. »Die Seele dieser vormenschlichen Kreatur, die in der Gestalt von Kezia Mason ins Fortyfoot House kam. Sehen Sie, Kezia Mason ist hier gestorben. Ich weiß das sicher, weil ich sie selbst habe sterben sehen. Ich habe ihre Überreste in unserem Schlafzimmer in einem Teil des Dachs versteckt. Also in *Ihrem* Schlafzimmer. Darum wird es in Ihrer Zeit ein zugemauertes Fenster geben, und die Decke in Ihrem Schlafzimmer wird so sonderbar abgeschrägt sein. Die Hexe hat in Ihrem Zimmer gewartet, als Sie eintrafen. Sie hat zwar geschlafen, aber sie war in der Lage, zu erwachen, sobald ein geeigneter Wirt in ihre Nähe kam. Sie wird beginnen, Ihre Liz zu beeinflussen. Sie *hat* es bereits getan. Vielleicht haben Sie schon ungewöhnliche Stimmungsschwankungen bemerkt, irrationale Argumente und so weiter.«

»Ja«, sagte ich benommen.

»Wenn«, fuhr Billings fort, »die Hexe davon überzeugt ist, daß Ihre Liz ein geeigneter Wirt ist, tritt sie aus dem Gemäuer hervor und läßt sich in ihrem Körper und Geist nieder. Das heißt, aus Ihrer Sicht hat sie das bereits getan.«

»Und dann?«

»Dann wird ihre vorrangige Aufgabe darin bestehen, sich von einem menschlichen Wesen befruchten zu lassen. In dem Fall sind Sie dieses menschliche Wesen. Sie werden sie dreimal befruchten: oral mit Samen, vaginal mit Speichel und rektal mit Blut. Diese drei Befruchtungen werden dazu führen, daß in ihrem Körper die Embryonen der drei verschiedenen Spezies der Alten heranwachsen können. In Ihrer Zeit sind zwei dieser drei Akte bereits abgeschlossen. Nur der dritte steht noch aus.«

»Wie lange dauert es, bis diese Dinger ...« – ich suchte nach den richtigen Worten – »... aus ihr herausplatzen?«

»Sechs bis sieben Monate. In dieser Zeit wird sich Liz so sehr verändern, daß Sie sie kaum wiedererkennen können. Sie wird sich körperlich verändern, und sie wird einen immensen und sonderbaren Appetit entwickeln. Für Sie und für Ihren Sohn wäre es besser, wenn Sie sich so weit von ihr entfernen wie möglich. Aus Kezia wurde ... ich möchte nicht darüber nachdenken, wie sehr sich Kezia verändert hat. Oder besser gesagt, verändern *wird*.«

»So ist auch Kezia gestorben? Als sie diese Dinge zur Welt gebracht hat?«

»Leider ja. Und es war sehr gräßlich.«

Ich hielt lange inne und grübelte.

Schließlich fragte ich: »Können Sie mir sagen, ob noch irgend etwas von Liz übrig ist? Oder hat dieses Hexending alles vernichtet, was einmal Liz war?«

»Ich weiß es wirklich nicht«, antwortete Billings. »Manchmal, wenn ich mit Kezia rede, dann sehe ich in ihr noch etwas von dem reizenden jungen Mädchen, das sie einmal gewesen sein muß. Aber ob man dieses junge Mädchen jemals wieder erreichen kann ... ich kann es Ihnen einfach nicht sagen.«

»Ich denke an Liz«, sagte ich. »Wenn sie immer noch Liz ist, dann wäre es doch einen Versuch wert, sie von dem Hexen-Ding zu befreien, oder nicht?«

»Das können Sie nicht. Wenigstens ist *mir* keine Methode bekannt, wie man die Hexe austreiben kann.«

»Was ist, wenn ich nicht noch einmal mit ihr schlafe? Was, wenn der dritte Sohn nicht gezeugt wird?«

»Die beiden anderen werden trotzdem wachsen, wenn auch viel langsamer. Aber wenn sie schließlich zur Welt kommen, werden sie gewalttätig genug sein, um sie auch ohne die Hilfe ihres Bruders zu töten.«

»Was wäre mit einer Teufelsaustreibung?«

Billings schüttelte den Kopf. »Sie können nichts machen, Sir. Überhaupt nichts. Wir haben es hier nicht mit dem Teufel zu tun, sondern mit realen Wesen, mit Dingen, die Substanz haben und die hochintelligent sind. Sie haben in Kleinasien und in der Antarktis Städte errichtet, sie haben Millionen von Jahren über die Welt geherrscht. Sie haben auf dieser Welt Spuren hinterlassen, die niemals verwischt werden können.«

»Und deswegen soll ich es zulassen, daß Liz in Stücke gerissen wird?«

»Es hat nichts mit ›zulassen‹ zu tun. Sie können es einfach nicht verhindern.«

Ich biß mir auf die Unterlippe. Ich wußte nicht, was ich machen sollte. Vielleicht log mich der junge Mr. Billings an. Auf der anderen Seite paßte seine Geschichte zu den meisten Fakten, auf die ich auch ohne ihn gestoßen war. Vor allem die Tatsache, daß er die sumerischen Zikkurats erwähnt hatte, brachte mich zu der Überzeugung, daß er die Wahrheit sprach. Ich hatte selbst gesehen, wie sehr das Dach des Fortyfoot House – dieses *unmögliche* Dach, das eine Waise aus dem East End entworfen hatte – den Winkeln entsprach, die die Sumerer benutzt hatten, um durch die Zeit zu reisen.

»Was geschieht, wenn diese drei Kreaturen geboren werden?« fragte ich mit einem flauen Gefühl im Magen.

»Sie schließen sich zusammen. Jedenfalls hat Kezia mir das gesagt. Sie bilden die große Unselige Dreifaltigkeit, sie werden zu einem allmächtigen Hermaphroditen, der mit einer Ameisenkönigin verglichen werden kann und der Tausende und Abertausende neue Wesen aller drei Spezies der Alten zeugt und für Jahrtausende beherrscht.«

»Aber Sie sagten, daß sie möglicherweise nicht überleben würden ...«

»Das ist riskant. Nicht einmal in *Ihrer* Zeit sind die klimatischen Bedingungen für sie geeignet. Die Alten benötigen Luft, die reich an Schwefelgasen ist, der Himmel muß frei von Insekten und Vögeln sein, in den Ozeanen darf es weder Fische, noch Korallen, noch Plankton geben. Sie benötigen eine Welt, wie sie in der Zeit vor den Menschen war. Ohne tierisches und pflanzliches Leben, nur giftig und öd. Seit die Alten ausgestorben sind, versuchen die wenigen überlebenden Hexen, die Rasse wiederzubeleben. Sie hoffen, daß irgendwann einmal die Welt so sehr verschmutzt ist, daß ihre Lebensbedingungen erfüllt werden. Die Luftverschmutzung und die wachsende Sterilität des Meeres in Ihrer Zeit ist für sie da sogar sehr ermutigend. Wie Kezia immer wieder zu mir sagt, begehrt sie den Atem der Hölle.«

»Das heißt, daß diese Wesen zwar Liz umbringen werden, daß sie aber selbst nicht überleben werden.«

Billings nickte zustimmend. »Jedenfalls nicht lange. Vielleicht ein paar Minuten, dann lösen sie sich auf. Aber zwanzig oder dreißig Jahre später kann die Welt schon wieder völlig anders aussehen. Wenn die Menschen die Luft fast nicht mehr atmen können, wird sie für die Alten der reine Nektar sein.«

Ich wollte Mr. Billings fragen, ob es Sinn ergab, Liz in eine Abtreibungsklinik zu bringen, als ich im Gebüsch ein leises, aufgeregtes Rascheln hörte.

Billings hatte es auch gehört und hob die Hand. Einen Moment lang lauschten wir intensiv, dann sagte er. »Nichts. Jedenfalls nicht Brown Jenkin.«

»Was *genau* ist Brown Jenkin eigentlich?« wollte ich wissen.

»Er ist Kezias *familiar*«, antwortete Billings. »Hexen haben einen Nachteil. Weil sie bereits in der Zeit deplaziert *sind*, können sie nicht die Durchgänge der Sumerer benutzen, um von einer Zeit in die andere zu wechseln, wie Menschen wie Sie und ich das können. Wenn sie einen sumerischen Durchgang durchschreiten würden, fänden sie sich in der vormenschlichen Zeit wieder, in die sie eigentlich auch gehören. Darum bringen Hexen immer einen Angehörigen zur Welt, der für sie Dinge erledigt und von einer Zeit in die andere wechselt. Manchmal sind es Katzen, meist aber Hunde oder Zwerge. In Kezias Fall ist es Brown Jenkin. Sie ist eine sehr perverse Hexe, sie ist sehr seltsam und sehr mächtig. Sie hat mir einmal ihren vormenschlichen Namen genannt, aber ich habe ihn mir nicht ganz merken können. Irgend etwas wie Sothoth.«

Ich dachte an den alten Mr. Billings, der um die Sonnenuhr gewirbelt wurde und *N'gaaa nngggg sothoth n'ggggaaAAA* geschrien hatte.

Ich bekam eine Gänsehaut.

»Brown Jenkin ist immer in der Zeit vorausgereist«, erklärte Billings weiter, »um die nächste Erneuerung vorzubereiten, bis die Alten schließlich siegreich sein werden und die Welt so beherrschen können, wie es ihrer Meinung nach immer hatte sein sollen. Nicht mal die sumerischen Durchgänge können Sie weiter als in diese Zeit bringen. Es ist der äußerste Punkt der Evolution dieser Welt. Die Grenze der Zeit, wenn Sie so wollen. Nach Ihren Maßstäben, Sir, würden Sie sie als sehr düster betrachten. Die Luft ist gelb, die Meere sind schwarz. Und alle Männer und Frauen sind unfruchtbar, was durch Strahlung und rasch um sich greifenden Krebs verursacht wird.«

Er machte eine Pause. »Es wird keine Kinder geben«, sagte er dann. Es klang auch so dramatisch genug, ohne daß er es noch betonen mußte.

Ich warf ihm einen fragenden Blick zu. »Das ist schrecklich, aber warum sagen Sie das mit den Kindern so nachdrücklich?«

»Kennen Sie nicht die Märchen der Gebrüder Grimm?« fragte er mich. »Kinder sind ein unverzichtbarer Bestandteil eines Märchens. Sie sind notwendig, damit die Hexen überleben können, sie sind die wichtigste Nahrung einer Hexe.«

»Das müssen Sie mir erklären«, sagte ich. »Wollen Sie sagen, daß Brown Jenkin zwischen jetzt und der fernen Zukunft hin- und herreist, um entführte Kinder in die Zukunft zu bringen, damit sie dort als *Nahrung* zur Verfügung stehen?«

Billings blieb ganz ruhig. Seine Stimme war sanft und beherrscht. »Ohne lebende Kinder würde die vormenschliche Kreatur in Kezia Mason sterben. Sie sieht aus wie eine junge Frau, aber sie ist eine unbeschreibliche Abscheulichkeit, die keine irdische Gestalt besitzt. Erst wenn die Alten erneuert sind, können sie von Gasen und Mineralien leben. In dieser Form benötigen sie Fleisch.«

»Und das hat Kezia Ihnen alles erzählt?«

»Sie mußte es. Sie benötigte meine Hilfe. Brown Jenkin hatte herausgefunden, daß sie zur Zeit der nächsten Erneuerung die einzige noch lebende Hexe sein wird. Alle anderen sind verhungert oder an neuen Krankheiten ums Leben gekommen. Ihr zukünftiges Ich ist eine Frau hier aus dem Ort. Sie heißt Vanessa Charles, und sie ist schwanger und wartet auf den großen Augenblick. Aber ihr zukünftiges Ich muß ernährt werden. Sie muß für vier essen, wenn man es so ausdrücken will.«

Die Opferung

Er schluckte trocken, dann fuhr er fort. »Mein Vater hatte sich geweigert, ihr auch nur eines der Kinder aus Fortyfoot House zu geben, also hat sie ihn getötet, wie ich später herausgefunden habe. Bevor ich verstand, was sie wirklich ist, war ich genauso von ihr fasziniert wie vor mir mein Vater. Wie Sie wissen, heirateten wir sogar. Körperlich war *nichts* an ihr, womit sie sich verraten hätte. Mit ihr zu schlafen war besser als mit jeder anderen Frau, die ich vor ihr gekannt hatte. Sie machte mich vermögend und erfolgreich, sie schaffte es, daß ich mich unglaublich euphorisch fühlte. Dann, eines Tages, verschwand eines unserer Kinder, der kleine Robert Philips. Er war gerade mal sechs Jahre alt. Gott steh mir bei. Ich fand seine Überreste im Wald zwischen Bonchurch und Old Shanklin Village. Seine zerstückelten, verbrannten, *angefressenen* Überreste. Ich werde nie den Anblick von menschlichen Gebißspuren an seinem abgenagten Hüftknochen vergessen. Am nächsten Tag entdeckte ich seine Pfeife und ein blutverschmiertes Taschentuch zwischen Kezias Sachen. In dem Moment wußte ich, daß ich etwas sehr Bösartiges geheiratet hatte.«

Der junge Mr. Billings schwieg so lange, daß ich bereits befürchtete, er wolle nicht weitersprechen. Dann endlich sagte er: »Sie versprach mir Geld, wenn ich den Mund hielt. Sie drohte, mich zu verstümmeln oder sogar umzubringen. Dann erzählte sie mir alles. Ihr ging es darum, daß Fortyfoot House so lange wie möglich geöffnet blieb, damit die Kinder frisch waren, wenn sie sie benötigte. Wenn es auch nur einen winzigen Hinweis darauf gegeben hätte, daß im Fortyfoot House Kinder mißbraucht oder sogar getötet wurden, wären alle Kinder abgeholt und das Waisenhaus geschlossen worden. Um es ganz drastisch zu sagen, Sir, ist Fortyfoot House nichts weiter als ein Vorratslager für die unheimlichste und gräßlichste Kreatur, die jemals auf dieser Erde existiert hat. Es ist ein Vorratsschrank voll mit lebenden Kindern.«

16. Zähne und Klauen

Ich starrte den jungen Mr. Billings an, während er mich mit ernstem Gesichtsausdruck betrachtete. Das Schamgefühl schien zuviel für ihn, also wandte er sich von mir ab.

»Ich muß jetzt gehen«, sagte ich. »Ich weiß nicht, ob ich Ihnen für das danken soll, was Sie mir gesagt haben, oder ob ich Sie verfluchen soll.«

»Sie können wenigstens Charity retten«, sagte er. »Bringen Sie sie soweit weg von Fortyfoot House wie möglich. Und sich selbst ebenfalls. Brown Jenkin kann Ihnen nicht sehr weit folgen.«

»Was ist mit den anderen Kindern? Ich bin vorhin einigen von ihnen begegnet.«

»Oh, ja. Ihr Geflüster und Umherlaufen hat mich aufgeweckt. Sie können sie nicht mitnehmen, fürchte ich. Wenn Sie es doch nur könnten. Aber Brown Jenkin würde vor Wut mindestens doppelt so viele Kinder ermorden. Er handelt völlig irrational.«

»Aber die Kinder werden so oder so sterben. Ich habe die Grabsteine gesehen.«

»Das Schicksal ist nicht unveränderlich, Sir, wie Sie selbst bereits festgestellt haben. Was wäre, wenn Sie Ihren Freund, den Reverend, unter dem Fußboden gelassen hätten? Was, wenn Sie mit ihm niemals durch den Durchgang gekommen wären? Unser Schicksal hat schon immer in unserer eigenen Hand gelegen. Das einzige Paradox ist, daß wir unser Leben nicht ändern, wenn wir die Chance dafür haben.«

Er ergriff meine Hand und hielt sie fest umschlossen. Es war ein unbeschreiblich seltsames Gefühl. Hier stand ich und hielt die Hand eines Mannes, der seit über hundert Jahren tot war. Ich fühlte mich wie auf einer Achterbahn kurz vor dem Sturz ins absolute Nichts. Ich konnte mit einem Mal verstehen, warum Menschen den Verstand verloren.

»Ich hatte Brown Jenkin sechs Kinder zugestanden«, sagte er. »Ich dachte mir, daß sie ohnehin verhungert, an einer Krankheit oder durch brutalen sexuellen Mißbrauch gestorben wären, wenn sie im Londoner East End geblieben wären. Aber dann bedrängte mich Kezia weiter und ich ließ es zu, daß er weitere sechs Kinder nehmen konnte. Mir wurde dabei die Fadenscheinigkeit meiner anfänglichen Rechtfertigung bewußt. Und jetzt will sie, daß er noch einmal sechs Kinder bekommt. Ich weiß, wo das enden wird, wenn ich nicht drastische Maßnahmen ergreife.«

»Was werden Sie machen?«

»Ich reise in die Zukunft«; sagte Billings. »Ich reise bis zum äußersten Zeitpunkt und halte diese Monstrosität unmittelbar vor der Erneuerung auf, bevor die Welt für immer verdammt ist.«

Ich sah auf meine Uhr und bemerkte, daß ich seit mindestens einer halben Stunde hier gewesen sein mußte. Die Kinder würden sich Sorgen über meinen Verbleib machen. »Ich kehre jetzt besser zurück«, sagte ich. »Ich weiß nicht, ob ich das wirklich alles verstehe. Ich weiß noch immer nicht, warum Brown Jenkin nicht aus der Zukunft zurückkommen und Kezia vor dem warnen wird, was Sie vorhaben.«

»Weil dies hier, November 1886, meine echte Zeit ist. Sie können durch den Durchgang gehen, und wenn Sie morgen zurückkehren, sind hier genauso viele Stunden verstrichen wie in Ihrer Zeit.«

»Ich glaube, ich bin verwirrter als zuvor.«

»Glauben Sie mir«, sagte Billings. »Wir *können* die Kinder retten, wenn wir es nur versuchen. Ich bin sicher. Und wenn wir das nicht können, dann verdiene ich alles, was Gott für mich als Strafe vorgesehen hat.«

»Würden Sie das gerne wissen?«

Er schüttelte den Kopf. »Ich kann es mir nur zu gut vorstellen. Vermutlich Wahnsinn und dann Tod. Ich spüre, wie die beiden schon jetzt an mir nagen. Aber ich möchte es nicht von jemandem hören, der es mit Sicherheit weiß.«

Ich öffnete das Gartentor und schritt durch die Dunkelheit unter den Bäumen. Fortyfoot House hob sich pechschwarz vom Nachthimmel ab und wirkte sonderbar unenglisch, eher wie eine türkische Festung oder eine Klippe auf einer fernen Welt. Ich ging den Weg hinauf, überquerte die kleine Brücke, lief dann über den Rasen, der zur Rückseite des Hauses führte. Der Fischteich wirkte wie ein silbernes Fenster in der Finsternis, durch das ich direkt in einen schrecklichen, unerreichbaren Abgrund starrte. Wenn man durch dieses Fenster fiel, würde man geradewegs nach unten in den Himmel stürzen.

Ich eilte an der Sonnenuhr vorbei, als ich ein scharfes, krachendes Geräusch hörte. Ich sah hinüber zur Sonnenuhr und bemerkte, daß ein feiner, gleißendblauer Funkenregen aus dem Zeiger kroch und die römischen Ziffern umspielte. Rasch warf ich einen Blick auf die Schatten im Garten, die alle etwas Bedrohliches ausstrahlten. Wenn Funken flogen, dann war Kezia Mason nicht weit entfernt. Und mit ihr war auch Brown Jenkin nicht mehr weit. Ich lief schneller, aber einen Moment später schoß ein Blitz aus dem Zeiger der Sonnenuhr und traf mich an der Schulter. Die Nerven und Muskeln in meinem linken Arm reagierten so heftig, daß meine Faust ungewollt nach oben ausschlug. Dann spürte ich etwas Brennendes, und ich bemerkte, daß eine Rauchwolke aus meinem Poloshirt aufstieg.

Von den Stufen zur Veranda vor mir trat Kezia Mason vor, dicht gefolgt von Brown Jenkin. Kezia war in ein exzentrisches, arabisch anmutendes Kostüm gehüllt, das aus verschmutzten, zerrissenen Bettlaken bestand, die sie zu einem monströsen Burnus um ihren Kopf gewickelt hatte, der nur ihre Augen unbedeckt ließ. Die Laken waren auf ihren Schultern aufgetürmt und mit einer Vielzahl verknoteter Schnüre befestigt. Vom Brustkorb an abwärts bis zu den Knien war sie nackt, wenn man von einem Beutel absah, der um ihre Hüfte gebunden war und mit welkem Eichenlaub und Rosenblättern und Mistelzweigen und sogar mit einem halb mumifizierten Spatz bestückt war. Ihre Schienbeine waren ebenfalls mit zerrissenen Laken umwickelt, ihre

Füße waren bloß. Allerdings hatte sie um jeden Zeh ein Stück Schnur gebunden.

Die Laken sahen aus, als seien sie mit Blut und Urin verschmutzt, und obwohl sie noch fünf oder sechs Meter von mir entfernt stand, konnte ich den Gestank des Todes wahrnehmen. Kezia Mason und Brown Jenkin *waren* der Tod ... der Tod und sein schlurfender Gefährte.

»*Bonsoir bastard comment ca va?*« kicherte Brown Jenkin und sprang auf dem Rasen von Schatten zu Schatten, bis ich nicht mehr wußte, was Schatten und was das Ratten-Ding war. »*We were so traurig bastard-bastard. But so happy now, das wir deine lunchpipes riechen können! I hook out your derrière-ring avec meinen Klauen, ja!*«

Die ganze Zeit über kroch und tanzte Brown Jenkin durch die Dunkelheit, während Kezia Mason langsam um mich herumging. Ihre Laken raschelten, ihr Beutel prallte sanft von ihrem nackten Schoß ab.

»Was hat dich wieder hergeführt, Mr. Einmischer?« fragte sie mich. »Keine Lust mehr zu atmen? Was hast du denn mit dem Heiligen gemacht? In die Brandung geworfen?«

»*Ha! Ha! Tekeli-li! Tekeli-li!*« kreischte Brown Jenkin, bis Kezia Mason mit einem starren Zeigefinger auf ihn deutete.

»Ruhig, Jenkin! Du sieht aus, als hätte dich der Teufel im Galopp verloren!«

Sie schnippte mit den Fingern, und im gleichen Moment platzte eine Ader in Brown Jenkins rattenähnlichem Nasenloch. Blut spritzte auf seine Schnurrhaare und seinen hochgeschlagenen Kragen. Er faßte sich an die Nase und rannte maulend über das Gras.

»Also?« forderte Kezia, währen sie sich mir näherte. Ich konnte den stechenden, süßlichen Geruch kaum ertragen, und ich spürte, wie sich mein Magen umzudrehen begann. »Was willst du hier, Trottel? Du siehst ein bißchen blaß um die Kiemen herum aus, nicht? Bist du für was Unanständiges gekommen? Oder um Ärger zu machen? Oder für beides?«

Ich hatte keine Ahnung, was ich ihr sagen sollte. Ich verstand ja kaum, was sie eigentlich von mir wollte. Außerdem war meine Kehle vor Furcht und Abscheu so zugeschnürt, daß ich mir nicht vorstellen konnte, überhaupt einen Ton herauszubringen. Ich sah zur Seite, um sicher zu sein, daß Brown Jenkin nicht hinter mir lauerte, doch im gleichen Moment streckte sie die Hand aus und bekam mein Gesicht mit allen fünf Fingern zu fassen. Sie bohrte den kleinen Finger tief in meine Wange, schob den Ringfinger in meinen Mund, den Mittelfinger drückte sie in meine Nase, und mit Daumen und Zeigefinger kniff sie mich so fest in die andere Wange, daß ich vor Schmerz aufschrie.

Die Opferung

»Hee-hee, fly-blow bastard!« kicherte Brown Jenkin. »*Barge-arse fucker! Je mange tes fries!*«

Kezias Finger schmeckte abscheulich, wie abgestandenes Blut. Mein Magen zog sich zusammen, und ich konnte nicht anders als würgen.

»Wie wäre es, wenn ich dir deine Zunge rausreiße?« fragte sie. »Ich kann das, das weißt du! Ein Ruck, und weg ist sie. Du wärst dann natürlich noch nicht tot. Zu früh für die Kiste! Aber stell dir vor, du müßtest ohne Lippen, ohne Nase und mit Rattenlöchern in deinen Wangen leben. Und kein Mensch könnte dich ansehen, ohne sich in die Hosen zu scheißen! ... Wenn ich so drüber nachdenke, siehst du schon jetzt beschissen aus!«

»*Laß mich ihn rip open!*« zischte Brown Jenkin. Ich spürte seine Klauen an meinem Hosenbein. Kezia hielt jedoch mein Gesicht so fest, daß ich nur zittern konnte. Ich vermute, ich hätte nach ihr treten oder nach ihrer Hand schlagen können, aber irgend etwas an ihr gab mir das Gefühl, daß ich so kraftlos sei, daß ich nicht mal einer Fliege etwas hätte zuleide tun können.

Brown Jenkins Klaue bewegte sich weiter an meinem Hosenbein entlang, dann zwickte er mich kurz zwischen den Beinen. »*Ah oui-oui we can rip them off*«, wieherte das Ratten-Wesen. »*Zwei porky Eier for supper, oui? Nicht vergessen Abendessen!*«

Kezia beugte ihren mit Laken umwickelten Kopf vor und flüsterte in einem heißen Hurrikan stinkenden Atems: »Soll ich dir die Nase abreißen, Trottel?«

»*Tear off his Rüssel!*« schrie Brown Jenkin.

Doch in dem Moment hörte ich Billings rufen: »Warte, Kezia! Warte!«

»Warten? Worauf?« erwiderte sie. »Auf den Sanktnimmerleinstag?«

Billings kam über den Rasen gelaufen und stellte sich zu uns. Aus dem Augenwinkel sah ich, daß er auf Distanz zu uns blieb. Vielleicht wollte er bloß keine Blutspritzer auf seinen Anzug bekommen.

»Kezia, er muß dir erst noch den Sohn des Blutes geben«, sagte Billings.

Kezia reagierte auf diese Nachricht, indem sie ihren Griff nur noch verstärkte. Ich fühlte, wie meine Unterlippe aufplatzte und Blut über mein Kinn lief.

»Es ist die Wahrheit, Kezia! Du kannst diesmal nichts mit ihm anstellen! Erst, wenn er das gemacht hat, was das Schicksal für ihn vorbestimmt hat.«

»Du redest wieder Unsinn«, entgegnete Kezia, doch an ihrem Tonfall konnte ich merken, daß sie von ihren Worten nicht völlig überzeugt war.

»Glaub, was du willst«, sagte Billings achselzuckend. »Aber falls du die Erneuerung nicht noch länger hinauszögern möchtest, dann solltest du ihn gehenlassen.«

»Er hat Charity mitgenommen«, erwiderte sie. »Er ist ein Heide, sonst nichts!«

»Vielleicht hat er Charity mitgenommen«, sagte Billings besänftigend. »Aber Jenkin kann sie für dich zurückholen, nicht? Das ist überhaupt kein Problem. Nun komm schon, Kezia, er ist der Vater ... und er hat dir zwei geschenkt. Aber zwei sind so gut wie nichts.«

»Dann kann ich ihm später sein Dessert geben«, sagte Kezia, lockerte aber nicht ihren Griff.

»Genau, Kezia, das kannst du später immer noch machen.«

»*Rip him now!*« drängte Brown Jenkin. »*Rip off sa tête and tirer ses Leber durch seine Kehle!*« Wenn ich das mit Kichern durchsetzte Mischmasch richtig verstand, wollte Brown Jenkin meinen Kopf abreißen, um sich dann meine Leber zu holen. Wenn ich nicht miterlebt hätte, was er mit Reverend Pickering gemacht hatte, hätte ich geglaubt, er übertreibe, um mir ein wenig Angst einzujagen. Aber er war so grausam, daß er genau das auch gemacht hätte. Er war ein Geschöpf der Hölle, mehr war nicht dazu zu sagen.

Schließlich zog Kezia ihre Hand weg. Sie wich aber nicht zurück, sondern sah mich mit einer Mischung aus Neugier, Versuchung und ... irgend etwas anderem an. Fast so etwas wie eine beiläufige Lust. Einen Moment lang war ich nicht sicher, daß sie mich tatsächlich entkommen lassen würde. Doch dann nickte sie, zögerte kurz und wandte sich ab, um wie ein großes, schlecht gekleidetes Gespenst zum Haus zurückzukehren. Brown Jenkin hüpfte noch eine Weile um uns herum, dann folgte er seiner Meisterin.

»Ich nehme an, daß ich mich bei Ihnen bedanken muß«, sagte ich zu Billings.

»Sie müssen mir nicht danken«, versicherte er. »Ihre Liz will die dritte und letzte Zeugung haben, und Brown Jenkin wird versuchen, Charity zu holen. An Ihrer Stelle würde ich auch sehr auf Ihren Jungen aufpassen. Die Tore der Hölle können sich jeden Moment öffnen.«

Gemeinsam gingen wir hinüber zur Veranda, die Stufen hinauf und hin zur Tür, die Billings für mich öffnete. »Darf ich Sie noch etwas fragen?«

»Ich kann Ihnen keine Antwort garantieren.«

»Im Flur hängt ein Foto von Ihnen. Manchmal bewegen Sie sich auf dem Foto, und manchmal ist auch Brown Jenkin zu sehen.«

Im Haus hatte Brown Jenkin bereits zwei oder drei Lampen angezündet und hüpfte auf den Polstermöbeln umher, um weitere Lampen zu

Die Opferung 225

erreichen, an die er vom Boden aus nicht gelangen konnte. Er hielt eine dünne Kerze in seinen Klauen, von der heißes Wachs auf seinen Arm tropfte. Der unangenehme Geruch von versengten Haaren breitete sich im Zimmer aus.

Brown Jenkin sah mich mit einer solchen Wollust an, daß mir ein eisiger Schauder über den Rücken lief. Er mußte nichts sagen, dieses eine verkrustete Auge sagte alles.

Billings ignorierte ihn und führte mich durch den Flur zurück zur Treppe. »Ich weiß, welches Foto Sie meinen. Einer von Kezias kleinen Scherzen. Sie hat noch immer etwas von ihrer kindlichen Spiellaune. Sie kann alle möglichen Bilder in Bewegung versetzen. Sie kann ein Gemälde berühren, das einen sonnigen Tag am Meer zeigt, und aus dem Bild einen nächtlichen Sturm mit hohen Wellen machen. Nach dem, was ich verstanden habe, benutzten die vormenschlichen Wesen solche Bilder, um miteinander zu kommunizieren.«

Er klang völlig natürlich, fast schon umgänglich. Aber etwas war beunruhigend an einem Mann, der wie der Direktor einer Teppichfabrik auf einer Führung durch die Produktionsanlagen klang, während er in Wahrheit ein hagerer und verfluchter Zeitreisender war, der mit einer halbnackten Hexe, einer verlausten Ratte und verzweifelten Waisenkindern unter einem Dach lebte, die ihres Fleisches wegen entführt und ermordet wurden.

Wir gingen am Schlafzimmer der Kinder vorbei. Die Tür war nur angelehnt, und ich sah, wie Molly und ihre Freunde mir enttäuscht nachblickten. »Ab ins Bett mich euch«, herrschte Billings sie an. Ich konnte nichts machen, um ihnen zu helfen. Wenn Billings die Wahrheit sprach, dann würde Brown Jenkin um so mehr Kinder abschlachten, wenn ich ihm einen Vorwand dafür lieferte. Der Gedanke, daß diese mageren, armseligen Kinder wie Hasen aufgeschlitzt werden würden, war mehr, als ich ertragen konnte.

Wir betraten mein Schlafzimmer, wo mir Billings auf den Stuhl half.

»Versuchen Sie nicht, noch einmal herzukommen«, warnte er mich. »Ich werde Sie beim nächsten Mal nicht vor Kezia retten können. Sie hat eine Vorliebe, Gesichter abzureißen.«

»Gut. Aber ich kann Ihnen für nichts garantieren, was meine Handlungen betrifft, wenn ich wieder im Jahr 1992 bin.«

»Achten Sie auf Ihre Liz. Und denken Sie daran, was ich Ihnen gesagt habe. Sie können Ihr Schicksal ändern, wenn Sie es wollen. Sie können alles verändern. Die Zeit ist nichts weiter als eine Schachtel voller Minuten.«

»Das werden wir ja sehen.«

Ich kletterte auf den Dachboden, wo ich wieder den schwachen Schein von Tageslicht bemerkte. Aus der Ferne hörte ich Danny rufen: »Daddy? Daddy? Wo bist du? Daddy!«

Der junge Mr. Billings lächelte schwach, aber humorlos. Jetzt waren wir nicht nur mehr als ein Jahrhundert voneinander entfernt, uns trennten Welten. Er hob eine Hand zum Abschied.

»Sagen Sie mir, wofür Sie Ihre Seele verkauft haben«, wollte ich wissen, während ich die Klapptür aufstieß.

Er sah mich nur an, und einen Moment lang glaubte ich, daß er mir gar nicht antworten werde. Dann erwiderte er: »Wofür würden *Sie* Ihre Seele verkaufen?«

»Ich weiß nicht. Ewige Jugend vielleicht. Oder zehn Millionen Pfund. Um ehrlich zu sein, könnte mir ein anständiges Frühstück schon genügen.«

Billings schüttelte den Kopf. »Ich habe meine Seele für etwas völlig anderes verkauft, Sir. Wenn wir uns wiedersehen sollten, werde ich es Ihnen sagen. Es geschah nicht für dreißig Silberlinge, aber es war nicht sehr weit davon entfernt. Denken Sie in der Zwischenzeit an meine Warnung. Achten Sie auf Liz und bringen Sie die Kinder weg von Fortyfoot House.«

»Kann ich Ihnen vertrauen?« fragte ich ihn.

Wieder schüttelte er den Kopf. »Nein, das können Sie nicht.«

17. Illusionen

Danny und Charity saßen am Küchentisch, aßen ihre gekochten Eier und ihren Toast, während ich gegen die Spüle gelehnt dastand und aus dem Fenster sah. Die Sonne schien durch die Tür ins Zimmer, der Wind war warm und roch nach Meer. Ich konnte fast nicht glauben, daß ich vor gerade einmal einer halben Stunde durch das eiskalte Meer im November 1886 gewatet war, um den zerfetzten Leichnam von Reverend Pickering den Wellen zu übergeben.

Etwas unter dem Poloshirt juckte mich, und ich begann zu kratzen. Ich hoffte, daß ich mir nicht von Brown Jenkin irgendwelches Ungeziefer eingefangen hatte.

»Danny«, sagte ich schließlich, »es tut mir leid, aber wir müssen fort von hier.«

»Du *sagst* immer, daß wir fort müssen, aber dann bleiben wir doch.«

»Diesmal muß es wirklich sein.«

»Warum? Was ist los?«

Die Opferung

»Es ist dieses Haus. Es ist auf eine böse Art verzaubert, und ich bin besorgt, daß dir und Charity etwas zustoßen könnte.«
»Und Liz?«
»Ja, ja, um sie mache ich mir auch Sorgen.«
»Wann müssen wir los?«
Ich blickte auf meine Uhr. »Sobald ihr mit dem Frühstück fertig seid. Wir brauchen nur einen Koffer, den Rest holen wir später.«
»Und was ist mit mir?« fragte Charity.
»Oh, du kommst natürlich auch mit. Das heißt, falls du das möchtest.«
Charity nickte. Ich hatte sie inzwischen richtig gern. Vielleicht war es ihre formelle viktorianische Art, oder wie sie sich anbot, bei absolut *allem* zu helfen. Heutzutage wünscht man sich Kinder wie Charity, wenn man gerade mal in der Lage ist, sie vom Fernseher an den Küchentisch zu locken, damit sie wenigstens etwas zu sich nehmen.

Ich ging nach oben ins Schlafzimmer, holte unseren alten Koffer unter dem Bett hervor und öffnete die rostigen Schlösser. Während ich Hemden und Hosen so ordentlich wie möglich faltete und in den Koffer legte, fiel mein Blick auf das grüne T-Shirt und die Nylonstrumpfhose, die Liz auf ihrer Seite des Bettes hatte liegenlassen. Ich wußte nicht, was ich mit Liz machen sollte. Die Erscheinung, die sich in ihren Körper geschleust hatte, konnte ich nicht leugnen, ich hatte sie mit meinen eigenen Augen gesehen. Aber hatte Billings wirklich die Wahrheit gesagt? Konnte das *wirklich* eine vormenschliche Kreatur namens Sothoth gewesen sein? Oder hatte ich einfach nur eine optische Täuschung erlebt – eine Folge von zuviel Wein, zu wenig Geld und zu wenig ausgewogenem Essen?

Aber angenommen, er *hatte* die Wahrheit gesagt und Liz war jetzt von demselben Wesen besessen, das sich in Kezia Mason eingenistet hatte. Angenommen, sie trug zwei Lebensformen in sich, die ihren Körper zerreißen würden. Sollte ich ihr davon etwas sagen? Oder sollte ich den Mund halten, zumal Billings gesagt hatte, gegen die Kreaturen könne man nichts unternehmen? Sollte ich sie in ein Krankenhaus bringen? Oder sollte ich fortlaufen, sie vergessen und so tun, als sei ich ein anderer Mensch, der nie von Fortyfoot House auch nur *gehört* hatte?

Es gab einen Aspekt, der mich wirklich irritierte, nämlich der, daß sich Billings die Mühe gemacht hatte, mich zu warnen. Er hätte Brown Jenkin auf mich hetzen können, er hätte Kezia Mason auf mich loslassen können. Aber ich hatte das Gefühl, daß er mich aus irgendeinem unerklärlichen Grund brauchte, daß er mich ohne mein Wissen in irgendeine Verschwörung einbezogen hatte.

Er hatte den größten Verrat aller Zeiten erwähnt: die dreißig Silberlinge. Vielleicht war diese Bemerkung wichtiger, als ich zunächst geglaubt hatte.

Aber ich konnte mir darüber jetzt nicht den Kopf zerbrechen. Ich mußte an Danny und an Charity denken. Mit jeder Minute wuchs die Gefahr, daß Brown Jenkin herkam. Ich machte mir keine Illusionen darüber, was er mit den Kindern machen würde, wenn er sie erst einmal entführt hatte.

Bauz! Da geht die Türe auf, Und herein in schnellem Lauf, Springt der Schneider in die Stub'.

Ich packte Dannys Pyjama ein und ging dann ins Badezimmer, um die Zahnbürsten einzusammeln. Ich betrachtete im Medizinschrank mein Spiegelbild. Ausgemergelt war nicht das richtige Wort, abstoßend traf es eher. Ich hatte das Blut von meinem Kinn gewischt, aber der Riß in meiner Lippe hatte sich noch nicht geschlossen, und rings um Mund und Nase fanden sich kleine Kratzer und Druckstellen.

Als ich nach unten kam, traf ich zu meiner Überraschung auf Liz, die schon von der Arbeit zurückgekommen war und in der Küche saß, wo sie eine frische Tasse löslichen Kaffees trank. Die Kinder waren draußen auf der Veranda und traten einen luftarmen Wasserball hin und her. Liz lächelte mich merkwürdig an, während ich den Koffer an der offenen Tür abstellte.

»Du hast gepackt«, sagte sie, klang aber nicht überrascht.

»Ich ... ja, ich habe gepackt. Ich habe beschlossen abzureisen. Ich glaube, daß ich genug habe.«

»Oh«, machte sie. »Und mir wolltest du davon nichts sagen?«

»Natürlich. Ich wollte zum Vogelpark kommen und es dir sagen.«

»Aber du wolltest mich nicht fragen, ob ich dich vielleicht begleiten will?«

Ich wußte nicht, was ich sagen sollte. Ich wußte ja nicht mal, ob ich noch mit Liz sprach oder mit irgendeinem kalten und formlosen Wesen, das einfach nur wie Liz aussah. »Mir ist *nicht* der Gedanke gekommen, daß du mitkommen wolltest«, log ich. »Ich kann mir nicht vorstellen, daß du mit einem älteren Mann zusammensein möchtest, der kein Geld, keine Zukunft, kein Auto, aber zwei Kinder hat.«

»Darf *ich* das vielleicht selbst entscheiden?«

Ich sah hinaus zu den Kindern, die sich im Sonnenschein amüsierten, und mußte an die Kinder denken, die vor so vielen Jahren in Fortyfoot House in der Falle gesessen hatten, ohne Hoffnung, ausgemergelt, ohne eine Chance, dem Tod zu entgehen.

»Wieso bist du so früh zu Hause?« fragte ich Liz. »Es ist doch erst elf.« Sie ließ den Löffel wieder und wieder in der Kaffeetasse anschlagen. »Mir war nicht gut. Ich habe merkwürdige Magenschmerzen.«
Ich nickte. »Aha.«
»Einer der Kassierer hat mich hergebracht. Er ist nett. Er heißt Brian.«
»Dein Alter?«
»Eifersüchtig?«
Für einen Moment glaubte ich, wieder dieses rötliche Funkeln in ihren Augen zu entdecken. Mir war, als würde mich jemand durch Liz' Augen hindurch ansehen, so wie bei einem Portrait, bei dem die Augen ausgeschnitten worden waren.
»Weißt du, was es ist?« fragte ich sie.
Liz sah mich fragend an.
»Deine Magenschmerzen, meine ich. Irgendeine Ahnung, woher sie kommen?«
Ich wartete darauf, einen Hinweis in ihrem Gesicht zu entdecken, daß sie nicht sie selbst war.
Aber sie zuckte nur mit den Schultern und sagte: »Vielleicht sind meine Tage zu früh dran. Vielleicht habe ich auch nicht richtig gegessen. Davon bekomme ich immer Magenschmerzen.«
»Kann ich dir etwas holen?«
Sie grinste verführerisch. »Ein wenig von Dr. Williams' Spezialmedizin wäre vielleicht nicht schlecht.«
»Ich ... wir reisen ab«, sagte ich knapp. Ich kam mir vor wie eine Figur in einem Stück von Noël Coward. »Ich bringe die Kinder nach Brighton, danach müssen wir einfach weitersehen.«
»Kann ich nicht mitkommen?«
Ich setzte mich neben sie an den Küchentisch. »Ich bin gerade eben durch die Klapptür zurückgekommen.«
Es folgte eine sehr lange Pause, dann sagte Liz: »Du bist noch mal hingegangen?«
»Ich mußte. Die Polizei kam her, um nach Pickering zu suchen. Nachdem Brown Jenkin ihn umgebracht hat, wurde er unter dem Fußboden beerdigt. Ich hatte den Boden aufgemacht, und er war noch immer da. Darum bin ich heute morgen zurückgekehrt. Ich bin ins Jahr 1886 zurückgekehrt und habe ihn beerdigt. Na ja, es war mehr eine Art Seebestattung.«
»Was willst du mir damit erzählen, David? Stimmt irgend etwas nicht, ist es das?«
»Ich weiß nicht, ich bin mir nicht sicher. Ich bin dem jungen Mr. Billings begegnet. Er hat mir alles über seinen Vater, über Kezia Mason

und über Fortyfoot House erzählt.« Wie sollte ich ihr bloß sagen, daß sie mit zwei parasitären Kreaturen schwanger war? Ich konnte es nicht. Aber was, wenn ich es nicht machte, und sie getötet wurde, ohne zu wissen, was mit ihr geschah?

»Der junge Mr. Billings hat dir das alles erzählt?«

»Ja, ich habe ihn getroffen, unten am Gartentor. Ich bin auch Kezia Mason und Brown Jenkin begegnet.«

Sie legte ihre Hand auf meine. »David, hast du dir schon mal Gedanken darüber gemacht, daß du nicht gerade normal klingst?«

»Was soll das heißen? Ich war dort. Ich habe mit ihm gesprochen. Ich war im November 1886. Der junge Mr. Billings erklärte mir, daß Kezia Mason gar keine Waise war, sondern *besessen* von einem urzeitlichen Wesen, das nicht menschlich war. Er sagte, Hexen seien ganz normale Frauen, die von vormenschlichen Kreaturen besessen sind.«

Ich hielt inne, als ich Liz' Gesichtsausdruck bemerkte. Voller Erstaunen und Zuneigung und noch immer mit diesem roten Glimmen in ihren Augen, das möglicherweise natürlichen Ursprungs war.

»Erzähl weiter«, forderte sie mich auf. »Was hat er sonst noch gesagt?«

Nach und nach erzählte ich von den sumerischen Zikkurats, von Mazurewicz, Brown Jenkin und Dr. Barnardo. Und schließlich berichtete ich ihr auch von den Alten und von den drei Söhnen in ihr, die die Unselige Dreifaltigkeit bilden und die Welt beherrschen würden.

Als ich geendet hatte, sah sie mich eine Weile stumm an, dann strich sie mir über die Wange. »Verstehst du, was mit dir geschehen ist?« fragte sie sanft.

»Ich verstehe, was mit *dir* geschehen wird. Und mit diesen Kindern.«

»David, seit dem ersten Tag hast du dir immer sonderbarere Dinge eingebildet. Du stehst unter Streß, deine Ehe ist gescheitert, du hast jeglichen Halt verloren. Du bist nicht wirklich in der Zeit zurückgereist, niemand kann das.«

Ich war sprachlos. »Was willst du damit sagen? Daß ich mir das alles *einbilde*? Daß ich alles nur geträumt habe? Komm schon, Liz. Du hast Mr. Billings selbst gesehen, und Sweet Emmeline und Brown Jenkin! Himmel, ich habe mir das *nicht* eingebildet!«

Sie strich mit der gleichen Hartnäckigkeit über meine Hand, mit der sie zuvor ihren Kaffee eingerührt hatte. »David, dieses Haus ist voller Geräusche und elektrischer Defekte und allem möglichen anderen. Es hat eine gewisse *Atmosphäre*, das gebe ich ja zu. Aber es ist nicht verflucht. Jedenfalls nicht wirklich. Und all die Dinge, die du mir über den jungen Mr. Billings und über Brown Jenkin erzählt hast ... du läßt dich von diesen Dingen mitreißen.«

»Großer Gott, Liz! Sieh dir meine Schuhe und meine Hose an! Ich bin durch das verdammte Wasser gewatet!«

»Und? Was soll das beweisen? Ich kann auf der Stelle genau das gleiche machen.«

»Also gut«, sagte ich wütend. »Wenn sich das alles hier nur in meinem Kopf abspielt, wer ist *sie* dann?«

Ich stand auf, ging zur Küchentür und deutete nach draußen, wo David ganz alleine mit dem Wasserball spielte.

Ich sah nach links und nach rechts. Ich spähte über den Rasen, konnte aber nur ein Eichhörnchen ausmachen, das durch das Gras eilte.

»Danny, wo ist Charity?«

Danny tat so, als sei er Paul Gascoigne, der gerade ein Tor gegen die Italiener erzielt hatte. »Wer?« fragte er.

»Charity, das kleine Mädchen.«

Er hörte auf zu spielen und sah mich ratlos an. »Welches kleine Mädchen?«

»Das kleine Mädchen, mit dem du Fußball gespielt hast. Das kleine Mädchen, mit dem du gefrühstückt hast. Das kleine Mädchen, das heute nacht hier geschlafen hat. Das kleine Mädchen, mit dem du die ganze Nacht Witze getauscht hast. *Das* kleine Mädchen meine ich.«

Danny sah mich so verständnislos an, daß mir klar wurde, daß er tatsächlich nicht wußte, was ich meinte. Das konnte nur bedeuten, daß entweder ich den Verstand zu verlieren begann oder Liz – oder besser gesagt: die Hexe, von der sie besessen war – eine unglaublich überzeugende visuelle und geistige Täuschung erschaffen hatte. Ich wußte, welche der beiden Möglichkeiten eher der Wahrheit entsprach. Ich kam in die Küche zurück und sagte: »Okay, ich werde es beweisen. Jeder von beiden hatte zwei Eier, hier sind die Eierschalen ...«

Ich öffnete den Treteimer und sah zwei Eierschalen.

Ich sah in die Spüle: zwei Eierbecher, ein Teller, ein Löffel. Im Schrank standen die beiden Eierbecher, die ich Charity gegeben hatte. Sie waren sauber und unbenutzt. Liz saß da und musterte mich, die Hände in den Schoß gelegt. Ich sah sie wütend an, doch nichts an ihr verriet, daß sie diejenige war, die mich täuschte. Sie sah mich ruhig und geduldig an. Ich schloß den Schrank.

»Irgend etwas stimmt hier nicht«, sagte ich.

»David, das ist nicht wahr. Das glaubst du alles nur.«

»Das kann nicht sein. Ich war dort ... ich war im Jahr 1886, heute morgen erst. Ich sprach mit dem jungen Mr. Billings. Bestimmt zehn Minuten lang. Er war so zum Greifen nah wie du jetzt. Und sieh dir an, was Kezia Mason mit meinem Gesicht veranstaltet hat.«

»Du hast dich gekratzt, sonst nichts.«

»Dann werde ich wohl verrückt.«

»David, du wirst nicht verrückt. Du stehst unter Streß, sonst nichts. Du hast soviel über Brown Jenkin und den jungen Mr. Billings gehört, daß du an nichts anderes mehr denken kannst. Das ist eine Realitätsflucht, ein ganz normales Symptom bei Streß.«

In dem Moment klingelte es an der Tür. »Das wird Sergeant Miller sein. Mal sehen, was er sagt.«

Als ich die Tür öffnete, stand aber nicht Miller vor mir, sondern ... Dennis Pickering. Er lebte, er war unversehrt, und er war so real wie ich. Die Sonne ließ die Haare in seinen Ohren erstrahlen. Auf seiner Weste waren Reste von Porridge zu sehen.

»Oh, guten Morgen, David«, sagte er gutgelaunt. »Ich wollte mich nur für gestern abend entschuldigen.«

Ich öffnete den Mund und schloß ihn im nächsten Augenblick wieder. Ich hatte das Gefühl, Fieber zu haben.

»Wissen Sie, meine Damen haben wegen der Kirchendekoration ein solches Theater gemacht, daß ich nicht dort wegkam. Als ich dann mit dem Abendessen fertig war, fühlte ich mich zu müde, um noch auf Geisterjagd zu gehen. Aber ich könnte heute abend vorbeikommen, wenn es Ihnen recht ist.«

Ich erwartete fast, daß er sich jeden Augenblick vor meinen Augen in Luft auflöste, aber nichts geschah. Er redete und lächelte und war völlig real. Ich hatte gesehen, wie ihm die Augen aus dem Kopf gerissen und die Eingeweide aus dem Leib gezerrt worden waren. Ich hatte es genau gesehen. Ich war hinaus ins Meer gewatet und hatte gehört, wie sich seine aufgeschlitzte Bauchhöhle gurgelnd mit Seewasser gefüllt hatte. Und hier stand er vor mir und lächelte mich an.

»Ich glaube, daß sich alles als natürliches Phänomen entpuppen wird, was Sie hier erlebt haben«, sagte er. »Die Menschen können ja so abergläubisch sein, nicht wahr? Wir glauben lieber an eine übernatürliche Erklärung als an eine wissenschaftliche. Dabei sind wissenschaftliche Erklärungen auf ihre Weise ebenso wundervoll. Sie sind schließlich Gottes Werk.«

»Ja«, sagte ich. »Das nehme ich an.«

»Tja«, erklärte er strahlend und rieb sich die Hände. »Ich will Sie nicht länger aufhalten, Sie haben bestimmt entsetzlich viel zu tun. Streichen, tapezieren. Aber Fortyfoot House kann das auch gut gebrauchen.«

Er ging zu seinem Renault und stieg ein. Ich beobachtete, wie er sich zur Seite lehnte und in seinen Hosentaschen nach dem Wagenschlüssel suchte. Schließlich stieg er wieder aus.

Die Opferung

»Stimmt was nicht?« fragte ich.

»Ja, ich ... ich glaube, ich habe meinen Schlüssel verloren.«

Ich sah mich in der Einfahrt um. »Ich kann sie nirgends sehen, aber weit weg können sie nicht sein. Vielleicht sind sie Ihnen im Wagen runtergefallen.«

Er warf einen Blick in den Wagen. »Nein ... sieht nicht so aus. Am besten gehe ich zurück zum Vikariat und hole den Ersatzschlüssel.«

Ich ging zu ihm. »Sie könnten unter den Sitz gerutscht sein«, überlegte ich. Ich öffnete die Fahrertür und sah unter die Vordersitze, konnte aber nirgends die Schlüssel entdecken.

»Na, das ist nicht so schlimm«, sagte er dann. »Der Weg zurück ist ja nicht so weit.«

»Ich würde Sie ja fahren, aber ...« Ich deutete auf meinen zertrümmerten Audi, dann sah ich ihm nach, wie er in Richtung Straße ging, wo er sich noch einmal umdrehte und mir zuwinkte.

Es konnte ein optische Täuschung sein, doch für den Bruchteil einer Sekunde kam es mir so vor, als sei Pickering jemand anderes – jemand, der kleiner, dunkler, gebeugter war. Doch er war schon aus meinem Blickfeld, bevor ich sicher sein konnte.

Ich lief bis zur Straße und sah ihm nach. Er sah immer noch aus wie Dennis Pickering, aber er schien in den wenigen Sekunden ein außergewöhnlich großes Stück Weg zurückgelegt zu haben. Er befand sich fast auf der Höhe des Ladens.

Etwas stimmte nicht, es paßte nicht zusammen. Ich konnte nicht derart unter Streß gestanden haben, daß ich mir den Ausflug vom gestrigen Abend nur eingebildet hatte. Jemand täuschte mich, ob es nun Liz war oder das Ding, das in Liz lebte, oder der junge Mr. Billings oder Kezia oder Dennis Pickering oder Brown Jenkin. Oder sie *alle* gemeinsam.

Ich ging zurück zu Pickerings Wagen und suchte noch einmal nach den Schlüsseln. Wenn er heute morgen hierhergefahren war und den Wagen vor dem Haus geparkt hatte, wie sollte er auf den wenigen Metern bis zur Tür den Schlüssel verlieren? Ich stützte meine Hand auf die Motorhaube, um Halt zu haben, während ich unter den Wagen sah. Das Blech war zwar von der Sonne aufgeheizt, aber es roch nicht nach einem heißen Motor. Ich öffnete die Haube und berührte vorsichtig den Zylinderkopf. Er war völlig kalt. Der Wagen war heute morgen keinen Meter gefahren worden, vielmehr hatte er hier gestanden, seit Pickering am Abend zuvor angekommen war.

In dem Moment rief Liz mir zu: »Telefon.«

Ich nahm im Wohnzimmer den Hörer ab. Draußen spielte Danny noch immer mit dem Wasserball.

»Hier ist Detective Sergeant Miller«, hörte ich Miller sagen. »Ich habe gerade einen Anruf von Mrs. Pickering erhalten, der Frau des guten Vikars.«

»Sagen Sie nichts. Er ist wieder aufgetaucht.«

»Stimmt, aber woher wissen Sie das?«

»Er ist auch hier gewesen. Zumindest jemand, der so *aussah* wie er.«

Es folgte ein kurze Pause. »Ich weiß nicht, ob ich Ihnen wirklich folgen kann.«

»Machen Sie sich keine Gedanken. Hier herrscht die Meinung vor, daß ich den Verstand verliere.«

»Oh, ich verstehe.«

»Nein, das glaube ich nicht. Ich habe Pickering vor einigen Minuten gesehen, aber ich bin nicht davon überzeugt, daß er es auch ist.«

»Warum sollte er nicht Pickering sein?«

»Weil Pickering vermißt wird.«

»Nein, seine Frau hat ja gerade angerufen und gesagt, daß er zu Hause ist.«

»Ist sie sicher, daß er es ist?«

»Also, wenn seine eigene Frau ihn nicht identifizieren kann, dann wüßte ich nicht, wer es sonst könnte.«

»Ich mache mir Sorgen um seine Frau«, sagte ich.

»Warum das?« fragte Miller.

»Wenn er *nicht* Dennis Pickering ist – wovon ich überzeugt bin –, dann ist er etwas anderes.«

Wieder folgte eine kurze Pause. »Ich würde sagen, daß dahinter eine gewisse Logik steckt, wenn auch eine sehr verdrehte Logik. Aber wenn er etwas anderes ist, *was* ist er dann?«

»Er könnte Brown Jenkin sein.«

»Brown Jenkin?« wiederholte Miller tonlos. »Sie meinen, er ist in Wahrheit eine riesige Ratte, die sich als er verkleidet hat?«

»Sie glauben mir nicht.«

»Das habe ich nicht gesagt. Ich überlege nur, wie Mrs. Pickering ihren Mann mit einer Ratte verwechseln kann. Ich meine, es gibt eine Menge Frauen, bei denen ich mir das gut vorstellen kann, aber nicht Mrs. Pickering.«

»Sie haben doch heute morgen seinen Wagen vor dem Haus stehen sehen.«

»Ja.«

»Also mußte er doch gestern abend hergekommen sein, oder?«

»Das sollte man daraus schließen, ja. Es sei denn, jemand hätte den Wagen ohne sein Wissen dort abgestellt.«

»Dazu hat er sich aber nicht geäußert. Er hat nicht gesagt: ›Oh, sehen Sie doch, hier ist ja mein Wagen. Ich habe ihn schon überall gesucht.‹ Statt dessen *hat* er gesagt, daß er gestern abend *nicht* hier war.«

»Warum sollte er das sagen?«

»Um mich glauben zu lassen, daß ich unter Halluzinationen leide. Aber das ist nicht der Fall, der Motor seines Wagens war kalt. Der Wagen ist seit gestern abend nicht bewegt worden, also *muß* er gestern abend hiergewesen sein. Außerdem hatte er den Wagenschlüssel nicht bei sich. Er hat so getan, als habe er den Schlüssel verloren. Aber wie kann er auf einer Strecke von fünf oder sechs Metern einen Schlüssel verlieren und nicht wiederfinden?«

»Das ist alles sehr interessant, Mr. Williams. Aber das sind keine handfesten Beweise dafür, daß Reverend Pickering in Wahrheit eine riesige Ratte ist. Außerdem: Warum sollte er Sie glauben machen, daß Sie unter Halluzinationen leiden?«

»Das macht nicht *er*.«

»Wer dann?«

In dem Moment wurde mir bewußt, wie lächerlich ich mich anhören mußte. Ich hätte mir gewünscht, daß Miller mir glaubte. Aber sein Tonfall ließ mich erkennen, daß ich seine Bereitschaft, an das Übersinnliche zu glauben, viel zu sehr strapazierte. Er begann offensichtlich zu denken, daß ich *tatsächlich* unter Wahnvorstellungen litt. Das schlimmste daran war, daß ich langsam bereit war, selbst daran zu glauben.

Alles, was ich seit dem ersten Tag in Fortyfoot House erlebt hatte, schien so real zu sein wie ein Horrorfilm. Miller sagte: »Also gut. Reverend Pickering ist wieder da, zumindest jemand, der so aussieht. Das heißt, wir müssen Ihnen nun doch nicht den Fußboden im Wohnzimmer aufreißen. Das wär's dann für heute.«

»Tut mir leid«, sagte ich. Während ich den Hörer auflegte, wunderte ich mich, was genau mir eigentlich leid tat. Mein Blick fiel auf die Buntstiftzeichnung, die Danny an die Wand gehängt hatte. Sweet Emmeline mit roten Würmern in den Haaren. Und der Mann mit dem Schornsteinhut. Ich hatte das Gefühl, dem Wahnsinn ganz nahe zu sein.

Ich ging in die Küche, wo Liz Zwiebeln schälte und heulte. Ich blieb im Durchgang stehen und fragte sie: »Was machst du da?«

Sie wischte mit dem Handrücken die Tränen fort und verschmierte ihren Lidschatten. »Ich mache eine Hühnchenkasserolle. Wieso?«

»Das ist unsinnig. Es sei denn, du willst sie ganz alleine essen. Wir gehen. Jedenfalls Danny und ich.«

»David«, sagte sie. »Jetzt wegzulaufen, wäre der größte Fehler, den du machen könntest. Wenn du wegläufst, dann wirst du dich nie den Dingen stellen können, die dir diesen Streß bereiten. Du brauchst Ruhe, und du mußt darüber reden. Du mußt darüber nachdenken.«

»Große Worte einer Amateurpsychiaterin.«

Sie legte das Messer zur Seite. »David, bitte. Du hast Fortyfoot House zu einer Allegorie für deine Beziehung zu Janie werden lassen. Kannst du das nicht verstehen? Als du dann Harry Martin hast sterben sehen und als du Doris Kembles Leiche gefunden hast, hast du das als Beweise dafür angesehen, daß all deine Alpträume von Fortyfoot House real sind. David, ich habe dich beobachtet. Du benimmst dich merkwürdig und du sagst sonderbare Dinge. Ich nahm an, du hättest es überwunden, aber es scheint nur noch schlimmer zu werden. Wenn du gehst, dann wirst du um so mehr glauben, daß deine Alpträume die Realität darstellen.

»Hmm«, sagte ich, während ich um den Küchentisch ging. »Gute Theorie, guter Versuch. Aber angenommen, ich gehe nach oben und werfe einen Blick auf den Speicher. Was wäre dann?«

Sie zuckte mit den Schultern. »Woher soll ich das wissen? Du redest die ganze Zeit über vom Speicher.«

Ich sah auf meine Uhr. »Im Jahr 1886 müßte jetzt bald die Sonne aufgehen.«

»David«, flehte mich Liz an. »Hörst du dir eigentlich selbst zu? Das klingt völlig *verrückt*. Als nächstes erzählst du mir noch, daß du Napoleon bist.«

»Ich brauche nur einen Beweis«, sagte ich. Gott, ich hoffte, daß ich nicht zu zittern begann. Dannys Ball schlug immer wieder gegen die Küchenwand, während eine Möwe, die in der warmen Morgenluft ihre Bahnen zog, eine Reihe von Schreien ausstieß, die sich wie Babyschreie anhörten.

»Wie wär's mit einer Tasse Kaffee?« fragte sie mich besorgt. Würde ein seelenloses Wesen vom Anfang aller Zeiten mich fragen, ob ich eine Tasse Kaffee wollte? Vielleicht ja. Vielleicht war es zu einer so subtilen und detaillierten Täuschung in der Lage. Bei Pickerings Wagen hatte es zum Beispiel einen Fehler gemacht. Das Wesen mochte Liz' Bild von Dennis Pickering genommen haben, um eine *Illusion* von Pickering zu erschaffen. Aber ein Mädchen wie Liz, das kein Auto und keinen Führerschein besaß, machte sich keine Gedanken darüber, daß der Motor seines Wagens heiß sein müßte. Also hatte das in der Illusion gefehlt.

Und was war mit dem Schlüssel? Den hatte sie auch vergessen. Wenn Pickering aber *wirklich* eine Illusion war, dann hätte sie vielleicht doch daran gedacht, ihm einen Schlüssel zu geben. Vielleicht konnten Illusionen aber auch kein Auto fahren. Konnte ein seelenloses Wesen vom Anfang aller Zeit wissen, wie man ein Auto fährt?

Ich sah Liz an. Sie sah so hübsch, unschuldig und besorgt aus, daß ich noch wütender wurde. Ich hatte das Gefühl, daß jemand mein Gehirn wie ein Marmeladenglas zerschmettert hatte.

»Nein, danke, ich möchte keinen K-k-k-...«, stammelte ich.

Sie legte ihre Hand auf meine Schulter und küßte mich auf die Stirn. »David, du siehst einfach *schrecklich* aus. Leg dich doch ein wenig hin.«

Ich atmete tief durch. Ruhig, David, ganz ruhig. Du bist nicht verrückt, das weißt du genau. *Aber wo ist Charity? Und warum kann sich Danny nicht an sie erinnern?*

»Ich möchte mich erst noch mal auf dem Dachboden umsehen«, sagte ich.

»Hältst du das für eine gute Idee?«

»Ich weiß nicht. Es könnte sogar eine sehr schlechte Idee sein, es könnte extrem gefährlich sein. Aber ich schätze, daß du dich an den Grund nicht erinnern kannst. Ich nehme nicht an, daß du noch weißt, wie du Charity nach oben gezogen hast, damit sie nicht von Brown Jenkin in Stücke gerissen wird.«

Liz sagte nichts, sondern drückte mich an sich, so daß ich ihren Atem auf meinem Gesicht spüren konnte.

»Ich muß das einfach machen, das ist alles«, sagte ich.

»Soll ich mitkommen?« fragte sie.

»Nein, nein, koch du nur weiter. Wer weiß, vielleicht ist da oben ja gar nichts und wir können zum Abendessen bleiben.«

18. Der Sohn des Blutes

Ich öffnete die Tür zum Dachboden, und wieder schlug mir der abgestandene Luftzug entgegen. Ich sah zu Liz, die auf der Treppe hinter mir stand und mir zunickte: »Geh schon, geh. Du mußt Gewißheit haben.«

Ich schaltete die Taschenlampe an und richtete sie auf die Stufen. Es war da oben völlig dunkel, nicht ein Hauch von Morgendämmerung. Aber im Jahr 1886 war es *November*, nicht Juli. Also konnte es durchaus sein, daß es noch dunkel war, immerhin war es *sehr früh am Morgen*.

»David«, sagte Liz. »Ruf mich, wenn du mich brauchst.«

»Habe ich jemals gesagt, daß ich dich nicht brauche?« gab ich zurück.

»Ich will nur, daß es dir gutgeht.«

Darauf wußte ich nichts zu sagen, also ging ich die Treppe hinauf auf den Speicher und sah mich um. Die Taschenlampe beleuchtete das vertraute Gerümpel, während ich mich am Geländer festhielt. Es war kein Kratzen zu hören, nur der Wind und das Kreischen hungriger Möwen.

Du hast dir alles nur eingebildet, siehst du? Das kommt alles nur von den Märchen, die dir Mutter erzählt hat, dachte ich. Ich erinnerte mich daran, wie mir meine Mutter an Winterabenden in Sussex Märchen vorlas. Vom Schneider, der Daumen abschnitt, von Paulinchen, die allein zu Hause war, vom Suppenkaspar, der seine Suppe nicht essen wollte. *Meine Suppe eß ich nicht, nein, ich esse meine Suppe nicht.* Ich konnte die Worte so deutlich hören, als würde sie sie mir gerade erzählen. Ich konnte meine grüngemusterte Decke sehen, meinen grüngestreiften Pyjama, meine Modellflugzeuge auf dem Schrank, leimverschmiert und schief zusammengebaut. Ich konnte Kezia Mason in blutgetränkte Laken gewickelt sehen, ich sah den jungen Mr. Billings, wie er über den Rasen ging. Ich sah Brown Jenkin, der wie ein Schatten voller Klauen und Zähne hinter ihm herlief.

Ich bemerkte, daß ich das Geländer so fest umschlossen hielt, als wolle ich es aus der Wand reißen. Mein Herz raste wie verrückt. *Streß*, dachte ich. *Zuviel Adrenalin. Ich werde verrückt, ich kann nicht mehr zwischen Realität und Einbildung unterscheiden. So ist das also, wenn man dem Wahnsinn verfällt. Das ist eine totale, außer Kontrolle geratene Breitwand-Paranoia in Technicolor.*

Ich tat einen Schritt nach dem anderen, während ich mit der Taschenlampe die Stufen beleuchtete. Ich erreichte das Dachfenster und sah nach oben. Kein Himmel, keine Sterne. Es war so verschlossen wie zu der Zeit, als Harry Martin einen Blick hineingeworfen hatte. Ich ging hinüber zur Klapptür und hob den Teppich an. Nichts. Keine Klapptür. Ich berührte den Boden und stellte ohne jeden Zweifel fest, daß Mr. Billings' sogenannter »sumerischer Durchgang« ins Jahr 1886 nicht existierte. Ich hatte mir alles nur eingebildet. Ich hatte Kindheitsgeschichten und Tratsch über Fortyfoot House und den Bericht über die sumerischen Zikkurats im *National Geographic* durcheinandergebracht und eine Phantasiewelt erschaffen, in der es mysteriöse Fremde, Hexen und Zeitreisen gab.

In gewisser Weise war es fast eine Erleichterung, daß nichts von alledem real war. Ich stand auf dem dunklen Dachboden und hatte Tränen in den Augen. Ich fühlte mich, als sei ich von einer schrecklichen Verantwortung befreit worden. Großer Gott! Hätte Liz nicht eingegriffen, hätte sie mir nicht klargemacht, wie sonderbar ich geworden war, dann wäre ich vielleicht in einer geschlossenen Anstalt gelandet und hätte den freundlichen Schwestern immer wieder gesagt, daß Sothoth mir auf den Fersen sei. Ich konnte mich jetzt sogar daran erinnern, daß ich den Namen ›Sothoth‹ aus einer Kurzgeschichte von H. P. Lovecraft kannte, die ich in der Schule gelesen hatte: »*Der schadenbringenden Yog-Sothoth, jene Brut der Schwärze aus Urzeiten, jenes tentakelbewehrte amorphe Monster, dessen Maske eine Ansammlung aus schillernden Kugeln war – Yog-Sothoth, der für alle Zeit als Urschleim in nuklearem Chaos jenseits der tiefsten Außenposten von Raum und Zeit schäumt!*«

Ich ging über den Speicher zurück zur Treppe und weinte noch immer. Ich fühlte mich fast wie neugeboren. Ich trampelte auf dem Fußboden umher, wo sich die Klapptür hätte befinden müssen, wo aber *nichts* war. Ich ging die Treppe hinunter und schaltete die Taschenlampe aus, dann schloß ich die Tür hinter mir.

Liz stand noch immer auf der Treppe. »Und?« fragte sie lächelnd.

»Also ich weiß nicht, worüber *du* dich freust, aber ich habe gerade festgestellt, daß ich verrückt bin.«

»Oh, David, nun hör schon auf! Du bist nicht verrückt! Du kämpfst gegen deinen Streß an und versuchst, die Kontrolle über dein Leben zu wahren. Warum fahren wir nicht mit dem Bus nach St. Lawrence und gehen ins Buddle Inn, um dort zu essen. Ich liebe das Buddle Inn.«

Am Fuß der Treppe wartete auch Danny auf mich. Auf eine sehr erwachsene Weise nahm er meine Hand und begleitete mich nach draußen auf die Veranda.

»Geht es dir gut, Daddy?«

»Ja, natürlich, mir geht es gut.«

Er stand neben mir und hatte die Hände hinter dem Rücken verschränkt wie der Prince of Wales, während er über den Rasen hin zu den alten Eichen und der zerfallenen Kapelle blickte, als sei alles sein Besitz. »Glaubst du, daß wir auch mal so ein Haus haben werden?« fragte er mich.

»Ich weiß nicht. Wenn alles richtig verläuft, dann vielleicht ja.«

»Ich wünschte, Mom wäre hier.«

»Ja, das glaube ich dir.«

»Du auch?«

Ich schüttelte den Kopf. »Ich glaube nicht. Ich glaube, das liegt jetzt alles hinter mir. Mom scheint mit Raymond viel glücklicher zu sein. Vielleicht sollte ich versuchen, mit Liz glücklicher zu sein.«

»Ich mag Liz«, sagte Danny. Das wiederum gefiel mir.

»Liz ist witzig«, verkündete er dann.

»Ja?«

»Liz hat mein Bild tanzen lassen.«

Ich sah ihn an. Wieder spürte ich das kalte, vertraute Gefühl einer Furcht, die sich langsam über meinen Rücken nach oben vorkämpfte.
»Was meinst du damit?«
»Sweet Emmeline und der Mann mit dem Schornsteinhut. Sie hat sie tanzen lassen.«
»Wie hat sie das denn gemacht?«
Danny schüttelte den Kopf. »Ich weiß nicht.«
Ich wollte ihn gerade fragen, wie er das nun gemeint hatte, als Liz auf die Veranda kam. Sie trug eine gefährlich enge Stretchjeans und ein rotes T-Shirt, das keinen Zweifel daran ließ, daß sie darunter keinen BH trug.
»Bist du soweit?« fragte sie und gab mir einen Kuß auf die Wange, die keine Kratzer aufwies.
Ich hatte keine Ahnung, welchen Gesichtsausdruck ich in diesem Moment hatte, aber er mußte besorgt genug gewesen sein, so daß sich Liz bei mir unterhakte, mich nochmals küßte und sagte: »Um Himmels willen, David. Wir gehen nur zum Lunch. Beeil dich, sonst verpassen wir den Bus.«

Wir saßen während des Essens draußen im Sonnenschein – frisch frittierter Schellfisch mit Fritten, dazu Ruddles Beer. Während ich Danny dabei beobachtete, wie er seine Fritten ins Ketchup tauchte, kam ich mir sehr englisch und normal vor, fast wieder wie ein Vater mit seiner Familie.
Nach dem Lunch kehrten wir nach Bonchurch zurück, während über Godshill und Whiteley Bank ein schweres Gewitter niederging. Als wir aus dem Bus ausstiegen, roch die Luft nach Ozon, und Regentropfen, so groß wie 10-Pence-Stücke, überzogen die Straße.
Liz und ich gingen Arm in Arm, während Danny vorauslief. Ihre Brüste wippten schwer und warm gegen meine Hand. Ich hatte noch immer Schwierigkeiten zu glauben, daß meine Ausflüge ins Jahr 1886 nichts weiter als Einbildung gewesen waren. Das Ungewöhnliche daran war aber, daß ich viel weniger Schwierigkeiten damit hatte, zu glauben, daß es nicht geschehen war. Es war viel einfacher, alles für Alpträume zu halten.
Wie sollte das auch alles wahr sein? Wie konnte die Alten Wirklichkeit sein? Wie sollte Liz mit Samen, Speichel und Blut befruchtet werden, um drei Kreaturen das Leben zu schenken, die nicht menschlich waren? Ich konnte sie an meiner Seite fühlen: Sie war zart, vollbusig, mädchenhaft und sie roch nach selbstgebackenen Biskuits und herbem Body-Shop-Parfüm. Sie war echt, alles andere war Wahnsinn.

Die Opferung

Ein verheerender Donner zerriß förmlich den Himmel. Der vorausgegangene Blitz hatte das Dach und die Schornsteine des Fortyfoot House wie in einem Grusel-Film erhellt. Der Regen prasselte mit einem Mal auf uns nieder, und wir rannten los, um so schnell wie möglich die vordere Terrasse zu erreichen, wo Danny bereits ungeduldig auf uns wartete, weil er zur Toilette mußte.

»Beeil dich, Daddy!« Ich schloß die Tür auf und wir gingen ins Haus, wo es sehr düster und feucht war und nach Vernachlässigung roch. Ich hängte meine nasse Jacke auf, ging in die Küche und warf einen Blick in den Kühlschrank.

»Wie wär's mit einem Glas Wein?« fragte ich Liz. »Da ist noch ein Rest von dem bulgarischen Zeugs übrig.«

»Igitt. Aber auch gut.«

Sie kam zu mir und legte ihre Arme um meinen Hals. Ihr Haar war naß und klebte ihr auf der Stirn. Ich gab ihr einen Kuß und kam zu dem Schluß, daß ich sie mochte.

»Ich sollte mich mal wieder um meine Arbeit kümmern«, sagte ich.

»Also bleibst du?«

»Ich glaube schon. Jedenfalls für den Augenblick. Ich habe das Gefühl, Fortyfoot House will mich nicht gehen lassen.«

»Ich glaube, es ist hier gar nicht so schlimm. Ich habe mich eigentlich schon sehr gut an das Haus gewöhnt.«

Danny kam in die Küche, immer noch mit dem Reißverschluß seiner Hose beschäftigt. »Kann ich zum Strand gehen?« fragte er.

»Es regnet.«

»Macht nichts, ich ziehe meine Badehose an.«

Ich sah aus dem Küchenfenster. Draußen war es warm, und über dem Kanal klarte es bereits auf. »Na gut«, sagte ich. »Aber bleib bei den Felsen am Strand. Geh nicht ins Wasser. Wir kommen später zum Strand, um nach dir zu sehen.«

Danny zog sich um und verließ in seiner leuchtenden blau-gelben, hawaiianisch aussehenden Badehose und mit Eimer und Schaufel bewaffnet das Haus.

»Ich glaube, er ist genauso verrückt wie du«, sagte Liz und grinste breit.

Ich reichte ihr ein Weinglas und erwiderte: »Zum Wohl. Auf den Wahnsinn, egal in welcher Gestalt er auftaucht.«

Sie stieß mit mir an, dann küßte sie mich. »Warum gehen wir nicht nach oben?« fragte sie. »Im Bett schmeckt Wein immer viel besser.«

Ich sah sie über den Rand meines Glases hinweg an. Der Regen schlug sanft gegen das Fenster und wurde vom Wind in die Küche getragen.

In der Ferne grollte Donner. Drei Söhne, davon hatte der junge Mr. Billings gesprochen. *Ein Sohn des Samens, ein Sohn des Speichels, ein Sohn des Blutes.* Hatte ich das wirklich nur geträumt?

Liz ging mir auf der Treppe voraus und drehte sich zwei- oder dreimal um, lächelte mich an und wollte sicher sein, daß ich ihr auch folgte. Als wir das Schlafzimmer erreicht hatten, schien die Sonne wieder, und das ganze Zimmer war von strahlendem Licht erfüllt. Liz stellte ihr Glas neben das ungemachte Bett, zog unvermittelt ihre Jeans aus, kniete sich aufs Bett und streckte mir ihre Arme entgegen. Durch das strahlende Weiß ihres Slips konnte ich ihre dunklen Schamhaare hindurchschimmern sehen.

Ich zog Hemd und Hose aus und gesellte mir zu ihr aufs Bett. Wir knieten da und sahen uns an wie die beiden Liebenden auf dem Titelbild von *The Joy of Sex*, küßten uns und erkundeten jeder den Mund des anderen. Liz schmeckte nach Wein und nach einer undefinierbaren, aber betörenden Süße, die mich an einen Geschmack erinnerte, der lange zurücklag und den ich nicht näher bestimmen konnte.

Ich zog ihr T-Shirt hoch und nahm ihre Brüste in meine Hände, um sie zu küssen und an ihren Brustwarzen zu knabbern. Sie fuhr mit ihren Fingern durch mein Haar und sang immer und immer wieder: »David, ich liebe dich, David, ich liebe dich.« Es klang fast wie ein Lied, wie ein ritueller Gesang.

Unbeholfen schob ich ihren Slip nach unten, drückte sie sanft auf den Rücken, damit ich ihre Beine anheben und ihren Slip ausziehen konnte. Im Licht der Nachmittagssonne glühte ihr Schamhaar wie Golddrähte. Ihre Schamlippen glänzten feucht, und sie zog sie mit ihren Fingern auseinander, um sie so weit wie möglich für mich zu öffnen.

Bauz! Da geht die Türe auf..., flüsterte jemand. War ich das gewesen?

Ich kämpfte mich aus meinen Boxershorts. Meine Erektion war hart und purpurrot. Liz umfaßte mein Glied, massierte es langsam von der Wurzel bis an die Spitze, und drückte die angeschwollene Eichel fest zusammen. »David, du bist bezaubernd, David, ich liebe dich!«

Ich versuchte, in sie einzudringen, doch sie hielt mich zurück und verstärkte den Griff um meinen Penis. Ich fühlte, daß sich ihre Fingernägel in meine Haut bohrten.

»Ich will dich«, keuchte ich.

Sie reagierte mit einem spöttischen Lächeln. »Mag sein, aber ich habe noch nicht entschieden, ob du mich auch kriegst.«

Ich unternahm einen weiteren erfolglosen Versuch und fühlte mich zunehmend frustriert. Sie hielt meinen erigierten Schwanz so fest umschlossen, daß sich das Blut staute und er dunkelrot anlief.

Die Opferung

»Liz, *du tust mir weh*!«

»Magst du keinen Schmerz?« neckte sie mich. »Ich dachte, du wärst der Typ Mann, der auf Schmerzen steht.«

Einen Moment lang zögerte ich, dann schob ich mich abermals nach vorne. Diesmal spürte ich ein durchdringendes Kratzen an der Unterseite meines Penis. Ich sah nach unten und stellte fest, daß ein paar Tropfen Blut über Liz' Hände liefen. Das Blut sammelte sich auf ihrem Handrücken, bis es einen schweren, zähflüssigen Tropfen bildete, der zwischen ihren Pobacken verschwand.

Ich starrte sie an, sie erwiderte meinen Blick, als fordere sie mich heraus, etwas zu sagen.

Ein Sohn des Samens, ein Sohn des Speichels, ein Sohn des Blutes. Die drei Spezies der Alten, die auf die große Erneuerung warten.

»Was ist los?« fragte Liz. Meine Erektion ließ augenblicklich nach.

»Sag mir, wer du bist«, verlangte ich.

»Du *weißt*, wer ich bin.«

»Da bin ich nicht so sicher. Du hast jetzt alle drei Dinge von mir bekommen: Samen, Spucke und Blut. Du könntest durchaus eine von diesen Alten sein, von denen der junge Mr. Billings gesprochen hatte. Wahrscheinlich *bist* du das sogar.«

»David, du bist ja völlig durchgedreht!«

»Ach, ja? Und was sollte dieser Kratzer?«

»Ich kratze beim Sex nun mal gern, das ist alles. Das ist vermutlich das Tier in mir.«

»Das Tier? Oder eher das *Ding*?«

Liz setzte sich auf und legte ihren Arm um meine Schulter. »David, das ist verrückt. Es tut mir leid, daß ich dich gekratzt habe. Ich habe nur Spaß gemacht. Aber es gibt kein ›Ding‹ und keinen ›jungen Mr. Billings‹ und keinen ›Brown Jenkin‹ und keine ›Kezia Mason‹. Die existieren nur in deinem Kopf, David. In deiner Phantasie!«

»Das kann nicht sein«, beharrte ich auf meinem Standpunkt. »Wieso kann ich mich an alle Details so gut erinnern, wenn ich mir alles nur einbilde? Ich kann dir sogar beschreiben, was auf Mr. Billings' Taschenuhr eingraviert war: eine Art Tintenfisch. Ich war dort, da bin ich sicher.«

Liz hielt mich fest und drückte eine Wange gegen meine Schulter. »David«, beruhigte sie mich. »Ich weiß, daß du das denkst. Ich weiß, daß du es wirklich *glaubst*. Aber es ist nie geschehen. Du bist niemals irgendwo gewesen.«

»Ich weiß nicht«, sagte ich. »Ich weiß nicht, was ich glauben soll.«

Ich verließ das Bett und ging hinüber zum Fenster. Liz legte sich zurück und beobachtete mich. Der Himmel war jetzt wolkenlos, der Sturm hatte sich verzogen. Über dem eingefallenen Dach der Kapelle war nur ein ganz schwacher Regenbogen zu sehen. Keine Gestalten mit Schornsteinhut, keine buckligen Nagetiere. Erneut verspürte ich eine immense Erleichterung, weil ich zu verstehen begann, daß ich im Fortyfoot House meine eigene Traumwelt erschaffen hatte. Eine Welt, durch die ich versucht hatte, all die Probleme zu lösen, indem ich ihnen Namen und Gesichter verlieh.

Liz stellte sich hinter mich und legte ihre Arme um meine Hüfte. Ich spürte ihre Brüste, die sie gegen meinen Rücken drückte. »Weißt du noch, was ich zu dir gesagt habe?« fragte sie. »Du *kannst* über Janie hinwegkommen, du kannst lernen, du selbst zu sein. Es ist dein Leben, David, nimm es in beide Hände.«

Ich drehte mich zu ihr um und küßte sie. Ihre Augen blitzten im Sonnenschein rötlich auf. *Ein Sohn des Blutes.* Draußen schrien die Möwen, es war ein sonniger, warmer Nachmittag, fast wie eine Laune der Natur, vielleicht sogar eine Laune Gottes.

»Sieh dir das an«, sagte ich zu Liz. »Da freut man sich doch gleich, daß man lebt.«

Doch dann sah ich Danny, der langsam auf das Haus zukam. In der einen Hand trug er Schaufel und Eimer. In der anderen hatte er etwas anderes, das er in die Luft warf und auffing, in die Luft warf und auffing.

19. Tod im Sommer

Ich knöpfte gerade mein Hemd zu, als Danny die Tür zur Küche erreicht hatte.

»Na, keine Lust zum Taschenkrebs-Rennen?«

Er rieb sich die Stirn, als hätte er Kopfschmerzen. »Ich mag keine Taschenkrebse mehr, weil sie Mrs. Kemble gefressen haben.«

»Das wußten sie doch nicht. Sie können nicht zwischen Fisch und Mensch unterscheiden.«

»Sie sind gemein.«

»Tja, das könnte man wohl sagen«, meinte ich. »Möchtest du was trinken?«

Er warf etwas Dunkles, Metallisches in die Luft und fing es wieder auf.

»Was ist das?« fragte ich, während ich ihm ein Glas Limonade eingoß.

»Schlüssel«, sagte er. »Hab ich am Strand gefunden. Die sind mindestens hundert Jahre alt.«

»*Schlüssel?* Laß mal sehen.«

Die Opferung

»Sie sind ganz rostig, und es kleben Austern dran.«

Er gab mir einen Schlüsselbund. Ich betrachtete die Schlüssel und stellte fest, daß er recht hatte. Sie mußten hundert Jahre alt sein. Das Metall der Stahlschlüssel war vom Meereswasser angegriffen worden, so daß sie nichts weiter waren als hauchdünne Plättchen, während sich die Messingschlüssel schwarz verfärbt hatten und mit winzigen Schnecken überzogen waren.

Der Ring, an dem die Schlüssel befestigt waren, bestand aus einer Metallscheibe mit einer Art Abzeichen darauf, um das Spuren von blauem Email zu sehen war, darunter kaum leserlich die Buchstaben ›Re...lt‹.

»Sind die Schlüssel viel Geld wert?« fragte Danny. »Es könnten Piratenschlüssel sein, oder?«

Bedächtig schüttelte ich den Kopf. »Nein, das sind keine Piratenschlüssel, das sind Autoschlüssel.«

»Aber sie sehen so alt aus.«

»Sie sind alt. Aber sieh dir die Buchstaben an: R, E, Pünktchen, Pünktchen, Pünktchen, L, T. Renault. Das sind die Schlüssel von Reverend Pickering, er hat sie heute morgen gesucht.«

»Aber wenn er sie heute morgen verloren hat, warum sind sie dann so alt?« wunderte sich Danny.

Ich hatte seine Leiche aufs Meer hinaustreiben lassen, die Wellen hatten Pickering mitgenommen. Aber seine Schlüssel mußten aus seiner Tasche gerutscht und zwischen den Felsen gelandet sein. Damit waren sie über hundert Jahre alt, als Danny sie heute morgen fand. Und obwohl sie so alt waren, hatten sie heute früh noch nicht am Strand gelegen.

Ich setzte mich hin und sah wieder und wieder auf Pickerings Wagenschlüssel, während Danny mich verwirrt beobachtete. Diese Schlüssel verdeutlichten sehr eindringlich das Paradox von Fortyfoot House. Hier konnte man die Vergangenheit und die Zukunft verändern. Man konnte dafür sorgen, daß Dinge in der Vergangenheit geschahen, obwohl sie sich nie ereignet hatten. Und was noch viel wichtiger war: Man konnte Dinge, die sich in der Vergangenheit ereignet hatten, ungeschehen machen.

Pickerings Leichnam hatte unter dem Fußboden des Wohnzimmers gelegen, seit Brown Jenkin ihn 1886 ermordet hatte. Ich hatte die Leiche gesehen. Jetzt aber war sie verschwunden, weil ich die Vergangenheit verändert hatte. Mit einem Mal wurde mir klar, daß Zeit nicht linear verlief, sondern *parallel*. Unser Bewußtsein bewegte sich von einem Ereignis zum anderen, doch wir konnten an den Anfang zurückkehren und Ereignisse ändern. Die Ereignisse waren *immer* da, von der prähistorischen Zeit bis zum Ende aller Zeit. Queen Victoria war immer noch da, ebenso Heinrich VIII. und Julius Cäsar. Auch ich als kleiner Junge. Und Janie. Vielleicht konnte ich sogar verhindern, daß sie jemals Raymond begegnete.

Es wunderte mich nicht, daß die Alten so gierig die Chance nutzten, durch die Zeit zu reisen, und daß sie die sumerischen Priester übernahmen, die zurückgereist waren, um diese vormenschlichen Zivilisationen zu besuchen. Die Alten waren unglaublich hinterlistig, und sie waren unerbittlich an ihrem eigenen Überleben interessiert. Sie hatten so wie ich mittlerweile auch verstanden, daß die Zeit verändert und neu arrangiert werden konnte. So wie manche Wissenschaftler hatten sie mit herzloser Klarheit erkannt, daß die Beherrschung der Zeit zugleich die Herrschaft über alles und jeden bedeutet, und eine Welt nach sich zieht, in der Moral nicht länger existiert und in der ihre eigene Selbstgefälligkeit genügt, um überlegen zu herrschen..

Wie ein ganz gewöhnlicher Schriftsteller wie H. P. Lovecraft jemals diesen Namen gehört hatte, wollte ich gar nicht erst wissen. Aber das Zeitalter von *Yog-Sothoth* stand unmittelbar bevor. *Yog-Sothoth, der für alle Zeit als Urschleim in nuklearem Chaos jenseits der tiefsten Außenposten von Raum und Zeit schäumt!*

Ich betrachtete die Schlüssel und hatte das Gefühl, daß mir der Boden unter den Füßen weggezogen wurde. Sie waren der unwiderlegbare Beweis dafür, daß ich ins Jahr 1886 gereist *war*, daß Dennis Pickering tatsächlich von Brown Jenkin getötet worden *war* und daß ich seinen Leichnam ins Meer gebracht *hatte*. Das bedeutete auch, daß der »Dennis Pickering«, der mich am Morgen besucht hatte, auf keinen Fall Pickering war. Wahrscheinlich war mein Eindruck richtig gewesen, daß es Brown Jenkin gewesen war, der mit Hilfe von Kezia Masons Magie eine Illusion von Pickering erzeugt hatte. Sie hatte aus einem Türgriff eine menschliche Hand gemacht, also konnte sie auch sicherlich aus dem verlausten Brown Jenkin einen Vikar machen.

Ich ging in den Flur und rief Detective Sergeant Miller an, der mit vollem Mund ans Telefon ging.

»Sergeant Miller? Hier ist David Williams aus dem Fortyfoot House.«
»Ah, ja. Stimmt etwas nicht, Mr. Williams?«
»Sie sollten jemanden zum Vikariat von St. Michael's schicken.«
»Liegt irgendein bestimmter Grund vor?«
»Nur eine Kontrolle, ob es Mrs. Pickering gutgeht.«

Miller schluckte, dann fragte er vorsichtig: »Ob es ihr gutgeht? Wüßten Sie einen Grund, der dagegenspricht?«

Die Opferung

»Sehen Sie«, sagte ich. »Von den Einwohnern hier abgesehen sind Sie der einzige Mensch, dem ich in Bonchurch begegnet bin, der glaubt, daß irgend etwas Gefährliches im Gange sein könnte.«

»Und?« fragte er mißtrauisch.

»Nun ... ich kann das im Moment nicht so genau erklären ... aber ich glaube nicht, daß Reverend Pickering der ist, für den er sich ausgibt. Pickering ist nicht *der* Pickering.«

»Verstehe«, bemerkte Miller mit einem leicht ironischen Unterton. »Wenn er nicht er selbst ist ... wer ist er dann? Und sollte seine Frau nicht sofort den Unterschied bemerkt haben?«

»*Es gibt* keinen Unterschied, er ist eine Art Trugbild.«

Ich hörte ihn kauen und schlucken, und dann schlürfte er an etwas; wahrscheinlich an einer Tasse mit sehr heißem Tee.

»Sie erwarten verdammt viel von meiner Phantasie, Mr. Williams.«

»Wäre es nicht besser, der Sache nachzugehen, solange es noch nicht zu spät ist?« fragte ich.

»Schätze, Sie haben recht. Passen Sie auf, ich sage Ihnen, was ich machen werde. Ich bin nachher ohnehin bei Ihnen in der Nähe, weil ich mit Mr. Divall vom Dorfladen reden muß. Ich hole Sie ab und wir fahren gemeinsam zum Vikariat. Dann können wir diese Angelegenheit ein für allemal aus der Welt schaffen.«

»Hört sich gut an.«

Ich legte den Hörer auf. Oben hörte ich Liz *The Windmills Of My Mind* singen. Die Schlüssel waren auch der unwiderlegbare Beweis für einen anderen Punkt: Liz hatte mich belogen, was meine Reise zurück ins Jahr 1886 und was Charity betraf. Und vermutlich hatte sie dann auch gelogen, als sie sagte, sie wisse nichts über den jungen Mr. Billings, über die sumerischen Durchgänge und über die Alten, die seit mehr als fünfeinhalbtausend Jahren im Körper unschuldiger Menschen überlebt hatten und darauf warteten, daß eines Tages die Erde genug verschmutzt war, damit sie zurückkehren konnten.

Die Schlüssel bedeuteten auch, daß der junge Mr. Billings die Wahrheit gesagt hatte und daß die geisterhafte Nonnengestalt, die in Liz eingedrungen war, dasselbe Hexenwesen war, das zuvor unter anderem von Kezia Mason Besitz ergriffen hatte.

Und ich hatte Liz die dritte und letzte Befruchtung gegeben, die des Blutes.

Ich stand im Flur und glaubte, mein Gehirn müsse explodieren. Aller Logik und allen Erlebnissen zum Trotz konnte ich fast nicht glauben, daß Liz tatsächlich besessen sein könnte. Sie sprach wie immer, machte die gleichen Witze, *sah aus* wie immer. Sie tauchte oben an der Treppe auf und trug eines meiner Hemden. Mit wehenden Haaren und wippenden Brüsten kam sie die Treppe zu mir heruntergelaufen.

»Stimmt was nicht?« fragte sie und küßte mich auf die Nase. »Du siehst aus, als wäre dir ein Geist über den Weg gelaufen.«

Ich schüttelte den Kopf. »Es ist alles in Ordnung, du mußt dir keine Sorgen machen. Aber Detective Sergeant Miller möchte, daß ich mit ihm nach Shanklin fahre, um noch ein paar Fragen zu beantworten.«

»Er glaubt doch nicht ernsthaft, daß du irgendwas mit dem Tod von Harry Martin oder Doris Kemble zu tun haben könntest, oder?«

»Nein, natürlich nicht. Er will nur noch einmal alles überprüfen. Nächste Woche gibt es wegen Harry Martin eine gerichtliche Untersuchung. Er will nur sicher sein, daß ich nichts ausgelassen habe.«

»Oh, das ist gut«, sagte Liz. »Dann gehe ich mit Danny spazieren.«

Augenblicklich überkam mich Angst. Wenn sie von dem Hexending besessen *war*, konnte ich Danny dann mit ihr alleinlassen? Der junge Mr. Billings hatte mir versichert, daß alle Märchen der Wahrheit entsprachen und daß Kinder das Grundnahrungsmittel für Hexen waren. Ich erinnerte mich entsetzt an ein Märchenbuch aus meiner Kindheit, das eine Hexe mit Hakennase zeigte, die sechs oder sieben verstörte Kinder auf einem riesigen Backblech in den Ofen schob.

»Ich ... ich dachte, daß ich Danny mitnehme. Sergeant Miller sagte, er würde ihm den Polizeiwagen zeigen.«

Liz ging vor mir und drehte den Kopf um, während sie die Nase rümpfte. »Laaaaaaangweilig! Danny will bestimmt nicht den Nachmittag mit einer ganzen Horde Bullen verbringen.«

»Ihn interessiert so etwas.«

In dem Augenblick betrat Danny die Küche, während er noch immer mit Pickerings Schlüsseln spielte.

»Dein alter Herr muß zur Polizei gehen«, sagte Liz und legte den Arm um seine Schultern. »Sollen wir nicht währenddessen nach Ventnor spazieren und Süßigkeiten kaufen? Danach bauen wir eine riesige Sandburg, setzen uns hinein und essen tonnenweise Süßes, bis wir keinen Hunger mehr aufs Abendessen haben.«

»Ich hatte eigentlich gehofft, daß du mit mir mitkommst«, sagte ich. »Sergeant Miller sagte, er wolle dir einen richtigen Polizeiwagen zeigen.«

»Und dann?« fragte Danny.

»Und dann ... dann muß ich mit ihm noch ein paar Dinge durchsprechen. Das wird nicht allzu lange dauern.«

Ich wünschte, mir wäre eine bessere Lüge eingefallen, aber ich hatte mir bereits ein Bein gestellt. Ich konnte mir genau vorstellen, was in Dannys Kopf ablief. Er überlegte, ob er mit seinem Vater in einem muf-

figen Büro einen langweiligen Nachmittag verbringen oder ob er Süßigkeiten haben und am Strand spielen wollte.
Liz legte ihren Kopf schräg. »Du mußt dir keine Sorgen machen, David. Ich *werde* schon auf ihn aufpassen.«
»Bitte, Daddy«, bettelte Danny und ließ mir keine andere Wahl, als schulterzuckend einzuwilligen.
Ich warf Liz rasch einen prüfenden Blick zu, ob ihr Gesicht irgend etwas Bösartiges, Zufriedenes oder Gieriges erkennen ließ, doch sie sah aus wie immer, und für einen Moment fühlte ich mich schuldig, daß ich an ihr zweifelte. Nur die Schlüssel sprachen einen andere Sprache.

Als Detective Sergeant Miller ankam, sah er ungeduldig und gerötet aus. Am Nachmittag war es fast unerträglich heiß geworden. »Sind Sie soweit?« fragte er und blickte auf seine Armbanduhr, als hätte ich gerade etwas Impertinentes gesagt.
»Ja. Vielen Dank, daß Sie gekommen sind. Ich weiß, daß das sehr an den Haaren herbeigezogen klingt.«
Er ging um seinen Wagen und öffnete die Tür. »An den Haaren herbeigezogen? Das trifft es nicht mal annähernd. Völlig verrückt, das klingt besser. Sie lassen sich von diesem Haus ins Bockshorn jagen. Nächstes Mal rufen Sie mich an und erzählen mir, Sie hätten Satan persönlich gesehen.«
»Das glaube ich nicht«, antwortete ich und versuchte, ganz neutral zu klingen, während er zurücksetzte und um Pickerings Renault herumfuhr.
»Ist der Reverend noch nicht gekommen, um seinen Wagen abzuholen?«
»Er hatte den Schlüssel verloren«, antwortete ich. »Er wollte nach Hause gehen und den Ersatzschlüssel holen. Aber bislang habe ich ihn nicht wieder gesehen.«
»Sonderbar«, sagte Miller. »Er braucht seinen Wagen für seine Runde.«
»Vielleicht hat er den Wagen seiner Frau genommen.«
»Der ist in der Werkstatt. Sie hatte letzte Woche einen Unfall auf dem Parkplatz in Ventnor.«
»Wurde jemand verletzt?«
Miller schüttelte den Kopf. »Mrs. Pickering selbst wäre beinahe verletzt worden. Sie hat einen Einkaufswagen gerammt und die Einkäufe für eine ganze Woche plattgefahren.«
Ich drehte mich um, während wir Fortyfoot House hinter uns ließen. Liz und Danny standen auf der Veranda und winkten uns nach. *Aber da winkte noch jemand. Hinter einem Fenster der Schlafräume oder unter dem Dach glaubte ich, Charity zu sehen. Ihr Gesicht hatte den Ausdruck*

von Angst und Verzweiflung. Und sie winkte nicht zum Abschied, sondern um Hilfe! Um Himmels willen!

»Halten Sie an!« rief ich.

»Was?« fragte Miller, der gerade auf die Straße gefahren war.

»Halten Sie bitte an! Ein Stück zurück ... das reicht. Ich muß etwas sehen.«

Ungeduldig tat Miller, worum ich ihn bat. Ich starrte zu dem Fenster, an dem ich Charity gesehen hatte, aber jetzt war von ihr nichts mehr zu sehen.

»Schon gut«, sagte ich schließlich. »Vielleicht haben Sie recht, vielleicht lasse ich mich von dem Haus *wirklich* ins Bockshorn jagen.«

»Es würde mich nicht überraschen«, meinte Miller und fuhr erneut los.

»Wie hörte sich Mrs. Pickering an, als sie bei Ihnen anrief?« fragte ich.

»Ich glaube, sie klang ganz normal. Um ehrlich zu sein, habe ich darauf nicht wirklich geachtet.«

»Hat sie Ihnen gesagt, *was* ihr Mann die ganze Nacht getrieben hat?«

Miller bremste ab, da die Hauptstraße unseren Weg kreuzte. »Wenn ein Ehemann die ganze Nacht über nicht zu Hause ist – und vor allem, wenn es ein *Vikar* ist –, dann stellen wir nicht so viele unangenehme Fragen. Ist nicht unser Job.«

Nachdem er auf die Hauptstraße eingebogen war, sagte er: »Ihnen ist doch klar, daß wir uns vollkommen zum Narren machen können.«

»Ich glaube das nicht«, erwiderte ich. »Ich versuche, mir einzureden, daß Pickering *nicht* wie Brown Jenkin aussah, aber es war einfach so. Nur für den Bruchteil einer Sekunde. Die Zähne, die Haare, alles. Kein Zweifel.«

Miller tat mit aller Kraft auf die Bremse und lenkte den Wagen an den Straßenrand. Der Lastwagen hinter ihm hupte wie wild, während Miller sein Fenster herunterkurbelte und schrie: »Du mich auch!«

Dann wandte er sich wieder mir zu. »Sie glauben *wirklich*, daß es nicht Reverend Pickering war?«

Ich nickte, während mein Mund trocken wurde. Vielleicht hatte ich Miller doch nicht so sehr auf meiner Seite, wie ich gedacht hatte. »Wie gesagt, es war nur für den Bruchteil einer Sekunde. Wenn ich in dem Moment gezwinkert hätte, wäre es schon wieder vorüber gewesen.«

»Und wenn er die Tür öffnet und völlig normal ist?«

»Keine Ahnung. Wir sollten einfach nachsehen, ob Mrs. Pickering in Ordnung ist.«

Miller überlegte einen Moment lang, dann ließ er den Wagen wieder an und fädelte sich ohne zu blinken in den fließenden Verkehr ein, was erneut zu einem Hupkonzert und wüsten Beschimpfungen führte.

Die Opferung

Wir erreichten das Vikariat, und Miller fuhr in die Einfahrt. Dort stand nur ein altes, in Schwarz lackiertes Fahrrad, das gegen die Veranda gelehnt war. Die Katze der Pickerings hatte es sich auf dem Sattel bequem gemacht und beobachtete uns aus den Augenwinkeln, während wir zur Tür gingen und klingelten. Niemand reagierte, also klingelte ich nochmals. Ich konnte das Echo der Klingel im Flur hören.

»Sie könnte jetzt natürlich einkaufen«, sagte Miller. »Und der Reverend kann überall sein. Er macht Krankenhausbesuche, sieht nach den alten Leuten und so weiter.«

Ich dachte, daß *ich* als alter Mensch ganz bestimmt nicht von Brown Jenkin besucht werden wollte. Miller beugte sich vor und öffnete die Briefklappe, spähte hindurch in den Flur und rief: »Hallo? Mrs. Pickering? Jemand zu Hause?«

Wieder keine Antwort. Miller sah weiter durch den Schlitz, dann richtete er sich auf, um aus seiner Jackentasche ein kleines schwarzes Ledermäppchen zu holen. Er öffnete es, und zum Vorschein kam ein Dietrich. »Das ist nicht immer so einfach, wie es im Fernsehen aussieht«, sagte er. »Vielleicht müssen wir die Tür doch noch eintreten.«

»Wieso?« fragte ich. »Es ist doch niemand zu Hause.«

»Das weiß ich noch nicht«, erwiderte er düster. »Sehen Sie mal durch den Briefschlitz, und dann sagen Sie mir, was Sie da sehen. Auf der linken Seite, in der Nähe der offenen Tür. Auf dem *Boden*!«

Ich versuchte, etwas zu erkennen. Der polierte Parkettboden schien mit einem Muster überzogen zu sein, oder vielleicht hatte jemand eine dunkle, glänzende Farbe fallen lassen. Ich konnte es nicht erkennen, also richtete ich mich wieder auf und zuckte mit dem Schultern.

»Nein?« fragte Miller. »Sie wissen nicht, was das ist? Vielleicht haben Sie in letzter Zeit noch nicht genug davon gesehen. Es ist Blut.«

»Oh, Jesus«, sagte ich leise.

»Genau. Oh, Jesus. Und Sie, mein Freund, werden so einiges erklären müssen. Zum Beispiel, wie es kommt, daß Sie ein so unglaubliches Talent besitzen, die Leichen gerade erst verstorbener Menschen zu entdecken. Das entwickelt sich allmählich zu einer Poirot-Geschichte. Oh, Scheiße, dieses Schloß ist ja fast Houdini-sicher.«

Nach einigen weiteren Versuchen vernahmen wir aber dann doch noch ein erfreuliches Klicken, und dann ging die Tür auf. Sofort roch ich einen sonderbaren, markanten Geruch, eine Mischung aus etwas Süßem und Zerfall. Es war ein Haus, in dem sich etwas Totes befand.

»Sie können hier warten, wenn Sie wollen«, schlug Miller vor, ohne mich anzusehen. »Allerdings nur, wenn Sie mir versprechen, daß Sie nicht abhauen.«

»Nein, ich komme mit Ihnen. Ich will sehen, was hier passiert ist. Ich muß es sehen.«

Wir gingen langsam durch den Flur und näherten uns der Stelle, die ich für einen Schatten oder einen Schal auf dem Boden gehalten hatte. Jetzt bestand kein Zweifel mehr daran, daß es sich um Blut handelte. Eine große, dunkelrote Pfütze, auf der sich bereits Fliegen tummelten.

»Hier ist jemand abgeschlachtet worden, und das sehr gründlich«, sagte Miller mit tonloser Stimme. Er ging wie eine Ballerina auf Zehenspitzen in den Salon, um nicht in die Blutlache zu treten. Dann stand er lange Zeit einfach nur da und war so stumm, daß ich mich ernsthaft zu fragen begann, ob er vergessen habe, wo er sich befand, oder ob er möglicherweise im Stehen eingeschlafen sei.

»Sergeant?« fragte ich. Miller erwachte aus seiner Trance, hob die linke Hand und machte eine fast nicht wahrnehmbare Geste. »Sie kommen besser her und sehen sich das an«, sagte er. »Immerhin könnten Sie das veranstaltet haben. Ich möchte Ihre Reaktion beobachten.«

»Ist es Mrs. Pickering?« fragte ich. Meine Stimme klang erstickt und fremd.

Er nickte. »Kommen Sie und sehen Sie selbst.«

Mit zwei Schritten war ich im Zimmer. Es war ein großer Raum, der von der nachmittäglichen Sonne hell ausgeleuchtet wurde. Es gab einen Kamin aus Marmor, schwere, bequeme Sessel aus den dreißiger Jahren. Ein poliertes Tablett mit verzierten Beinen diente als Kaffeetisch. Ausgaben des *Daily Telegraph Magazine* sowie der *Church Times* und des *Punch* waren ordentlich in einen Zeitschriftenständer gepackt. Es war ein völlig normaler Salon an einem warmen Sommernachmittag in einem südenglischen Vikariat.

Das Zimmer war so normal, daß das Entsetzen in seiner Mitte zehnmal schlimmer war als jeder Anblick eines schweren Verkehrsunfalls auf der M25 mit Toten und Verletzten oder in der Notaufnahme jedes größeren Krankenhauses. Das Blut hatte mich darauf vorbereitet, eine Leiche zu sehen. Aber nichts auf dieser Welt hätte mich auf die Art vorbereitet, wie der Tod eingetreten war. Ich stand neben Miller und ging buchstäblich in die Knie – eine schreckliche, ungewollte Bewegung.

In einem der Sessel saß der kopflose Leichnam von Mrs. Pickering. Sie hatte eine pfirsichfarbene Seidenbluse und einen weißen Baumwollrock getragen, doch von beiden waren nur noch kaum wiederzuerkennende Fetzen übrig. Ihr gesamter Körper war mit solcher Gewalt zerrissen worden, daß Haut und Fettgewebe in Stücken auf den Armlehnen verteilt lagen.

... *in gay profusion lying there – scarlet ribbons, scarlet ribbons ....*

Die Opferung

Ihr blutiger Halsstumpf ragte aus dem blutgetränkten Kragen ihrer Bluse heraus, den größten Teil ihrer inneren Organe – Lunge, Leber und Magen – hatte man durch ihre Luftröhre aus dem Körper gerissen und auf ihren Schultern verteilt. Es wirkte wie eine groteske Parodie auf das Wandgemälde von Kezia Mason mit Brown Jenkin auf ihren Schultern.

Ich konnte ihre Rippen und ihr Becken durch das zerfetzte Fleisch hindurch erkennen. Die Knochen glänzten weiß, nur wenige Fleischreste hingen noch an ihnen. Ihr Korsett und ihr Hüftgürtel waren in Stücke gerissen worden, ein Akt, der gerade bei der Frau des Vikars noch entsetzlicher wirkte als die Tatsache, daß man sie geköpft hatte. Zwischen ihren Beinen lag ein tropfendes Wirrwarr aus Innereien.

Alles war voller Blut. Die Wände, der Teppich, der Spiegel, die weißen Teerosen auf dem Tisch.

Zuerst konnte ich ihren Kopf nirgends entdecken. Ich wandte mich Miller zu und sagte: »*Wo ist ihr Kopf?*«

Er deutete auf eine Ecke des Zimmers. Sein Gesicht war grau und versteinert. Ich versuchte, das zu erkennen, was er mir zeigte, aber mein Verstand war einfach nicht in der Lage, ihm zu folgen.

»Um Himmels willen, Sergeant!« schrie ich ihn nahezu an. »Wo ist ihr Kopf?«

Wieder deutete er in die Ecke, aber ich sah nur das braun lackierte Sideboard mit dem blutbespritzten weißen Läufer und dem Goldfischglas darauf.

Jesus, das Goldfischglas!

Das Wasser in dem Glas hatte eine rosarote Färbung. Zwei kleine Goldfische versuchten, in ihrem überfüllten Heim zu schwimmen, doch der eine schnappte nach Luft, der andere hatte eine verletzte Schwanzflosse.

Durch das trübe Wasser starrte mich das durch die Wölbung des Glases gräßlich verzerrte Gesicht von Mrs. Pickering an. Ihre Augen waren weit aufgerissen, ihr Mund war mit farbigen Kieselsteinchen gefüllt. Miller ging auf das Sideboard zu und starrte das Fischglas an. Mrs. Pickerings angegrautes brünettes Haar trieb wie Tang an der Oberfläche.

»Können Sie ihn nicht da rausholen?« fragte ich heiser. Mrs. Pickerings Kopf bewegte sich leicht, so daß es aussah, als würde sie mir nachblicken, während ich näherkam.

Miller schüttelte den Kopf. »Unmöglich. Jedenfalls nicht, ohne das Glas zu zerbrechen.«

»Was?« fragte ich. »Wenn Sie den Kopf nicht herausholen können, ohne das Glas zu zerbrechen, wie ist er dann *hinein*gekommen?«

Detective Sergeant Miller sah sich im Zimmer um. »Sie hatten von Anfang an recht«, sagte er. »Fortyfoot House *ist* verflucht oder besessen oder was auch immer. Und Brown Jenkin existiert wirklich, ganz egal, was die Polizei der Isle of Wight denkt.«

Er ging hinüber zu dem geöffneten Fenster, das den Blick auf einen Rosengarten bot. Der Garten hätte in keinem stärkeren Kontrast zu dem abscheulichen Blutbad im Zimmer stehen können. »Sehen Sie«, sagte er und zeigte auf blutige Abdrücke auf der Fensterbank und auf dem Glas. Es waren Pfotenabdrücke, die von einem Nagetier stammten. Das einzige, was sie von denen einer gewöhnlichen Kanalratte unterschied, war die enorme Größe.

Es war alles real, Brown Jenkin, Kezia Mason und auch Yog-Sothoth, wie Lovecraft das Böse genannt hatte. In dem Augenblick schoß mir eine Gedanke wie ein Aufschrei durch den Kopf: Danny!

»Wohin wollen Sie?« herrschte Miller mich an, als ich mir einen Weg aus dem Raum bahnte.

»Das Haus! Liz hat Danny! Und ich wette, daß Brown Jenkin auch dort ist!«

»Was reden Sie da? Wir können doch nicht einfach ...« Er sah sich verzweifelt in dem blutigen Zimmer um.

»Sergeant«, flehte ich ihn an. »*Bitte!*«

20. Der Garten von Morgen

Als wir in die enge Straße einbogen, die in Richtung Fortyfoot House führte, spürte ich bereits, daß etwas nicht stimmte. Obwohl es ein sonniger, warmer Nachmittag war, hatte der Himmel über Fortyfoot House etwas *Düsteres* an sich. Außerdem konnte ich Erschütterungen spüren. Die Luft um das Haus herum war verzerrt, und als wir das Haus erreicht hatten, sah ich Störungen in der Luft, die wie eine Fata Morgana wirkten. Die Bäume schienen sich zu verbiegen, und Fortyfoot House wirkte so, als schwebe es einige Zentimeter über dem Boden.

Miller lenkte seinen Wagen in die Einfahrt, stieg aus und schlug die Tür zu. »Passen Sie auf, was Sie machen«, rief er mir zu. »Technisch gesehen verfolgen wir einen mutmaßlichen Mörder, und dabei darf ich das Leben von Zivilpersonen nicht in Gefahr bringen.

Ein lautes, dröhnendes Stöhnen kam von Fortyfoot House zu uns herüber, als sei es kein Gebäude, sondern eine gewaltige Bestie, deren Seele bis in die Grundfesten erschüttert wurde. Grelle, blauweiße Lichter zuckten hinter den Fenstern im oberen Geschoß.

Die Opferung

»›Technisch‹ interessiert mich einen Scheißdreck«, gab ich zurück. »Mein Sohn ist da drin.«

Ich versuchte, die Haustür zu öffnen, aber sie schien verschlossen, nein, *verschmolzen* zu sein, als bilde sie eine Einheit mit dem Türrahmen. Das Schloß war aus massivem Messing, aber das Schlüsselloch fehlte. Auf übernatürliche Weise wurde uns der Zutritt verwehrt.

»Das hat keinen Sinn«, sagte ich.

»Zur Küchentür«, rief Miller und warf einen flüchtigen Blick auf seine Uhr. »Die Verstärkung wird jeden Moment hier sein.«

Wir rannten ums Haus. Die seltsame strahlende Finsternis lag auch über dem gesamten Garten. Die Eichen bogen sich in einem Wind, von dem ich nichts fühlte, und hier und da war ein Scharren in den Büschen zu hören. Hinter den Bäumen strahlte die See so matt wie beschlagenes Blei.

Wir liefen über die Veranda, und ich versuchte mein Glück an der Küchentür, die aber genauso verschlossen war wie die Vordertür. Miller zog sein Funkgerät aus der Tasche und sagte: »George? Wo zum Teufel bleibt ihr? Ich brauche zwei Trupps am Fortyfoot House, aber so schnell es nur geht!«

Ich hörte eine weit entfernte Stimme etwas von ›Straßenarbeiten in Luccombe Village‹ sagen. Miller erwiderte nichts, doch sein Gesichtsausdruck machte jeden Fluch überflüssig. »Was ist los?« fragte ich. »Kommen sie oder nicht?«

»Sie kommen«, sagte er atemlos. Dann: »Gibt es noch eine andere Tür? Es muß doch einen Weg ins Haus geben.«

Wieder erschütterte ein tiefes Grollen Fortyfoot House in seinen Grundfesten. Irgendwo in den Weiten meines Unterbewußtseins konnte ich einen langsamen, vertrauten Gesang hören: »*N'ggaaa – n'ggaaa – sothoth – n'ggaAAA.*« Ein gereiztes Krachen war zu vernehmen, und die Steinplatten der Veranda begannen sich unter unseren Füßen zu bewegen, als bohre sich ein riesiger Tausendfüßler unter ihnen durch die Erde. Die Fenster knarrten in ihren Rahmen, und ein kleiner Schauer aus Dachziegeln regnete vom Dach herab und zerschellte auf der Erde.

»Danny!« schrie ich. »Danny, bist du da drin? Danny!«

Der langsame Gesang hielt an, und das Gebäude zitterte förmlich. Wieder rutschten Dachziegel vom Dach, von denen mich einer an der Schulter traf.

»*Sollte* Danny hiersein?« schrie Miller.

»Ich weiß nicht, wo er ist. Liz wollte einen Spaziergang mit ihm machen, aber da ich jetzt weiß, daß Liz nicht Liz ist ...«

»Liz ist nicht Liz? Was soll denn das schon wieder heißen?«

»Sie ist ein *Ding*, eine Art antiker Geist. Ich weiß nicht. Wenn ich es erklären will, ergibt es keinen Sinn mehr. Aber es sind Geister aus einer prähistorischen Zeit, die durch die Jahrhunderte hinweg von einer Frau nach der anderen Besitz ergriffen haben und darauf lauern, daß ihre Zeit kommt, damit sie wiedergeboren werden können.«

Miller sah erst mich an, dann das nachgebende Dach von Fortyfoot House. Wieder lösten sich Dachziegel und stürzten zu Boden, diesmal gefolgt von einen Stück Fensterbank. Hätte er nicht selbst mitangesehen, wie das Gebäude stöhnte und erbebte, dann hätte er mich vermutlich auf der Stelle einweisen lassen. Aber es bestand kein Zweifel daran, daß eine gewaltige und verzweifelte Macht Fortyfoot House erzittern ließ. Und auch nicht, daß die Bösartigkeit dieser Macht über jegliches menschliche Vorstellungsvermögen hinausging. Wenn seine Verwandten mit solcher Boshaftigkeit töten konnten, welchen Schrecken konnte dann die Macht selbst verbreiten?

Brown Jenkin tötete sinnlos und sadistisch, zu seinem eigenen Vergnügen. Er hatte mit einem menschlichen Leben genauso wenig Mitgefühl wie ein kleines Kind, das einem Käfer die Beine ausreißt. Aber er war nichts weiter als der Laufbursche von Kezia Mason, und die war ihrerseits nicht mehr als das Kuckucksnest, in dem Yog-Sothoth auf seine Erneuerung wartete.

Alles schien auf eine absurde Weise apokalyptisch. Das Ende der uns bekannten Welt. Ein Wechsel in der natürlichen Rangordnung, eine andere Spezies, die die Menschheit dominierte. Als ich aber darüber nachdachte, wie sehr sich die Welt allein seit Beginn dieses Jahrhunderts verändert hatte – vergiftete Meere, rußgeschwärzte Himmel –, konnte ich mir vorstellen, daß die Alten wiederauferstehen *konnten* und daß sich diese gewaltige, kaltblütige Zivilisation aus vormenschlichen Zeiten wieder erheben *konnte*.

Immerhin hatten sie die jahrtausendelange Überlegenheit der Menschen überdauert, verborgen in Hexen und Hexern, in Gebäuden und in der Erde. Sie waren darauf vorbereitet, sich zu verstecken und zu warten. Inzwischen hatten wir Menschen begonnen, alles das zu zerstören, was für sie als Versteck gedient hatte. Wir rodeten die Wälder, die unsere Atmosphäre mit Sauerstoff versorgten, jedem Element, daß die Alten als Kreaturen aus den Weiten des Kosmos zutiefst verabscheuten. Wir bebauten Wiesen und Marschen hektarweise, wir legten unsere Sümpfe trocken. Wir kippten Quecksilber und radioaktive Abfälle in die Meere, wir bliesen Schwefel und Blei in die Luft. Ob die Alten uns dazu möglicherweise heimlich antrieben oder nicht, in jedem Fall machten wir die Welt nach und nach wieder zu dem, was sie einmal

Die Opferung

gewesen war. Eine Welt der toten Ozeane und der finsteren Himmel, eine Welt der Schwermetalle und der arktischen Kälte.

Ich sah zu Miller und sagte: »Sie haben das nicht gesehen.«

»Was habe ich nicht gesehen?« fragte er verwundert.

Ich überquerte die Veranda und nahm eine der Steinschalen von der Wand, in denen einmal Geranien geblüht hatten. Sie wog so viel, daß ich sie kaum heben konnte. Auf halbem Weg zurück zum Haus mußte ich sie absetzen, woraufhin Miller zu mir kam und half, nachdem er verstanden hatte, was ich vorhatte.

»Ich habe nichts gesehen«, sagte er.

Gemeinsam schleppten wir die Schale bis zum Küchenfenster, holten aus und warfen sie gegen das Glas. Die Schale riß einen Teil des Fensters aus dem Rahmen und flog gegen die Spüle. Ich schlug ein paar übriggebliebene spitze Splitter aus dem Rahmen, dann sprang ich durch das Fenster in die Küche, dicht gefolgt von Detective Sergeant Miller.

»Wir sind in fünf Minuten da, Dusty«, quäkte es aus dem Funkgerät.

Wir gingen durch die Küche, während unter unseren Schuhen Glas brach. Im Haus war ein *Summen* zu hören, als stünden wir in einem Hochspannungswerk. Sobald ich mich einer der Wände näherte, spürte ich, wie sich meine Haare statisch geladen aufrichteten.

Als ich die Küchentür öffnen wollte, sprangen Funken vom Türgriff auf meine Fingerspitzen über. Mit einem Küchenhandschuh gelang es mir schließlich, die Tür aufzumachen.

Im Flur blieben wir stehen und lauschten. Der Gesang war nicht abgerissen, doch er war so tief, daß ich nicht wußte, ob ich ihn noch hörte oder nur noch fühlte.

»*Mmm'ngggaaa, nn'ggaaa, sothoth, yashoggna ...*«

Miller räusperte sich nervös und sagte: »Glauben Sie, daß Danny hier ist? Ich kann jedenfalls niemanden hören. Sie?«

»Danny?« rief ich, dann ging ich zur Treppe und schrie: »*Danny! Daddy ist hier! Bist du da?*«

Ich wartete, während meine Hand auf dem Endpfosten des Geländers ruhte. Ich glaube, es sollte eine mutige Geste sein. Alles in Fortyfoot House fühlte sich so an, als *krieche* es – die Wände, der Boden, das Geländer. Ich hätte alles gegeben, um zurück in die Küche zu rennen und aus dem Fenster zu springen, um mich so weit von Fortyfoot House zu entfernen, wie mich der nächste Bus bringen konnte.

Doch dann hörte ich ein ganz leises Geräusch, das eigentlich mehr nach einem kleinen Kätzchen als nach einem Kind klang. Doch man erkennt immer die Stimme des eigenen Kindes, ganz egal, wie leise oder verzerrt sie auch sein mag.

»Was ist das?« fragte Miller, doch ich hatte schon die Hälfte der Stufen zurückgelegt und rief: »Danny! Danny, hier ist Daddy!«

Die Tür zum Speicher stand offen, übelriechender Rauch wurde mit dem Luftzug ins Haus geweht. Es war der stechende Gestank, den ich schon zuvor wahrgenommen hatte und der mich an Tränengas oder brennende Reifen erinnerte.

Ich preßte mir ein Taschentuch vor Mund und Nase, als ich hinter mir Miller hörte: »Um Gottes willen, David, passen Sie auf! Im Wagen gibt es Atemschutzgeräte!«

In diesem Moment hörte ich wieder das leise, gedämpfte Jammern, und diesmal war ich sicher, daß es sich um Danny handelte. Ich würde nicht zulassen, daß Brown Jenkin ihn in seine Klauen bekam, ob mit oder ohne Atemschutzgerät.

Ich eilte die Stufen hinauf zum Speicher und sah mich um. Der gesamte Dachboden war mit grauem, durchdringendem Licht gefüllt, und mit Rauch, der in den Augen stach. Das Dachfenster war offen, und eine Trittleiter war daruntergestellt worden. Brown Jenkin befand sich auf halber Höhe auf dieser Leiter, und ganz oben stand Danny, der bereits Kopf und Schultern durch den Rahmen gesteckt hatte.

Am Fuß der Leiter stand Liz, ihr Gesicht war weiß, sie wirkte schockiert. Ihre Hände ruhten auf den Schultern des Kindes, das sie mir als Produkt meiner überanstrengten Phantasie hatte einreden wollen: Charity.

»Jenkin!« brüllte ich. »*Verdammter Brown Jenkin!*«

Er wirbelte seinen Kopf herum und sah mich mit seinen gelben, kranken Augen an. Seine Kleidung wirkte wie eine Parodie auf die eines Geistlichen, ein schmutziger, ehemals weißer Kragen, ein angestaubtes Jackett, eine schwarze Weste, die mit Suppenflecken übersät war. Eine Klaue war erhoben und drängte Danny, durch das Dachfenster zu klettern. Mit der anderen hielt er sich an der Leiter fest.

»Jenkin, laß ihn in Ruhe!« schrie ich. Doch als ich auf ihn zustürmte, hob Liz eine Hand und richtete sie direkt auf meine Brust. Ein Gefühl, als werde mein Herz auf eine heiße Herdplatte gepreßt, ergriff von mir Besitz. Ich blieb stehen und faßte mir an die Brust. Ich hatte das Gefühl, daß der Rauch meines schmorenden Herzens aus meinem Mund entweichen mußte. Obwohl der Schmerz so entsetzlich war, konnte ich nicht mal Luft holen, um zu schreien. Ich fiel auf die Knie und hustete. Mein Herz brannte, und obwohl ich *wußte*, daß es nicht wirklich so war, daß Liz einfach nur ihre Hexenkraft spielen ließ, um mich von Brown Jenkin fernzuhalten, hatte ich das Gefühl, auf der Stelle sterben zu müssen.

Die Opferung

Brown Jenkin bekam Dannys Beine zu fassen und schob ihn so nach oben, daß er den Halt verlor und schreiend aus dem Fenster fiel. Dann folgte Brown Jenkin ihm mit einem kräftigen Satz.

»Jenkin!« keuchte ich, aber ich schaffte es nicht, mich aufzurichten und ihm zu folgen. Er spähte durch das Dachfenster auf den Dachboden und lachte mich aus.

»Idiot-fucker, du kannst mich niemals fangen! Adieu bastard cet fois for always! Merci pour ton fils! Was für ein schmackhafter Knabe, nicht wahr, fucker?«

»Jenkin, ich bringe dich um!« drohte ich ihm. Meine Stimme war aber so belegt, daß ich nicht annahm, von ihm gehört zu werden.

»Und nun zu dir, Charity, rauf mit dir!« sagte Liz und schob sie auf die Trittleiter zu. Brown Jenkin streckte ihr vom Dachfenster mit dem boshaftesten Grinsen, zu dem er in der Lage war, seine Klauen entgegen. Charity starrte ihn mit weitaufgerissenen Augen an.

Auf der Treppe zum Dachboden hustete jemand. Noch immer vor Schmerz gekrümmt, drehte ich mich um und sah, daß sich Detective Sergeant Miller einen Weg durch den Rauch bahnte.

»Sie da!« schrie er Liz an. »Lassen Sie das Mädchen in Ruhe!«

»Sergeant ...«, japste ich. »Ich kann nicht ...« Ich deutete auf das Dachfenster.

Miller sah nach oben und entdeckte Brown Jenkin. Sein Mund ging auf. Er hatte von Brown Jenkin gehört, er hatte gesehen, zu welchen Dingen Brown Jenkin in der Lage war. Aber als er dieses böse, viel zu große Nagetier jetzt zum ersten Mal mit seinen eigenen Augen sah, schien er förmlich zu erstarren.

Das Brennen in meiner Brust ließ allmählich nach, und ich schaffte es unter Schmerzen, wieder aufzustehen. Liz hob Charity hoch, damit Brown Jenkin sie übernehmen konnte, doch Charity schrie und trat und strampelte. »Laß mich los! Laß mich *los*!« Doch Liz schien unnatürliche Kräfte zu besitzen. Sie hob Charity mühelos immer höher, egal, wie sehr das Kind sich auch zur Wehr setzte.

»Ah, ma chere petite«, sagte Brown Jenkin. *»I serve you mit Kartoffeln und Sauerkraut, oui?«*

Mit schriller Stimme rief Miller: »Polizei! Sie sind festgenommen, lassen Sie das Kind los!«

Brown Jenkin mußte so sehr kichern, daß er sich fast übergab. Speichel lief ihm aus dem Mund, durchsetzt mit halb zerkautem Essen. *»Under arrest shit-shit! Was sagst du bastard? C'est drole, n'est-ce pas?«*

Er öffnete seine Klauen, um nach Charity zu greifen, doch in dem Augenblick geschah etwas Außergewöhnliches. Charity hörte auf zu strampeln und erstarrte förmlich. Ihr Gesicht schien zu *strahlen*, auch wenn dieser Eindruck eine Kombination aus Rauch und hellem Tageslicht sein konnte. Ihr Haar umgab ihren Kopf wie ein sanfter, wogender Heiligenschein, und ich hätte schwören können, daß sie helles weißes Licht ausstrahlte.

Liz, die wie ein schrumpfender Schatten aussah, ließ sie los, doch Charity verharrte in ihrer Position mitten in der Luft zwischen Boden und geneigter Decke.

Es war eigentlich unmöglich, aber ich sah es mit meinen eigenen Augen. Charitys Füße schwebten gut einen Meter über dem Boden des Speichers. Kein Trick, kein Netz, keine Fäden, *nichts*.

Brown Jenkin zog langsam seine Klauen zurück und betrachtete das Mädchen mißtrauisch. *»Was ist das?«* zischte er. *»Qu'est-ce que c'est?«*

Charity vollzog mitten in der Luft eine Drehung und wandte sich Liz zu. Als sie sprach, war ihre Stimme übernatürlich sanft, so als würden Tausende von Händen über Tausende von Samtvorhängen streichen. »Weiche zurück, Hexe«, flüsterte sie. Sie hob beide Arme, streckte die Finger aus und rollte die Augen nach oben, bis nur noch das Weiße zu sehen war. *»Weiche zurück, Hexe«,* wiederholte sie. Die Worte waren so verzerrt, daß ich sie kaum verstehen konnte.

Die Spannung war fast unerträglich, und dann geschah alles auf einmal. Mit einem gellenden Japsen brach Liz zusammen. Brown Jenkin schlug das Dachfenster zu und verschwand. Charity fiel zu Boden und landete auf wackligen Füßen. Der Rauch wirbelte umher, die Lichter flackerten, und Miller erwachte aus seinem Schock wie ein Mann, der bemerkte, daß er seine Haltestelle verpaßt hatte.

Sofort stürmte ich die Trittleiter hinauf, riß das Fenster auf und brüllte: *»Jenkin! Jenkin! Ich will meinen Sohn zurück!«*

Als ich aus dem Fenster sah, war ich von dem Anblick überwältigt. Ein dunkler, schwefelgelber Himmel, eine Reihe kahler Bäume, ein Garten ohne Rasen, ohne Büsche und ohne Blumen. Alles war gelb oder grau. Keine Möwen schrien, kein Insekt summte, nichts. Die See war schwarz wie Öl, und ein Blick genügte, um zu wissen, daß in dieser See kein Fisch schwamm, jedenfalls kein gewöhnlicher Fisch.

Unter dem düsteren, schwefeligen Himmel sah ich Brown Jenkin fortrennen, Danny in seinem Schlepptau. Beide wirkten wie winzige Figuren in einem Traum. Sie mußten über die Feuerleiter vom Dach geklettert sein. Ich schrie: *»Danny!«* Er versuchte, sich umzudrehen, und für einen Moment konnte ich sein ängstliches Gesicht sehen. Und dann hatte Brown Jenkin ihn schon über den Rasen in Richtung Kapelle hinter sich her gezerrt.

Die Opferung

Ich wollte durch das Dachfenster klettern, bekam aber im gleichen Augenblick einen Hustenanfall, der mich zwang, meine Füße wieder auf die oberste Stufe der Trittleiter zu stellen. Ich spürte, daß jemand an meinem Hosenbein zog. Als ich mich umdrehte, sah ich Charity, die hinter mir auf der Leiter stand und mich anlächelte. Liz hatte sich unterdessen in eine Ecke des Dachbodens zurückgezogen und war so sehr von Rauch umgeben, daß ich sie kaum sehen konnte.

»Wenn Sie ihm folgen, David«, sagte Charity, »dann kehren Sie vielleicht niemals zurück. Keiner von Ihnen.«

»Er ist mein Sohn.«

Sie lächelte und nickte. »Ich weiß. Ich war die Tochter meines Vaters. *Alle* Kinder im Fortyfoot House waren Söhne oder Töchter.«

»Wer bist du?« fragte ich sie.

Sie schloß und öffnete ihre Augen wie eine Katze. »Was Sie eigentlich von mir wissen wollen, ist, *was* ich bin.«

»Ich weiß nicht«, sagte ich. »Ist das so?«

Miller kam zu uns herüber, während er seine Augen mit seinem Taschentuch wischte. »Hören Sie«, sagte er. »Meine Leute sind gerade eingetroffen. Ich lasse sie die Umgebung absuchen. Dieses ... *Ding* ... kann Ihren Sohn nicht allzu weit verschleppt haben.«

Ich wollte ihm gerade sagen, daß sie ihre Zeit vergeuden würden, den Garten von 1992 abzusuchen, wenn Brown Jenkin Danny in die ferne Zukunft verschleppt hatte, doch Charity bedeutete mir, ich solle schweigen.

»Er soll ruhig beschäftigt sein«, sagte sie. »Er kann Ihnen nicht helfen.«

»Laß mich gehen«, knurrte Liz. »Hörst du mich, du kleines Miststück? Laß mich gehen!«

Charity drehte sich zu ihr, nickte und sorgte so dafür, daß sich Liz noch weiter in den Schatten zurückzog.

»Was zum Teufel hast du mit ihr gemacht? Was ist hier los?«

»Sie wissen, daß sie übernommen ist«, erwiderte Charity.

»Übernommen?«

»Besessen. Oder eben übernommen.«

Ich konnte nicht glauben, daß es wirklich Charity war, die da zu mir sprach. Trotzdem nickte ich verstehend. »Ich habe es gesehen. Der junge Mr. Billings hat mir erklärt, was es mit damit auf sich hat.«

»Oh, der«, sagte Charity lächelnd. »Der arme, junge Mr. Billings. Er wollte alles haben. Er wollte Heiliger und Sünder sein, Gewinner und Verlierer, solange er seine Belohnung bekam.«

»Wer bist du?« fragte ich wieder. »*Was* bist du?«

Sie berührte meine Hand, ich fühlte ihre Finger. Sie war real. Ihre Fingernägel waren abgekaut. Was hätte mich mehr davon überzeugen können, daß sie real war?

»Ich möchte Ihnen etwas erzählen«, sagte sie und flüsterte, so wie Kinder es tun, wenn sie ein Geheimnis verrieten. »Ich bin zu Ihnen als Mädchen gekommen. Aber ich bin mehr als das. Die Alten haben überlebt, indem sie sich in menschlichen Wesen festsetzten. In Kezia Mason, in Ihrer Liz, in Vanessa Charles, die eines Tages die Alten zur Welt bringen wird, die leben werden. Sie haben versucht, sich zu verstecken, aber manchmal verrieten sie sich. So wurden Hexen entdeckt und verbrannt. Nur hat die Verbrennung niemals die Alten getötet. Jede Hexe hat versucht, die drei Söhne zur Welt zu bringen, die ein Sohn werden ... die Unselige Dreifaltigkeit. Der Sohn des Samens, der Sohn des Speichels, der Sohn des Blutes. Aber manche von ihnen«, sie machte eine Geste, die sich auf sie selbst bezog, »brachten Kinder zur Welt, die mehr menschlich als vormenschlich waren. Wenn auch nicht völlig menschlich.«

»Du meinst, so wie *du*?«

»Ja«, antwortete sie lächelnd. »So wie ich. Wir wurden das, was jeder eine *weiße* Hexe nennt. Frauen, die die Gabe besitzen, andere zu heilen, die Fruchtbarkeit spenden und die die Zukunft vorhersagen können, weil wir natürlich in die Zukunft reisen und mit unseren eigenen Augen sehen konnten, was kommen würde.«

»Aber du bist ein Kind«, sagte ich. »Ein Mädchen, keine Frau.«

Ihre Augen wurden groß. »Sie sollten das Alter nie nach dem Aussehen schätzen. Die jüngsten Gesichter haben die ältesten Augen.«

»Ich verstehe das nicht. Was hast du im Fortyfoot House gemacht? Du hast diese Kräfte ... aber du warst eine Waise.«

»Ja, eine Waise, aber eine *besondere* Waise. Ich war eine Waise, weil meine Mutter im Kindbett starb. Ich war eine Waise, weil meine Mutter bei der Geburt meiner drei Brüder zerrissen wurde. *Drei* Brüder, verstehen Sie? Meine Mutter war von dem Hexen-Ding besessen, doch sie brachte mich zuerst zur Welt. Erst vier Jahre später gebar sie meine drei Brüder, die drei Söhne. Das Haus war erfüllt von schrecklichen Schreien und gräßlichen Gerüchen und blitzenden Lichtern. Natürlich starben meine drei Brüder, weil die Luft zu gut und das Wasser voller Dinge war, die sie nicht schlucken konnten. Sie lösten sich spurlos auf. Aber ...« – sie bekreuzigte sich – »... das Hexen-Ding meiner Mutter überlebte. Im Wandschrank.«

»Im Wandschrank?« fragte ich.

Meine Gedanken kehrten wieder zu Danny zurück, doch ich wußte, daß das hier wichtig war. Ich wußte, daß Charity mir helfen konnte, ihn zu retten. ›Geduld‹, sagte ich mir.

Sie nickte. »Wir hatten einen Wandschrank, und jedesmal, wenn ich ihn öffnete, sah ich blaues Licht und ein solches Gesicht.« Sie riß die Augen auf und zog mit den Fingern ihre Unterlippe herunter. »Das war meine Mutter, das war das Hexen-Ding. Und eines Tages kam Dr. Barnardo in unser Haus, um Kinder mitzunehmen. Eines der Kinder, die er sich bereits genommen hatte, war Kezia Mason. Während sich Dr. Barnardo mit dem alten Mr. Billings unterhielt, zeigte ich Kezia das Regal. Die Tür öffnete sich und das Hexen-Ding kam heraus, umarmte Kezia und übernahm sie.«

»Dann ist das Hexen-Wesen in Liz dasselbe, das auch in Kezia Mason und in deiner Mutter war?«

Sie nickte.

»Aber wenn Kezia doch im Grunde mit dir *verwandt* war, wie konnte sie dann zulassen, daß Brown Jenkin dich mitnahm?«

»Das Hexen-Wesen kennt keine menschlichen Gefühle, es hat kein Herz, es ist einfach nur eine Kreatur.«

»Warum hast du nicht Kezia so bekämpft, wie du es mit Liz gemacht hast?«

»Ich konnte nicht. Sie war viel zu stark. Aber Liz ist noch schwach, sie ist größtenteils noch menschlich. Es dauert lange, ehe ein Hexen-Wesen Körper und Seele einer Frau durchdringt und sie ganz dominiert. Aber Kezia war kaum noch menschlich, als Sie sie zum letzten Mal gesehen haben.«

»Hast du je deine Brüder *gesehen*?« wollte ich wissen. »Weißt du, wie sie aussahen?«

»Nein«, sagte Charity ein wenig traurig. »Ich war noch sehr klein, und das Zimmer meiner Mutter war immer verschlossen. Ich habe sie vor der Geburt wochenlang nicht gesehen. Dann hörte ich entsetzliche Schreie und sah grelles Licht. Durch einen Spalt in der Tür habe ich nur Blut sehen können.«

»Gibt es wirklich keine Hoffnung, wenn ein Hexen-Wesen erst einmal eine Frau übernommen hat?«

Auch wenn ich es mir nicht wirklich eingestehen wollte, glaube ich, daß ich Charitys Zustimmung haben wollte, Liz zu töten.

»Keine Hoffnung«, antwortete Charity. Sie machte mit ihren Fingern eine sonderbare Bewegung, als vertreibe sie einen lästigen Geist. »Nur die, die Zeit zu verändern. Aber wenn Sie die Zeit verändern, können Sie nie sicher sein, ob Sie nicht alles nur noch verschlimmert haben.«

»Kannst *du* die Zeit verändern?«

Sie schüttelte den Kopf. »Nicht mehr und nicht weniger als jeder andere auch. Ich bin nicht von den Alten besessen. Ich bin nicht mal eine richtige Hexe. Ich bin das Kind menschlicher Eltern. Das einzige, was mich von anderen unterscheidet, ist die Tatsache, daß meine Mutter bei meiner Zeugung von einem der Alten besessen war. Ich habe einige dieser Kräfte geerbt. Ich bin eine weiße Hexe mit fremdartigen Gedanken und Träumen. Aber ich bin menschlich. Überrascht es Sie, daß ich so spreche, wo ich doch so jung bin?«

»Hör zu«, sagte ich. »Brown Jenkin wollte dich zu einem seiner Picknicks mitnehmen, und Reverend Pickering ist bei dem Versuch gestorben, dich zu retten.«

»Ja! Das war ihre Lüge«, entgegnete Charity. »Sie hatten gesagt, sie würden nur zwölf Kinder brauchen, um die Hexe während des letzten Aktes der Erneuerung zu ernähren. Aber in Wahrheit benötigten sie Hunderte von Kindern. Zum Schluß gab Kezia auch mich her, weil sie nicht mehr Kezia war. Sie war eine von ihnen ... von den Alten. Sie war meine Mutter, aber sie war auch *nicht* meine Mutter.«

»Und was ist mit Danny?« wollte ich wissen, da die Ungeduld allmählich die Oberhand gewann. Brown Jenkin hatte ihn hinüber zur Kapelle geschleppt, und ich mußte ihm dorthin folgen, ganz gleich, welche entsetzliche Monstrosität auf mich wartete.

»Sie können ihn retten, David, ja«, sagte sie. »Aber nicht *jetzt*.«

»Was heißt ›nicht jetzt‹?« Sie war ein Kind, und trotzdem war ich derjenige, der sich *jung* fühlte.

»Sie werden ihn an das Hexen-Ding verfüttern«, sagte sie. »Sie können sie nicht aufhalten, nicht hier und nicht jetzt. Sie haben weder die Zeit noch die Mittel dafür. Aber Sie könnten in der Zeit zurückkehren und das Hexen-Ding vernichten, bevor es überhaupt existieren kann. Dann *wird* Danny nicht aufgefressen werden, weil es nichts gibt, das ihn essen könnte.«

»Was? Wie meinst du das?«

Charity bedeutete mir, zu schweigen. Sie war so blaß. »Jetzt ist die Zeit der großen Erneuerung, David. Dies ist für dich die Zukunft, das Jahr 2049. Die Erde ist so vergiftet, daß die Alten endlich atmen und aus ihrem Versteck kommen können. Aber wenn Sie zurückreisen ... in die Zeit, in der Liz ihre drei Söhne zur Welt bringt – *ihre* Unselige Dreifaltigkeit – die *nicht* überleben wird, weil es noch zuviel Sauerstoff gibt, zu viele Pflanzen, zu viele Tiere und zu viele Fische ... wenn Sie sich zu dem Augenblick begeben, in dem Liz ihre Kinder zur Welt bringt ... dann können Sie das Hexen-Ding fangen und töten, bevor es auf einen neuen menschlichen Wirt überwechseln kann.«

Sie sah mich ernst an: »Glauben Sie mir. Vertrauen Sie mir.«
»Ich weiß nicht, ob ich das kann.«
»Sie haben gesehen, wie ich schwebe und wie ich fliege.«
»Ja, aber ...«

Sie kicherte. Sie hatte wie eine Erwachsene gesprochen, aber sie war vor allem ein Kind. »Hexen können fliegen. Das wissen Sie aus den Märchen. Aber sie brauchen dazu keinen Besen.«

»Du bist also eine Hexe«, sagte ich und konnte fast nicht glauben, daß ich das sagte. Ich konnte ja kaum glauben, daß ich es *glaubte*. Aber manchmal hat man keine Wahl. Manchmal muß man die Dinge so akzeptieren, wie sie sich einem darbieten. Dinge, die auf eine unglaubliche Weise unvermeidbar sind, so wie Verkehrsunfälle. Man denkt ›es passiert schon nichts!‹, aber dann kommt es doch zur Kollision. Das empfand ich auch bei Charity. Ich konnte ihr nicht glauben, aber ich mußte es einfach tun, weil sie real war.

Während Charity mit mir gesprochen hatte, hatte Liz sich in dem Rauch bewegt, der sie umgab. Jetzt kam sie auf uns zu, beide Hände erhoben. Die Augen waren völlig rot, als seien die Pupillen mit Blut gefüllt.

Charity drehte sich langsam und würdevoll um, zog eine rosafarbenes Gänseblümchen aus ihrem Haar und hielt sie ihr entgegen. »Du besitzt nicht genug Kraft, um mir etwas anzuhaben, Hexe. Weiche zurück!« sagte sie zu Liz. Diese zuckte vor Verärgerung, aber es war nicht zu übersehen, daß sie nicht näherkommen konnte. Sie fletschte ihre Zähne und wirbelte den Kopf umher, doch Charity blieb vollkommen gelassen und hielt ihr weiter die Blume entgegen.

»Jetzt wissen Sie, warum Kinder Gänseblümchen so mögen«, sagte sie. »Das vertreibt Hexen. Kinder sind den Naturgewalten viel näher als Erwachsene. Sie hören und verstehen Dinge.«

»Ich muß los und Danny holen. Er darf nicht verletzt werden; auch wenn ich später in der Zeit zurückreisen und es verhindern kann. Ich kann es trotzdem nicht zulassen. Selbst nicht dieses *eine Mal*.«

»Es wäre besser, wenn ich hierbliebe«, sagte Charity düster, »und auf Liz aufpasse. Gegen das Hexen-Wesen, das die Alten zur Welt bringt ... gegen Vanessa Charles kann ich nichts unternehmen. Sie ist so mächtig wie seinerzeit Kezia. Sie wird mich mit einem einzigen Blick töten.«

»Dann muß ich alleine gehen.«

Charity zog an meinem Ärmel. »Sie werden den Alten gegenübertreten, David. Die haben kein Gewissen, keine Bedenken. Sie haben den Verstand von Krokodilen.«

Ich wollte gerade wieder durch das Dachfenster klettern, da drehte ich mich noch einmal um und betrachtete Charity eindringlich. Ihr

Gesicht erinnerte mich an jemanden. Sie mußte meine Gedanken erraten haben, denn sie begann langsam zu lächeln, um dann mit einer sanften, viel älter klingenden Stimme zu sagen: »Wenn ich ein grelles Licht sähe, dann würde ich an Ihrer Stelle um mein Leben rennen.«

Ich konnte es nicht fassen. »Doris Kemble«, flüsterte ich. »Du bist Doris Kemble.«

»Ich *werde* eines Tages Doris Kemble sein.«

»Dann war Doris Kemble auch eine weiße Hexe.«

Charity nickte. »Doris Kemble wird meine Enkelin sein. Sie wird nicht annähernd soviel Macht haben wie ich. Und sie wird sich nicht an mich erinnern. Aber der junge Mr. Billings wird sie beobachten, wie sie mit Ihnen spricht, und er wird sie für eine Bedrohung halten. Er wird Brown Jenkin schicken, damit er sich ihrer annimmt.«

»Also wurde sie von Brown Jenkin getötet?«

»Ja«, sagte Charity. »Und Harry Martin ebenfalls.«

Draußen im Garten hörte ich ein Kind schreien. »Ich muß los.«

»Ich wünschen Ihnen jeden Segen«, erwiderte sie und schwebte ein Stück nach oben, um mich auf die Stirn zu küssen. Dann sank sie wieder zu Boden. Ich war so perplex, daß ich fast vergaß, durch das Dachfenster zu klettern.

Ich zog mich hoch und stieg durch das Fenster. Die Dachziegel waren mit einem grauen Schleim überzogen, der aussah wie eine Mischung aus verschiedenen Schwermetallen und verfaulendem Moos. Ich spürte ein Prickeln auf meinem Gesicht und ein Stechen auf meinen Handrücken. Saurer Regen ... fast so intensiv wie Batteriesäure.

Ich balancierte auf der rostigen Dachrinne entlang, immer bemüht, nicht nach unten zu sehen auf die nasse, schmierige Veranda gut zwanzig Meter unter mir. Schließlich hatte ich die Feuerleiter erreicht und umschloß den verrosteten Handlauf. An einigen Stellen war sie völlig zerfressen, und im unteren Drittel fehlten sechs oder sieben Sprossen. Aber wenn Danny und Brown Jenkin den Weg nach unten geschafft hatten, dann würde es auch mir gelingen.

In der Ruine, die einmal die Kapelle gewesen war, zuckten unirdische Lichter, und ich konnte den tiefen, monotonen Gesang der Alten hören. Noch ein weiterer Gesang war zu vernehmen, der sich am anderen Ende des Klangspektrums bewegte: ein hoher, fast schon nicht mehr hörbarer Ton.

Ich sah, wie Brown Jenkin Danny über den Friedhof hinter sich herzog, auf dem das Unkraut abgestorben war, und dann zerrte er ihn durch die halb in sich zusammengefallenen Türflügel. Danny versuchte, sich loszureißen.

Die Opferung

»O Gott im Himmel, paß auf mich auf«, sagte ich, obwohl ich nicht sicher war, daß es 2049 noch einen Gott *gab* – wenn es ihn überhaupt jemals gegeben hatte.

Vorsichtig wandte ich mich ab und begann, nach unten zu klettern. Ein oder zwei Mal sah ich hinunter, um festzustellen, ob die Sprossen mein Gewicht hielten. Jedesmal war der Garten schwindelerregend weit entfernt. Ich hatte fast die Hälfte der Strecke zurückgelegt, als ich jemanden meinen Namen rufen hörte.

»David! David! Warten Sie auf mich!«

Ich sah nach oben und mußte wegen des Regens blinzeln. Detective Sergeant Miller hatte sich über die Brüstung gebeugt und winkte mir zu; seine blonden Haare waren so naß, daß sie am Kopf klebten, seine Brillengläser beschlagen, sein Gesicht noch rötlicher als üblich. Sein Gesicht war das einzige Lebendige in dieser gelblich-grauen Landschaft.

»Sie haben Danny zur Kapelle gebracht«, rief ich ihm zu.

Er begann, mir nachzuklettern. »Ich habe den Garten nach ihm abgesucht«, keuchte er. »Natürlich haben wir nichts gefunden. In dem Moment wurde mir klar, was es mit Fortyfoot House auf sich hat. Verschiedene Zeiten! Verschiedene Gärten! Natürlich konnte ich den Holzköpfen nicht sagen, wohin ich gehen wollte. Sie hätten mir kein Wort geglaubt.«

»Machen Sie langsam«, rief ich. Er stieg mit solchem Eifer die Leiter hinunter, daß sie zu wackeln begann und einige Verankerungen in der Hauswand bedenklich knirschten. Wir wollten nicht nur sicher nach *unten* kommen, wir wollten auch wieder nach oben klettern können.

Schließlich hatte ich die unterste Sprosse erreicht und sprang das letzte Stück auf die Veranda hinab. Miller folgte mir fast auf dem Fuß, mußte aber die Hände zu Hilfe nehmen, um sich abzustützen. Er wischte den grauen Schleim von seinen Fingern und schnupperte mißtrauisch. »Was ist denn das?« wunderte er sich. »Alles ist davon überzogen, sieht aus wie eine Mischung aus Quallen und Leichen.«

»Wahrscheinlich ist es das auch«, erwiderte ich.

Wir eilten durch den Garten in Richtung Bach. Von der Sonnenuhr war nur noch ein Stumpf übrig, der an einen verfaulten, zerfallenen Zahn erinnerte. Auf der rutschigen, toten Vegetation glitten wir immer wieder aus, während die schwefelhaltige Luft unsere Lungen so sehr reizte, daß wir fast unaufhörlich husten mußten.

Es floß noch immer ein Bach durch den Garten, aber es war eine dickliche, braune Flüssigkeit, die nach Abwasser stank. Wir versuchten, den Bach mit einem Sprung zu überwinden, doch Miller rutschte am gegenüberliegenden Ufer aus und trat mit einem Fuß bis zur Oberkante seiner Socke in die Flüssigkeit.

»Oh, Scheiße«, fluchte er, während er den Fuß schüttelte.

»Damit könnten Sie recht haben«, bemerkte ich.

Wir erklommen den Hügel, der zur Friedhofsmauer führt. Die Erde unter unseren Füßen zitterte, als fahre eine unendlich lange U-Bahn unter uns hindurch. Hinter der Kapellenwand zuckten grelle Lichtblitze auf. Ich hörte panische Schreie und ein schreckliches Stöhnen ... und noch etwas anderes: Die unverkennbare Stimme des jungen Mr. Billings, der in einer Sprache eine haarsträubende Beschwörung rezitierte, von der ich nicht einmal hoffte, sie aussprechen zu können. Davon, sie zu verstehen, völlig abgesehen. Es klang nach keiner menschlichen Sprache, die ich jemals gehört hatte. Es war mehr wie das Zwitschern riesiger Insekten, vermischt mit den Unterwasserlauten von Delphinen. *Tekeli-li! Tekeli-li!*

Miller und ich eilten gebückt zwischen dem Unkraut des Friedhofs hindurch, dessen Grabsteine inzwischen fast alle umgestürzt, zerbrochen und zerfressen waren, nachdem sie jahrelang in saurem Regen gestanden hatten. Ein aus Stein gehauener Engel wies statt prachtvoller Flügel nur noch mißgestaltete Stümpfe auf, und sein Gesicht hatte sich soweit aufgelöst, daß es eher einem Affen mit flacher Stirn glich.

Wir erreichten die Tür der Kapelle. Diesmal würde es viel einfacher als noch 1992 sein, in das zerfallene Gebäude zu gelangen, da ein Großteil der Holzbohlen längst verrottet war.

»Wie sieht Ihr Plan aus?« fragte Miller.

»Was?«

»Ich meine, was wollen Sie machen, wenn Sie hineingegangen sind?«

»Wie soll ich das wissen? Ich werde mir Danny schnappen und loslaufen. Was soll ich sonst machen?«

»Sie brauchen irgendeine Ablenkung. Sonst werden Sie nicht mal fünf Meter zurücklegen können.«

Ich überlegte. »Ich schätze, Sie haben recht. Was schlagen Sie vor?«

»Zunächst mal sollten wir herausfinden, ob sich da drin drei oder dreihundert Leute aufhalten.«

Er sah zu dem Fenster, durch das ich zum ersten Mal den jungen Mr. Billings über den Rasen hatte eilen sehen. »Kommen Sie«, sagte Miller und ging zwischen den Grabsteinen vor mir her, bis wir das Fenster erreicht hatten.

Im Inneren der Kapelle zuckten so grelle Blitze, daß ich eine Hand vor meine Augen legen mußte, um nicht geblendet zu werden. Der Gesang des jungen Mr. Billings war heftiger und komplizierter geworden,

Die Opferung

bis er schließlich nahezu schrie. Ich richtete mich soweit auf, daß ich gerade über die mürbe Steinfensterbank spähen konnte. Aus den Augenwinkeln heraus sah ich, daß Miller das gleiche machte.

Keiner von uns sagte etwas, als wir ins Innere der Kapelle blickten. Miller verstand zwar nicht die Bedeutung dessen, was sich uns präsentierte, dennoch hatte er den Mund geöffnet und wirkte so, als weigere sich sein Verstand, das als wahr anzuerkennen, was seine Augen sahen.

An der linken Wand der Kapelle hatte man sämtliches Efeu entfernt, wodurch nicht nur das Wandgemälde von Kezia Mason, sondern auch die Bildnisse zahlloser weiterer junger Frauen freigelegt worden waren. Nach der Mode der Kleidung auf den Malereien zu urteilen, stellten sie vermutlich sämtliche Frauen dar, die über Generationen hinweg als Wirt für das Hexen-Wesen gedient hatten. Alle hatten den gleichen Gesichtsausdruck und die gleiche Körperhaltung wie Kezia Mason, das gleiche Spöttische, Triumphierende. Und jede von ihnen hatte einen eigenen Brown Jenkin, mal auf der Schulter liegend, mal im Arm gehalten. Manche von ihnen sahen aus wie Katzen oder Echsen, andere wie eine Kreuzung aus Hund und Kröte.

Dort, wo sich früher das Mittelschiff der Kapelle befunden hatte, waren jetzt drei riesige Pfannen. Sie sahen aus, als habe man sie aus alten Chemiefässern gefertigt, grobschlächtig mit Löchern versehen und mit Kohle und trockenem Holz gefüllt. Metallgitter waren über diese Pfannen gelegt worden, auf denen gut zehn große Fleischstücke geröstet wurden. Ich hielt sie zunächst für Spanferkel, doch als sich der Rauch für einen Moment verzog, konnte ich ein *Gesicht* ausmachen.

Das waren keine Spanferkel, *das waren Kinder!* Die abgeschlachteten Waisen des Fortyfoot House. Einigen waren Arme und Beine abgehackt worden, andere hatte man enthauptet. Einige waren mit Draht an den Gittern befestigt worden; vermutlich hatten sie noch gelebt, als man begonnen hatte, sie zu rösten.

Von den Pfannen bis zum Altar waren die zerbrochenen Ziegel mit den Knochen von Kindern übersät. Der Altar selbst verschwand förmlich unter Tausenden von Knochen, die zum Teil noch frisch waren. Einige waren aber auch schon so alt, daß sie teilweise zu Staub zerfallen waren. Es fanden sich Brustkörbe, Beckenknochen, Schenkelknochen, Schulterblätter – und mehr kleine Schädel, als ich zählen konnte.

Auf diesem Berg lag die groteskeste Kreatur, die ich jemals gesehen hatte. Allein ihr Anblick machte mich schon fast wahnsinnig. *Sag, daß das nicht wahr ist,* forderte mein Verstand.

Aber es war nur allzuwahr. Es war eine Frau, eine unglaublich aufgeblähte Frau, die nackt auf einem Stapel aus Decken und blutverschmierten Matratzen lag. Ihr Bauch war eine gewaltige Kugel, und was den Anblick noch schlimmer machte, waren die *unablässigen Bewegungen*, als sei eine Kreatur in ihrem Bauch gefangen, die unbedingt in die Freiheit gelangen wollte. Auch ihre Brüste waren massiv angeschwollen, während ihr Hals so aufgedunsen war, daß ihr Gesicht einer winzigen Puppenmaske glich.

Neben ihr kniete eine in schmutzige Lumpen gehüllte Gestalt, von der Kezia Mason angeblich Brown Jenkin bekommen hatte – der König der Docklands-Unterwelt: Mazurewicz. Seine schmierigen, bloßen Hände fütterten sie mit Fleisch und Knorpel und lauwarmem Fettgewebe. Sie ließ sich alles in ihren winzigen Mund stopfen und schluckte das meiste unzerkaut, was ihren Bauch nur noch heftiger zucken ließ.

Der junge Mr. Billings stand nicht weit davon entfernt, trug aber nicht Schwarz, wie sonst üblich, sondern hatte sich ein schlichtes weißes Laken übergeworfen, das ihn wie Marcus Antonius aus *Julius Cäsar* wirken ließ. Er hielt seine Augen geschlossen und seine Arme erhoben und schrie noch immer diese Gesänge in den Himmel, wieder und wieder.

»*Tekeli-li! Tekeli-li!*«

»Scheiß Hölle«, sagte Miller.

»Wo ist Danny?« fragte ich. »Können Sie ihn sehen?«

Er schob seinen Kopf etwas höher über die Fensterbank.

»Dort«, sagte er. »In der Ecke, in der Nähe der Wand. Brown Jenkin hat ihn in seiner Gewalt, aber er scheint unverletzt zu sein.«

»Vielleicht warten sie, bis alle diese armen Kinder gar sind«, erwiderte ich.

Ich war so verstört von dem, was ich gesehen hatte, daß ich zu Boden blicken und eine Hand gegen meine Stirn pressen mußte. Ich wußte nicht, ob ich Angst oder Verbitterung oder Hoffnung oder vielleicht nichts dergleichen spürte.

Miller senkte den Kopf und kam zu mir herüber. »Hören Sie«, sagte er. »Je schneller wir handeln, um so besser. So wie bei Drogenrazzien. Wir platzen beide herein und schreien wie die Verrückten. Das hilft, um sie zu verwirren. Ich renne nach rechts, als würde ich versuchen, den Kerl in dem weißen Nachthemd auszuschalten, während Sie nach links rennen und sich Danny schnappen. Dann gehen Sie durch die Tür wieder raus, während ich aus dem Fenster springe. Und dann rennen Sie so, als hätte Ihnen jemand Feuer unter dem Hintern gemacht.«

»Und Brown Jenkin?« fragte ich.

»Verpassen Sie ihm einen Tritt in die Eier, sofern er welche hat. Zögern Sie nie, und schreien Sie weiter. *Und warten Sie nicht auf mich, denn ich werde nicht auf Sie warten.*«

Die Opferung

»Also gut.« Ich schluckte. Wieder zuckten Lichter nach draußen, der Boden zitterte heftig. Ich hörte das entsetzliche Geräusch der Schädel, die ihren Halt verloren und aus dem Knochenberg rutschten.

Schulter an Schulter standen wir vor dem Vordereingang der Kapelle. Ich hatte solche Angst, daß ich kaum atmen konnte, was mir bei der brennenden Luft ohnehin schwerfiel. Ich mußte mich alle Augenblicke räuspern, um den hartnäckigen Hustenreiz zu bekämpfen.

»Bereit?« fragte Miller.

Ich sah ihn an. Mit einem Mal wurde mir bewußt, daß ich nicht die leiseste Ahnung hatte, wer er eigentlich war. Und doch befand er sich jetzt an meiner Seite, in einem unvorstellbaren Abenteuer, riskierte sein Leben, um gegen das obszönste Geschöpf zu kämpfen, das ich jemals gesehen hatte.

»Bereit«, sagte ich. »Und ... danke.«

»Unfug. Das ist mein Job.«

Gemeinsam stürmten wir in die Kapelle und schrien aus Leibeskräften. Im gleichen Moment erschütterte ein ohrenbetäubender Donner die Ruine. Der kurz danach in den Boden der Kapelle einschlagende Blitz blendete uns, während Knochen und Dachziegel wie Schrapnellgeschosse in alle Richtungen flogen.

Ich zögerte eine Sekunde lang, war verwirrt, lief dann aber brüllend weiter, sprang über die Dachziegel und eilte auf Danny und Brown Jenkin zu. Der hatte Danny bereits das T-Shirt ausgezogen, während er mit einem langen Eisenstück das Feuer in der nächstbesten Pfanne weiter schürte. Ich sah, daß Tränen über Dannys Wangen liefen.

»*Pretty fire, oui? You like the pretty fire?*«

Ich glaube nicht, daß Brown Jenkin mich kommen sah, ganz im Gegensatz zu Danny. Der machte abrupt einen Satz nach hinten. Während Brown Jenkin nach ihm greifen wollte, rannte Danny auf mich zu, als könne er ein Sportabzeichen gewinnen, wenn er schnell genug bei mir war.

»*Ahhhhhhhh!*« kreischte Brown Jenkin und eilte ihm mit wehendem schwarzem Umhang hinterher.

Danny kam buchstäblich in meine Arme geflogen, ich fing ihn auf und rannte los, um die Pfannen, zwischen dem widerwärtigen Rauch verschmorter Kinder hindurch, während meine Schuhe Knochen und Dachziegel zertraten. Ich vergaß, weiter zu schreien, doch da ich jetzt Danny im Arm hielt, hätte ich ohnehin nicht genug Atem dazu.

»*Bastard-bastard I cut out your lunch-pipes!*« jaulte Brown Jenkin, der hinter mir herhüpfte.

Ich blieb stehen und setzte kurz Danny ab, um gegen die letzte der

Pfannen zu treten und Brown Jenkin mit glühender Kohle und brennendem Holz und den gerösteten Körpern seiner unschuldigen Opfer zu überschütten.

Sein Umhang fing Feuer, woraufhin er ihn wie wild auf den Boden schlug, während er fluchte und spuckte.

Ich war weit genug entfernt. Ich hatte die halbe Strecke zur Tür zurückgelegt und niemand konnte mich einholen.

Ich drückte Danny fest an mich, doch als ich die Tür erreicht hatte und mich noch einmal umsah, erkannte ich, daß Miller nicht soviel Glück gehabt hatte.

Mazurewicz war von dem Berg aus Knochen herabgestiegen und hatte ihn zu fassen bekommen. Jetzt hielt er Millers Haare fest und drückte ein langes, geschwungenes Messer an dessen Kehle.

»Gehen Sie!« schrie Miller. »*Um Himmels willen, David, gehen Sie!*«

Ich setzte Danny ab und sagte ihm: »Hör gut zu. Du mußt zum Haus zurücklaufen. Bleib auf keinen Fall stehen. Kletter über die Feuerleiter nach oben und steig durch das Dachfenster ins Haus. Dann gehst du sofort nach unten und suchst nach Charity. Du bleibst bei Charity. Ganz egal, was passiert, sprich nicht mit Liz. Liz ist böse. Es ist nicht ihr Fehler, aber sie ist böse. Also bleib bei Charity.«

»*David, hören Sie nicht? Sie sollen gehen*«, wiederholte Miller.

»Du bleibst aber nicht hier, oder?« fragte Danny verängstigt.

»Nein, nur noch ein paar Minuten. Und jetzt lauf!«

Danny gab mir einen flüchtigen Kuß auf die Wange, dann rannte er in aller Eile über den Friedhof und durch den schwefligen Lichtschein. In dem Moment stürmte Brown Jenkin auf mich zu. Sein Umhang qualmte noch immer, während er mit seinen Klauen die Luft zerschnitt und hysterisch schrie.

»*Merde-fucker I rip you to pieces!*«

Ich duckte mich und trat ihn, so hart ich konnte. Er kreischte auf und aus seinem Fell regnete es Läuse. Ich trat erneut zu, auch wenn es mir so vorkam, als würde ich ein totes Huhn treten, das in ein Handtuch gewickelt worden war. Brown Jenkin kreischte abermals, doch diesmal trafen seine Klauen mein Bein. Er zerfetzte mein Hosenbein und fügte mir einen gut zehn Zentimeter langen, tiefen Schnitt in meinem Wadenmuskel zu.

In dem Moment verlor ich das Gleichgewicht und sprang nach hinten, während ich fest davon überzeugt war, daß er mich töten würde. Mit einem Mal mußte ich an Dennis Pickering denken und verlor jeglichen Mut. Ich wußte nicht mehr, was ich machen sollte, mein gesamtes Nervensystem schien wie gelähmt.

Die Opferung

»*Bueno, bueno, now I cut out your chitterlings, ja?*« kicherte Brown Jenkin und kam langsam näher. Seine gelben Augen verengten sich und seine Klauen schlugen aneinander wie todbringende Kastagnetten.

21. Rituelle Geburt, ritueller Tod

Durch den Donner und durch das Poltern und Klappern der Knochen, das Brutzeln der toten Kinder und Mazurewicz' Gekicher hörte ich eine kraftvolle dröhnende Stimme: »Jenkin! Hör auf! Bring ihn zu mir!«

Brown Jenkin knurrte und versetzte mir einen letzten, trotzigen Hieb. Aber offenbar blieb ihm nichts anderes übrig, als mich zum Altar zu bringen, wo der junge Mr. Billings in seinem weiten, weißen Gewand stand.

Billings sah sehr verändert aus, da sein Haar seit dem letzten Mal, als ich ihn gesehen hatte, völlig weiß geworden war und sein Gesicht von Erschöpfung und moralischem Zerfall gezeichnet war. Er sah aus wie ein Mann, der alles gegeben hatte: Leib *und* Seele.

Er lächelte mich sonderbar an und streckte seine Hand aus, als erwarte er, daß ich sie ergriff und schüttelte.

»Sie haben also nicht auf mich gehört. Sie sind nicht fortgegangen«, sagte er. Seine Stimme war viel rauher geworden, hatte aber nichts von ihrer Autorität verloren. »Ich wußte, daß Sie nicht gehen würden. Und jetzt sind Sie genau da, wo ich Sie haben wollte!«

Er tippte sich mit einem Finger an die Stirn. »Psychologie ist schon immer meine Stärke gewesen. Ich wollte Sie hierhaben, und jetzt sind Sie hier.«

»Woher wußten Sie, daß ich bleiben würde?«

»Das war doch offensichtlich«, sagte Billings. »Sie haben Liz geliebt, nicht wahr? Verliebte machen immer das Gegenteil von dem, was man ihnen rät. Da Sie hier sind, *müssen* Sie geblieben sein. Zumindest lange genug, damit Ihre Liz zum dritten Mal schwanger wird, was schließlich alles war, was sie von Ihnen wollte. Leider hat ihre Nachkommenschaft nicht überlebt. Aber natürlich war das Jahr 1992 noch zu *schön*. Man konnte durchatmen, ohne husten zu müssen. Aber das Hexen-Wesen verließ sie, als sie starb, und versteckte sich in den Mauern des Fortyfoot House, um schließlich einen neuen Wirt zu finden. Eine wirklich nette Maklerin. So ging es dann weiter bis zum heutigen Tag. Jetzt sind wir bereit für die letzte große Erneuerung.«

Er nahm meine Hand und zog mich hinter sich her zu den Matratzen, auf denen die aufgeblähte Frau lag. Ihr winziges Gesicht starrte mich ausdruckslos an. Ihre Kinn war fettverschmiert, und Fett bahnte sich auch seinen Weg zwischen ihren riesigen Brüsten entlang.

»Darf ich vorstellen: Vanessa Charles«, sagte Billings lächelnd. »Ein Fräulein aus Ventnor. Und die erste Hexe in der Geschichte der Menschheit, die es bis zum Schluß geschafft hat. Darum brauchte sie so viele Kinder. Junges Fleisch, das ihren Babys Kraft verleiht! Aber wir haben 2049 und niemand kann noch Kinder bekommen. Es *gibt* einfach keine Kinder mehr. Darum mußten wir ins Fortyfoot House zurückkehren und die Kinder aus der Vergangenheit holen.«

Der winzige Mund der Frau öffnete und schloß sich unaufhörlich, doch auf einmal hauchte sie: »Na, Trottel. Ich wußte, daß ich dich am Ende doch noch kriegen würde, du Feigling.«

»Kezia«, flüsterte ich.

»Oh, ja, Trottel. Und auch Liz. Und alle anderen auch. Und jetzt die reizende Vanessa. Wie wär's mit einem letzten Kuß, Trottel?«

Sie gab ein leises Zischen von sich, das ein Lachen darstellen sollte, hielt aber inne, als ihr gewaltiger Bauch plötzlich massiv bebte und das Innere der Kapelle in einen gleißenden Blitz getaucht wurde.

»Bald ist es soweit«, sagte Billings freudig, sah mich dann aber mißtrauisch an und fragte: »Sie *verstehen* doch, daß ich keine andere Wahl hatte, oder?«

»Was soll das heißen?« erwiderte ich. Ich konnte meinen Blick nicht von Vanessas wogendem Bauch abwenden, ich konnte nicht anders, als darüber nachzudenken, was die Ursache für dieses heftige Wogen sein mochte. Ich wollte um keinen Preis dabei sein, wenn das, was sich in ihrem Bauch verbarg, auf die Welt kam.

»Was das *heißen* soll? Was das *heißen* soll? Glauben Sie, ich *wollte*, daß all die unschuldigen Kinder abgeschlachtet werden? Sie hatten mich um zwölf Kinder gebeten, mehr nicht. Und die habe ich ihnen gegeben. Warum, habe ich Ihnen gesagt. Ich empfand so tiefes Bedauern, ich habe wirklich versucht, sie aufzuhalten! Darum hatte ich Sie gebeten, Fortyfoot House zu verlassen, damit Liz ihre Schwangerschaft nicht vollenden konnte und die Hexe in ihr sterben würde. Alle drei Schwangerschaften müssen vom gleichen menschlichen Spender kommen. Sonst sind die Embryos nur wie ein kurzes Erschrecken und sterben, und dann stirbt auch das Hexen-Wesen. Darum ist Vanessa hier die einzige überlebende Hexe.«

»Wenn ich das gewußt hätte ...«, begann ich.

»Ja, ich hätte mich wohl deutlicher ausdrücken sollen. Ich habe es versucht, Sir, ich habe es versucht. Aber Sie machten das, was Sie wollten!«

Der Boden zitterte, weitere Schädel lösten sich aus dem Knochenberg, und Mazurewicz flüsterte: »Ich muß sie weiter füttern, es ist fast soweit!«

Billings kehrte zurück auf den Platz neben dem Altar, auf dem er zuvor gestanden hatte. »Mr. Mazurewicz ist mein Geburtshelfer, nicht wahr, Mr. Mazurewicz? Das ist er schon *immer* gewesen, wenn Hexen gebären. Diejenigen, die nichts von den Alten wissen und von der Macht, die sie besaßen ... nun, diejenigen hatten meistens vor Mr. Mazurewicz *Angst*. Sie wußten überhaupt nicht, wovor sie *wirklich* Angst hätten haben müssen!«

Er legte seine Hand auf Mazurewicz' Schulter und drückte sie liebevoll, aber auch respektvoll. »Mr. Nicolas Mazurewicz ist der Herr, den die Leute den König der Finsternis nennen. Manche sagen auch Satan zu ihm.«

»Es wird Zeit!« drängte Mazurewicz. »Sie muß gefüttert werden.«

»Machen Sie schon«, sagte Billings und packte Miller an der Schulter. Ich weiß nicht, auf welchen Nerv er drückte, aber Miller konnte nur mit Mühe ausatmen, während seine Augen hervortraten. Weder bewegte er sich, noch sprach er ein Wort. Mazurewicz kehrte zu der zuckenden Vanessa zurück und schnitt für sie von Leber und Lunge dicke, dampfende Scheiben ab, um sie ihr zwischen ihre vollen Lippen zu drücken.

»Ich hätte es Ihnen wirklich deutlicher erklären sollen«, sagte Billings. »Es gibt so viele Dinge, die ich hätte tun sollen, die ich aber versäumt habe. Und all die toten Kinder! Es ist eine Schande, Sir, eine wirkliche Schande. Ich weine um sie.«

Direkt hinter mir kicherte Brown Jenkin.

»Ruhig, Jenkin«, rief Billings ihn zur Ordnung. Er ließ Miller wieder los und erhob seine Arme.

»Das Problem«, sagte er dann mit gesenkter Stimme, als weihe er mich in eine Verschwörung ein, »bestand *darin*, daß sie mir im Gegenzug für meine Dienste etwas ganz Besonderes anboten. Wenn ich ihnen die Kinder brachte, die sie für die große Erneuerung brauchten, würden sie mich zu einem der ihren machen. Ich würde ebenfalls über die Welt herrschen können. Und auch über Raum und Zeit! Ich würde für immer existieren, bis in alle Ewigkeit. Ich würde alles Vorstellbare erfahren und vieles andere, das unvorstellbar ist. Ich würde die Grenzen der Ewigkeit überschreiten können. Nur ein Mensch kann sich ihnen anschließen, nur ein einziger! Mein Vater war natürlich auch versucht, doch er wollte ihnen nicht die Kinder geben. Nur ein Mensch auf der ganzen Welt, der ihnen das Wissen gibt, um über *jeden anderen* Menschen zu herrschen! Zumindest in den wenigen elenden Jahren, die die Menschen noch zu leben haben, bevor wir sie jagen und verspeisen und für unsere Belustigung benutzen.«

Miller rieb sich das Genick, während er sich von Billings entfernte: »Sie sind völlig verrückt!«

Billings bedachte ihn mit einer wegwerfenden Handbewegung, dann kam er auf mich zu, bis er so nah war, daß ich seinen säuerlichen Atem riechen konnte.

»Sie waren derjenige, den ich haben wollte, David! Jemand, der über die Alten etwas weiß. Ein Gauleiter sozusagen. Ein Mensch, der mit einer Hexe zusammen war. Jemand, der für mich zu den Menschen spricht, wenn ich bei den Alten bin. Ich werde Gott sein, und Sie mein Jesus. Verstehen Sie das?«

Ich konnte kaum sprechen. Mit einem Mal verstand ich die Dimensionen meiner eigenen Schwäche und meiner Gutgläubigkeit, aber auch meiner Menschlichkeit.

»Der Gedanke gefällt Ihnen doch, oder?« sagte Billings. »Laufen Sie, haben ich Ihnen gesagt! Aber Sie sind nicht gelaufen, nein, Sie nicht. Zu neugierig, zu leicht zu verführen. Jetzt werden Sie an meiner Seite warten, bis Sie sehen, was geschieht. Jenkin, paß auf sie auf, laß sie nicht entkommen!«

»*Ach, merde*«, murrte Brown Jenkin und zog mich mit einer Klaue zur Seite.

Billings begann wieder zu singen. »*Tekeli-li! Tekeli-li!*« Die Erde bebte so heftig, daß sich große Teile Putz von den Wänden der Kapelle lösten und auf die Ziegel stürzten. »*Tekeli-li! Tekeli-li!*«

Sogar Brown Jenkin wich zurück, als Mazurewicz einen Arm hoch und schrie: »Es ist soweit! Es ist endlich soweit! Die Erneuerung, Billings! Die Erneuerung!«

Donner grollte über unsere Köpfe hinweg. Die Naturgewalten, die diese Erneuerung auslösten, waren verheerend. Aber das überraschte nicht weiter, wenn man überlegte, daß diese unglaublich aufgeblähte Vanessa Charles jeden Augenblick Kreaturen zur Welt bringen würde, die einst über Raum und Zeit geherrscht hatten.

Mazurewicz tanzte wie eine schlecht gewickelte Vogelscheuche umher und hob das Messer, mit dem er zuvor das Fleisch geschnitten hatte. Er wirbelte umher, und dann stieß er die Klinge tief in Vanessas Bauch, der sanft glänzte.

Vanessas Augen weiteten sich vor Schmerz. Einer ihrer fetten Arme schoß hilflos nach oben, doch sie mußte von Anfang an gewußt haben, daß sie sterben würde. Mazurewicz bewegte das Messer nach oben und öffnete sie mit einem grotesken Kaiserschnitt, als das *Ding*, das in ihr

Die Opferung 277

herangewachsen war, beschloß, sich den Weg nach draußen mit Gewalt zu bahnen.
»Oh, Gott«, sagte Miller.
Die gesamte Kapelle erzitterte, der Himmel wurde ringsum von Blitzen zerrissen.
Vanessas Bauch *riß* auf, und in der entstandenen Öffnung kamen Tentakel zum Vorschein, die an einen Tintenfisch erinnerten. Immer mehr Arme drängten nach draußen, bis ihr ganzer Bauch von zappelnden Tentakeln überzogen war.
»Der Sohn des Speichels«, rief Billings. »Der Sohn des Speichels! Ja! Ja!«
Entsetzt sah ich in Vanessas Gesicht. Sie lebte immer noch und fühlte alles. Welche Schmerzen sie dabei aushielt, vermochte Gott allein zu sagen. Einen Augenblick später hörte ich ihre Rippen brechen, und die tentakelbewehrte Bestie *erhob* sich und gewann an Größe.
Vanessa riß die Augen auf, und gleißende Lichtstrahlen schossen aus ihrem *Inneren* heraus. Auch ihr Mund öffnete sich weit, aus ihm trat ebenfalls ein Lichtstrahl. Dann explodierte ihr Kopf, und eine zuckende Kugel aus strahlendem Protoplasma kam zum Vorschein, gefolgt von drei oder vier weiteren, die alle wie schimmernde gasförmige Quallen aussahen.
»Der Sohn des Samens!« verkündete Billings.
Dann folgte eine weitere blutige Explosion, die Vanessa in tausend Stücke zerriß. Aus ihren Überresten erhob sich ein riesiger schwarzer formloser Schatten, der von einer Aura völliger Kälte und unendlicher Bösartigkeit umgeben war.
»Der Sohn des Blutes! Tekeli-li! Tekeli-li!«
Die drei abscheulichen Söhne der Alten schwebten in der Luft über dem, was von Vanessa Charles übriggeblieben war. Nach Tausenden von Jahren im Verborgenen waren sie endlich zurückgekehrt, um wieder über eine öde und vergiftete Welt zu herrschen. Ich verstand nicht wirklich, wer sie waren oder woher sie eigentlich kamen. Aber ich hatte das Gefühl, daß sie glaubten, die Erde gehöre ihnen, nicht uns, und daß sie keine Gnade walten lassen würden, um sie wieder für sich zu beanspruchen.
Mazurewicz wischte das Messer an seinem Mantel ab und trat mit gesenktem Haupt zurück. Billings ging zur gleichen Zeit mit ausgestreckten Armen auf die drei schwebenden Wesen zu und begrüßte sie wie Götter.
»Ich habe Euch zurückgeholt!« rief er. »Ich habe Euch zurückgeholt! Sohn des Samens, Sohn des Speichels und Sohn des Blutes! Ich habe

Euch zurückgeholt! Jetzt könnt Ihr Euch vereinen, und ich kann ein Teil von Euch werden!«

Ich begann eine düstere Unruhe zwischen den drei Kreaturen zu spüren. Das tintenfischähnliche Ding rollte seine Tentakel auf, die leuchtenden Kugeln zogen sich zusammen. Über ihnen hing der kalte schwarze Schatten in der schwefelhaltigen Luft und wirkte wie ein Vorhang zu Beginn einer phantastischen Zaubernummer.

Es hatte sogar etwas mit Zauberei zu tun – jener ursprünglich vormenschlichen Zauberei, die uns Hexen und Wunderheiler und Seher beschert hatte.

Völlig furchtlos trat Billings in die blutigen Überreste von Vanessa Charles, einen Fuß stellte er auf ihr zerschmettertes Rückgrat, dann warf er den Kopf nach hinten.

»Jetzt könnt Ihr Euch vereinen!« schrie er. »Und ich kann ein Teil von Euch werden!«

Mir wurde bewußt, daß ich einem genealogischen Ereignis beiwohnte, das so bedeutend war wie die erste Zellteilung oder die ersten Gehversuche eines Fisches an Land oder die ersten Laute einer affenähnlichen Kreatur beim Versuch, Worte zu bilden. Die Zukunft des gesamten Planeten hing von diesem einen entscheidenden Augenblick ab. Nicht nur die Zukunft, auch die Vergangenheit.

Hoch über mir wurde das Tentakelding von der Schwärze des Schattens aufgesogen, gefolgt von den leuchtenden Kugeln. Übrig blieb eine riesige, dunkle Wolke, die so kalt war, daß ihre Kälte *abstrahlte*. *Yog-Sothoth*, drei in einem, die Unselige Dreifaltigkeit, aus der die Alten geschaffen worden waren, die Hölle auf Erden. Und Mazurewicz, der Teufel, war der Geburtshelfer.

Die Welt hatte in meinen Augen nie wirklich Sinn ergeben. Wir befanden uns auf diesem Planeten, der durchs All flog, doch den Grund für unsere Anwesenheit konnte eigentlich niemand erklären. Jetzt aber, da der eisigkalte Schatten von Yog-Sothoth über mir schwebte, kam es mir so vor, als gebe es auf jedes Rätsel des menschlichen Lebens, auf jeden Aberglauben und auf jede Religion eine Antwort.

Die grundlegende Tatsache unserer Existenz auf diesem Planeten war, *daß wir nicht die ersten waren*. Unsere Überlieferungen waren voll von Geistern und Halluzinationen, Mythen und Aberglauben. Die ›Traumzeit‹ hatten die Aborigines es genannt. Die Zeit davor. Die Zeit vor uns, als die Alten die Erde beherrscht hatten.

Meine Ohren wurden von einem tiefen, trommelnden Geräusch bombardiert, als sich der schwarze Schatten langsam über Billings herabsenkte. Er schrie ekstatisch, während die Wolke immer tiefer sank.

Blitze zuckten um ihn herum, Funken sprangen von seinen Haaren über. Während er schrie, schossen Funken aus seinem Mund wie Blitze von einem Schweißgerät.

»*Ich werde euch alle beherrschen!*« schrie er uns an. »*Ich werde ewig leben und euch alle beherrschen!*«

Ohne etwas zu sagen und ohne mich anzusehen, stürmte Miller auf den Altar zu. Brown Jenkin schlug mit einer Klaue nach ihm, traute sich aber nicht, ihm zu folgen.

»Sergeant!« rief ich. »Sergeant!«

Miller stieg aber über die Knochen, so schnell er konnte, und plötzlich verstand ich, was er vorhatte. ›Ein Mann‹, hatte Billings geprahlt. ›Ein Mann kann euch alle verfolgen und vernichten‹. Was aber, wenn dieser eine Mann nicht der junge Mr. Billings war, sondern ...?

Miller versetzte Billings einen Stoß, der ihn zu Boden schickte und mitten in den blutigen Überresten von Vanessa Charles landen ließ. Billings schrie ihn entsetzt an, doch Miller trat ihn, nicht nur einmal, sondern wieder und wieder, bis Billings den Halt verlor und von dem Knochenberg rutschte. Auf dem Rücken liegend fand er sich an der Mauer der Kapelle wieder.

Miller nahn seinen Platz ein. Sein Gesichtsausdruck hatte etwas Glückseliges und zugleich Märtyrerhaftes, als habe er der Menschheit schließlich doch noch einen Dienst erwiesen, der seiner würdig war. Kein Wunder, daß er von Anfang an geglaubt hatte, daß Brown Jenkin wirklich existierte. Er war fast ein Heiliger.

Die kalte schwarze Wolke senkte sich auf ihn herab wie der Vorhang in einem Theater. Warum sollte sich Yog-Sothoth darum kümmern, welchen Menschen er in sich aufnahm? Einen Moment lang sah ich Detective Sergeant Miller mit leuchtenden Augen; sein ganzer Körper war von blendender Statik umgeben, seine Haare wirbelten nach *oben*, er hatte die Arme ausgestreckt. Dann schoß die Wolke empor in den giftig-gelben Himmel, begleitet von einem Geräusch, das die Atmosphäre so sehr in Bewegung versetzte, daß ich nicht das Geräusch hörte, sondern nur die Schmerzen in meinen Trommelfellen spürte. Und dann war es vorüber.

Billings stolperte durch den Berg aus Knochen, fassungslos. »*Ich!*« schrie er zum Himmel hinauf. »*Ich! Ich war derjenige, den Ihr mitnehmen solltet!*«

»*Et maintenant pourquoi?*« fragte Brown Jenkin noch aufgeregter. »*Tu as promised me alles, you fucker! Et maintenant c'est tout disparu, dans cet cloud!*«

Billings fiel auf die Knie, stöhnte, schluchzte und schlug sich gegen die Brust. Brown Jenkin begab sich zu ihm, baute sich vor ihm auf und spuckte ihm wieder und wieder ins Gesicht, bis Billings' Gesicht völlig von Jenkins Spucke überzogen war.

»Pourquoi did I suffer and fight for all of these years bastard-bastard! Pourquoi!«

Billings ballte die Fäuste und heulte, als trauere er.

Brown Jenkin stand vor ihn und sah ihn haßerfüllt an. Mit einer plötzlichen, fast beiläufigen Bewegung schossen seine Klauen über Billings' Kehle und rissen seinen Kehlkopf heraus. Blut schoß aus der Wunde, und Billings sackte schließlich in sich zusammen, während ein Bein noch zuckte. Brown Jenkin stand da mit dem Kehlkopf auf seine Klaue gespießt. Seine Oberlippen verzog er zu etwas, was einem Grinsen nahekam.

Ich zögerte noch einen Augenblick lang, dann rannte ich los. Mazurewicz sah mich, machte aber keine Anstalten, mich aufzuhalten. Vielleicht sah er das menschliche Dilemma viel philosophischer, als man glauben mochte. Vielleicht hatte er aber auch einfach keine Lust, hinter mir herzurennen. Ich stürmte über den Friedhof, sprang über den Bach und kämpfte mich den rutschigen Hügel hinauf. Über mir zogen sich düstere Wolken zusammen, und die See gab ein langsames, öliges Gurgeln von sich. Vielleicht hatte Mazurewicz mir auch nur nicht folgen wollen, weil seine Arbeit getan war. Er hatte die Geburt der Unseligen Dreifaltigkeit überwacht, und Gott würde nie wieder über diesen Planeten herrschen.

Außer Atem und schweißnaß stieg ich die Feuerleiter hinauf, balancierte auf der Regenrinne entlang, während ich mich vorsah, damit ich nicht ausrutschte. Auf halber Höhe brach eine der Sprossen heraus und fiel lärmend auf den Boden der Veranda. Ich klammerte mich sekundenlang an die Leiter und zitterte vor Angst. Schließlich schaffte ich es, den restlichen Weg zurückzulegen, während ich ein Stoßgebet nach dem anderen sprach. Endlich hatte ich das Dachfenster erreicht, während über dem Ärmelkanal Blitze zuckten. Ich sah mich ein letztes Mal um. Ich bezweifelte, daß ich das Jahr 2049 erleben würde, doch hier befand ich mich mitten in dieser Zeit, umgeben von sterbender Vegetation, beißender Luft und öligen Meeren. Irgendwo zeugte Yog-Sothoth bereits seinen Nachwuchs. Vielleicht hatten sie den Planeten verdient, den sie jetzt geerbt hatten. Auf jeden Fall hatten wir es verdient, ihn zu verlieren.

Ich zwängte mich durch das Dachfenster und schloß es. Die letzten Tropfen sauren Regens schlugen gegen das Glas.

22. Zeit der Schwierigkeiten

Im Wohnzimmer traf ich auf Danny, Charity und Detective Constable Jones und eine Heerschar verwirrter uniformierter Polizisten.

»Wo ist Detective Sergeant Miller« fragte Jones. »Ich dachte, er wäre bei Ihnen.«

»Ich ... nein«, sagte ich. »Ich habe ihn nicht gesehen.«

»Was ist mit Ihrem Bein?« wollte er wissen. »Das sollte wohl genäht werden.«

Ich sah nach unten und stellte fest, daß mein rechtes Hosenbein blutdurchtränkt war. Brown Jenkin hatte seine Klauen bis tief in den Muskel in mein Bein gebohrt, aber seit meiner Flucht aus der Kapelle war mir der Schmerz einfach nicht bewußt geworden.

»Ach, das. Das habe ich mir an einer scharfen Kante an einem Koffer aufgerissen.«

»Na ja, jedenfalls sieht es so aus, als müßte es genäht werden«, wiederholte Jones. »Und eine Tetanusspritze wäre auch nicht verkehrt.«

»Und wo zum Teufel ist Dusty abgeblieben?« fragte einer der Polizisten, während er sich eine Zigarette anzündete. »Mrs. Pickering sitzt im Vikariat und sieht aus wie die Fleischertheke im Supermarkt, wir haben hier dieses ganze Theater, und von Miller ist weit und breit nichts zu sehen.«

»Ich dachte, er sei bei Ihnen«, wiederholte Jones.

Ich schüttelte den Kopf. »Tut mir leid, aber ich habe keine Ahnung, wo er ist.« Was im Grunde auch der Wahrheit entsprach. Ich wußte nicht, wo er war und was mit ihm geschah, aber ich betete, daß er nicht zu sehr leiden mußte.

»Also gut«, sagte Jones. »Gehen Sie wegen Ihres Beins auf jeden Fall ins Krankenhaus, wir kommen später wieder. Ich werde Ihnen noch einige Fragen stellen müssen.«

»Ist gut«, erwiderte ich. Ich begann zu zittern, was von dem Schock und der Erschöpfung herrührte, und natürlich auch von der Wunde, die Brown Jenkin mir zugefügt hatte. Ich ließ mich in einen Sessel sinken und vergrub das Gesicht in meinen Händen. Danny kam zu mir, gefolgt von Charity. »Geht es dir gut, Daddy?« fragte er besorgt.

Ich nahm seine Hand und drückte sie. »Mir geht es gut, Brown Jenkin hat mich gekratzt, weiter nichts. Der Detective hat recht, es sollte besser genäht werden. Und du? Geht es dir gut?«

Danny nickte.

»Der andere Mann ...«, sagte Charity. »Was ist mit ihm geschehen?«

Ich sah zur Haustür. Der letzte Polizist ging gerade nach draußen.
»Auf oder zu?«
»Was?«
»Die Tür. Soll ich sie zumachen oder auflassen?«
»Lassen Sie sie auf.«
»Es ist geschehen, nicht wahr?« fragte Charity. »Die Unselige Dreifaltigkeit ist zum Leben erwacht?«
»Ja«, sagte ich. »Der junge Mr. Billings wollte ... na ja, irgendwie wollte er Teil von ihr sein. Aber im letzten Moment hat Detective Sergeant Miller ihn zur Seite gestoßen und seinen Platz eingenommen.«
Charity sah mich nachdenklich an. »In diesem Fall wird Detective Sergeant Miller viele seltsame Reisen machen und Orte sehen, die noch nie zuvor ein Mensch gesehen hat. In gewisser Weise sollten Sie ihn darum beneiden.«
»Ich glaube, mir gefällt es hier ganz gut. Wo ist Liz?«
»Sie hat sich in ihrem Zimmer eingeschlossen. Sie stellt für uns noch keine Bedrohung dar. Aber bald werden ihre Kräfte größer werden, und ihre drei Söhne werden in ihr heranwachsen. Dann werde ich nicht mehr in der Lage sein, sie zu kontrollieren. Ich kann schon jetzt kaum noch etwas bewirken.«
»Was du vorgeschlagen hast ... daß wir warten, bis sie die drei Söhne zur Welt bringt, und dann das Hexen-Wesen vernichten, das sie verläßt ... müssen wir das machen?«
»Nur so kann das Hexen-Wesen daran gehindert werden, eine Frau nach der anderen zu übernehmen, bis sie Vanessa Charles übernimmt. Nur so können wir die Zukunft verhindern, die Sie gesehen haben.«
»Es gibt keine andere Möglichkeit?«
»Jedenfalls keine, die wirklich *sicherstellt*, daß es nie wieder geschehen wird.«
Einen Moment lang saß ich schweigend da und dachte nach.
»Warum?« fragte Charity. »Haben Sie Bedenken deswegen?«
»Bedenken?« Ich hatte immer noch Schwierigkeiten, die erwachsene Art und Weise zu akzeptieren, in der sie sprach. »Ja, die habe ich. Ich habe gesehen, was mit Vanessa Charles geschah. Sie war gewaltig und fett und alle diese *Dinge* bewegten sich in ihr hin und her, bis sie von ihnen schließlich in Stücke gerissen wurde.«
»Und?« sagte Charity mit ausdruckslosen Augen.
»Nun ... meine Bedenken sind, daß ich Liz das nicht erleiden lassen möchte. Ich möchte nicht, daß Liz in Stücke gerissen wird.«
Charity schwieg lange, dann sagte sie: »Sie kennen das Risiko, das Sie eingehen, wenn Sie dieses Hexen-Wesen nicht vernichten. Sie wissen,

daß die Alten so lange in der Lage sein werden, zurückzukehren, wie noch ein Hexen-Wesen existiert.«

»Ich habe das Ding mit meinen eigenen Augen gesehen, ja. Yog-Sothoth. Aber wenn die Welt wirklich so vor die Hunde geht, daß die Luft uns ersticken wird und daß die Meere voller Chemikalien sind, dann verdienen wir das vielleicht.«

»*Interessiert* es Sie, was mit Liz geschieht?«

»Natürlich interessiert es mich. Ich mag sie. Ich *mochte* sie jedenfalls. Ich glaube, ich hätte sie sogar lieben können.«

»Dann gibt es natürlich einen anderen Weg«, sagte Charity. »Sie können an den Moment zurückkehren, an dem sie zum ersten Mal herkam, und den Dingen einen anderen Lauf geben.«

»Und wie anders?«

»So anders, wie Sie es wollen. Es liegt in Ihrer Hand. Aber wenn sie *nicht* hierbleibt und so nicht von dem Hexen-Wesen übernommen werden kann, das Kezia in seiner Gewalt hatte, und wenn Sie sie *nicht* mit der Unseligen Dreifaltigkeit von Yog-Sothoth befruchten, dann wird sie auch dann gerettet, wenn das Hexen-Wesen überlebt.«

»Können wir nicht dieses Haus niederbrennen? Wenn die Hexe im Haus steckt und wir brennen es nieder ...«

»Sie überlebt dennoch, in der Asche, in der Erde. Man kann sie nur zerstören, wenn sie ihre drei Söhne zur Welt bringt. In diesem Moment hat sie ihre ganze Kraft den Kindern gegeben und ist schwach.«

»Und wie zerstört man sie?« fragte ich. »Mit irgendeinem Zauberspruch?«

Charity lächelte und schüttelte den Kopf. »Nein ... Man gestattet ihr, von einem Besitz zu ergreifen. Dann ...«, sie machte eine Handbewegung, als würde sie sich die Kehle durchschneiden. »Man stirbt und nimmt das Hexen-Wesen mit sich in den Tod.«

Ich starrte sie an. »*Das* hast du vor? Du willst dich umbringen?«

»Es geht nicht anders.«

»Dann vergiß es. Ich werde nicht zusehen, wie Liz in Stücke gerissen wird und du dich umbringst. Keine Chance. Vergiß es einfach.«

»Ich bin dazu bereit«, versicherte Charity.

»Du vielleicht, aber ich nicht.«

»Sind Sie sicher?«

»Ja, ich bin sicher.«

»In diesem Fall«, sagte sie, »müssen wir den anderen Weg versuchen.«

Sie führte Danny und mich in den Garten, über den Rasen und über den Bach. Wir kletterten über die Friedhofsmauer und gingen zwischen den Grabsteinen umher. ›Gerald Williams, Im Alter von sieben Jahren von Gott zu sich berufen, 7. November 1886‹. Ich konnte kaum hinsehen. Gerald Williams war in die Zukunft gebracht, geschlachtet und geröstet worden – ein unschuldiges Opfer für einen bösartigen Gott. ›Susanna Gosling, sie ruht in Frieden‹.

Wir zwängten uns durch die Tür ins Innere der Kapelle. Unter unseren Schuhen zerbrachen die zertrümmerten Dachziegel in noch kleinere Stücke. Ich sah mich um. Das Wandgemälde von Kezia Mason grinste mich immer noch an, doch auf das kommende Blutbad gab es noch keinen Hinweis. Der Himmel war strahlendblau, Schmetterlinge flatterten durch das glaslose Fenster.

»Sehen Sie«, sagte Charity, die auf die Fensterbank geklettert war und auf den Garten zeigte.

Ich folgte ihr und sah hinaus. Das Gras war ordentlich gemäht, Geranien blühten in kreisrunden Beeten. Von den Grabsteinen war nichts zu sehen. »Es ist Morgen«, sagte ich irritiert.

Danny kam zu mir. »Sieh doch, Daddy«, sagte er und zeigte aufs Meer. »Da ist wieder das Fischerboot.«

In diesem Moment sah ich jemanden aus der Küchentür des Fortyfoot House kommen und selbstsicher und ruhig über die sonnenbeschienene Veranda gehen. Es war ein Mann in einem schwarzen Frack, er trug einen hohen, schwarzen Hut. Während er ging, hielt er seine Revers fest und blickte nach rechts und links, als wolle er etwas inspizieren.

Er erreichte die Mitte des Rasens und blieb stehen, die Hände auf dem Rücken verschränkt, und er genoß offensichtlich die leichte Brise, die von der See herüberwehte.

»Hey, Sie da!« schrie ich. »*Ja, Sie da, auf dem Rasen!*«

Der Mann wandte sich um und blickte zur Kapelle. Sein Gesicht hatte einen düsteren, mißbilligenden Ausdruck. Er zögerte einen Moment lang, als überlege er, ob er zur Kapelle und damit zu uns kommen solle, doch dann drehte er sich um und ging zügig zurück zum Haus.

»Hey«, rief ich ihm nach. »Hey, bleiben Sie stehen!«

Der Mann nahm aber keinerlei Notiz von mir und ging mit weit ausholenden Schritten in Richtung Haus weiter.

»Komm, Danny!« sagte ich. »Wir müssen ihn einholen.«

Bauz! Da geht die Türe auf, Und herein in schnellem Lauf, Springt der Schneider in die Stub‘, Zu dem Daumen-Lutscher-Bub.

Wir stiegen von dem Geröllhaufen hinab und zwängten uns durch die Tür. Als wir draußen waren, stellte ich erstaunt fest, daß der Friedhof wieder überwuchert war. Und die Grabsteine standen so wie zuvor dort – umgestürzt, vernachlässigt. Aber sie waren da, sie waren real. Wir eilten

Die Opferung

den Abhang hinab, balancierten wieder über den kleinen Strom, dann liefen wir nach Luft ringend über den Rasen in Richtung Veranda. Während wir uns dem Haus näherten, sah ich, daß die Küchentür einen Spaltbreit offenstand. Ich wußte ganz sicher, daß ich sie geschlossen hatte, als wir aus dem Haus gegangen waren.

Ich bedeutete Danny, hinter mir zu bleiben, während ich mich langsam der Küchentür näherte und versuchte, dabei so wenig Geräusche wie möglich zu machen. Ich gab der Tür einen Stoß und ließ sie auffliegen, bis sie gegen die Wand schlug, erzitterte und dann in ihrer Position verharrte. »Wer ist da?« rief ich. »Ich warne Sie, das ist Privatbesitz!«

Keine Antwort. Ich hielt inne und lauschte, dann rief ich: »Ich weiß, daß Sie da sind! Ich will, daß Sie rauskommen!«

Du willst, daß er rauskommt? Dieser finster dreinblickende Mann mit seinem hohen Hut?

Wieder folgte lange Zeit Stille, dann hörte ich plötzlich ein rasches, schlurfendes Geräusch aus dem Flur, schließlich öffnete jemand die Vordertür. Ich mußte in dem Moment verrückt gewesen sein, denn ich rannte ohne zu zögern durch die Küche und riß die Tür zum Flur auf, um gerade noch zu sehen, wie eine dunkle Silhouette durch die Vordertür des Hauses verschwand und die steile Einfahrt hinaufeilte.

Ich rannte hinterher, wußte aber, daß ich nicht den Mann mit dem Backenbart und dem großen Zylinder verfolgte. Als ich die Straße erreicht hatte, die hinauf nach Bonchurch führte, sah ich, daß ich einer zierlichen jungen Frau folgte – mit strähnigblondem Haar, einem schwarzen Sweatshirt und Baumwollshorts, mit einem randvollen Turnbeutel über der Schulter.

Liz, dachte ich. *Dies ist der Augenblick, die Gelegenheit. Jetzt kann ich sie vor Fortyfoot House bewahren und vor dem entsetzlichen Schicksal, das hier auf sie wartet. Jetzt kann ich sie vor mir retten.*

Es konnte andere Folgen haben, die genauso schlimm sein mochten, aber wenigstens war Liz in Sicherheit.

Ich blieb stehen, während sie weiterlief. Ich hörte, wie ihre Sandalen über den heißen Teer schlappten. Dann war sie hinter den Lorbeeren verschwunden. Sie war fort. Ich stand noch eine Zeitlang auf der Straße und sah zu der Stelle, an der ich sie zum letzten Mal gesehen hatte. Mit einem Mal wurde mir klar, daß es mir das Herz brach.

Danny kam zu mir und fragte: »Wer war das?«

Ich schüttelte den Kopf. »Ich weiß nicht, irgendeine Frau. Sie hat mir nicht gesagt, was sie wollte.« Wir gingen zurück zum Haus.

»Wie wär's mit etwas zu trinken?« fragte ich Danny. »Unten am Strand gibt es ein Café.«

»Gin-Tonic«, sagte er ernst.

Der Morgen war warm und friedlich, und während wir Hand in Hand über den Rasen in Richtung Strand gingen, sah ich hinüber zur Kapelle. Etwas war anders, aber zuerst konnte ich nicht sagen, was mich irritierte. Dann erst bemerkte ich, daß die Grabsteine fehlten und daß der Friedhof nichts weiter war als ein verwilderter Garten.

Dadurch, daß ich Liz hatte gehen lassen, hatte ich zugleich das Schicksal der Waisen im Fortyfoot House geändert. Sie waren inzwischen zwar auch längst tot, aber niemand hatte sie von hier weggeholt.

»Wo ist ...«, begann Danny und sah sich um.

»Wo ist wer?«

»Ich weiß nicht«, sagte er erstaunt. »Ich nahm an, es sei noch jemand da.«

Wir erreichten das Strandcafé und setzten uns draußen an die Mauer, so daß Danny einen Fischer beobachten konnte, der seine Netze auslegte. Eine ältliche Frau, die aussah wie Oma Walton, kam zu uns herüber und wischte sich die Hände an ihrer Schürze ab.

»Was soll's denn sein?« fragte sie.

Danny starrte sie an, dann flüsterte er: »Coca-Cola.«

»Kein Gin-Tonic?« fragte ich amüsiert.

Er schüttelte den Kopf und konnte seinen Blick nicht von Doris Kemble abwenden. Es war, als habe er einen Geist gesehen.

»Am Strand sind viele Taschenkrebse«, sagte sie. »Du kannst ein Rennen mit ihnen veranstalten.«

Später, als Danny zum Strand gegangen war, um nach Taschenkrebsen Ausschau zu halten, setzte sich Doris Kemble zu mir. »Er wird sich an nichts erinnern«, sagte sie nach einer Weile. »*Sie* schon, aber es war auch Ihre Entscheidung, die Dinge zu ändern. Darum tragen Sie auch die Verantwortung für alles, was kommen wird.«

»Sie leben noch«, sagte ich. »Aber was ist mit den Pickerings, mit Detective Sergeant Miller und mit Harry Martin?«

»Sie leben alle noch, und keiner von ihnen kennt Sie.«

»Ist das alles überhaupt geschehen?« fragte ich sie.

Sie nickte. »Ja, es ist alles geschehen. Es geschieht noch immer, irgendwo in der Zeit.«

»Und die Alten?«

»Sie hätten ihnen jede Chance auf eine Rückkehr nehmen können, aber dazu haben Sie sich nicht entschieden. Jetzt können Sie nur beten und alles tun, um den Tag hinauszuzögern, an dem die Erde so verschmutzt ist, daß sie auferstehen können.«

Die Opferung

»Und der junge Mr. Billings? Und Mazurewicz?«

»Sie sind aus dem *Hier* und *Jetzt* verschwunden, aber irgendwo sind sie bestimmt immer noch.«

»Und Brown Jenkin?«

Doris Kemble legte ihre Hand auf meine. »Ich rate Ihnen eines, David. Lauschen Sie immer auf Brown Jenkin.«

Wir verließen Fortyfoot House am nächsten Tag. Ich sagte den Maklern, daß ich eine Nachricht von meinem Arzt in Brighton erhalten habe, er habe ein potentiell gefährliches Herzgeräusch bei mir festgestellt und müsse mir alle anstrengenden Arbeiten untersagen. Ich versprach ihnen, den Vorschuß zurückzuzahlen, was ich noch immer mit monatlich fünf Pfund mache.

Danny und ich fuhren zurück nach Brighton, wo wir zur Zeit im Hinterzimmer in der Wohnung meines alten Freundes John Smart in Clifton Terrace wohnen. Mir gefällt es hier, es ist sonnig und windig und der Weg runter zur Küste ist angenehm. Nur der Rückweg ist verdammt anstrengend.

Ich habe nur ein Andenken aus Fortyfoot House mitgenommen, das Schwarzweißfoto des jungen Mr. Billings auf dem Rasen vor dem Haus. ›Fortyfoot House, 1888‹. Nicht etwa, weil es mir gefallen hätte. Sondern weil Kezia Mason es verhext hatte, damit es sich bewegte. Es ist wie ein Barometer, wie eine Wetterfahne. Wenn der junge Mr. Billings jemals wieder nach Brown Jenkin auf die Suche geht, werde ich es sehen, bevor es geschieht.

Jeden Morgen studiere ich das Foto, während ich meinen Kaffee koche. Es hängt gleich neben meinem Greenpeace-Poster.

Heute morgen, am 15. Oktober, glaubte ich, hinter der Krümmung des Rasen einen kleinen, dunklen, dreieckigen Fleck sehen zu können. Ich hielt das Foto ins Licht und betrachtete es genauer. Unten im Garten spielte Danny mit seinen Dinky-Lastwagen, während die Sonne seine Haaren leuchten ließ. Vielleicht war der Fleck schon immer dort gewesen, vielleicht hatte ich ihn bislang nur nicht bemerkt. Es konnte irgend etwas sein. Aber es konnte auch ein Hut sein. Oder die Spitze eines Ohrs, oder eine erhobene Klaue.

Es konnte die Kreatur sein, die mich noch immer in meinen Alpträumen verfolgte, Nacht für Nacht, mit seinen langen Klauen, seinen gelben Augen und den verfärbten Zähnen, eine Kreatur, die hinter der Fassade meiner geistigen Gesundheit kratzt und kichert.

Es konnte etwas Gebeugtes und unendlich Böses sein, das durch das Labyrinth der Zeit unablässig auf uns zu lief.